상상 그 이상

모두의 새롭고 유익한 즐거움이
비상의 즐거움이기에

아무도 해보지 못한 콘텐츠를 만들어
학교에 새로운 활기를 불어넣고

전에 없던 플랫폼을 창조하여
배움이 더 즐거워지는 자기주도학습 환경을
실현해왔습니다

이제, 비상은
더 많은 이들의 행복한 경험과
성장에 기여하기 위해

글로벌 교육 문화 환경의
상상 그 이상을 실현해 나갑니다

상상을 실현하는 교육 문화 기업 비상

수학의 신

" 최상위 1등급 필수·심화 문제해결서 "

고등수학 (하)

1 / 모든 고난도 문제를 한 권에 담았다!

유형서	내신 기출	교육청, 평가원 기출
고난도 문제	변별력 문제	킬러 / 준킬러 문제

+ **+**

» 공부 효율 UP

2 / 내신 출제 비중이 높아진 수능형 문제와 그 변형 문제까지 담았다!

교육청 학력평가, 평가원 모의평가 및
수능에 출제된 문제와 그 변형 문제를
25% 이상 수록

» 수능형 문제 UP

3 / 교육 특구뿐만 아니라 전국적으로 더 까다로워지고 어려워진 내신 대비를 위해 문제의 수준을 엄선하였다!

최상 난도 문제 25%,
상 난도 문제 55% 수록

» 심화 문제 UP

구성 *

개념

핵심 개념과 문제 풀이에 필요한 실전 개념만 권두에 수록

문제

적중률이 높은 STEP별 문제로 최상위 1등급 실력을 쌓고,
틀리기 쉬운 수능형 문제는 변형 문제까지 한 번 더 풀어 완벽 마스터!

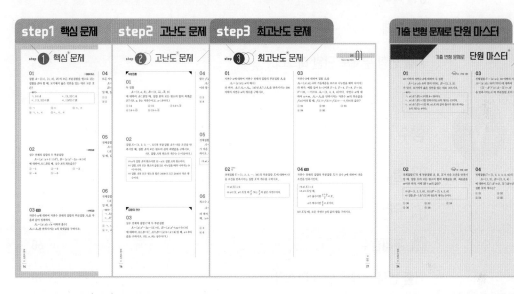

정답

고난도 문제 해결을 위한 다양한 풀이와 전략 제시!

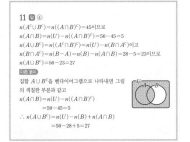

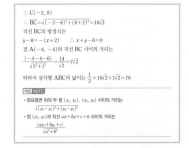

다른 풀이
다양한 방법으로 제공된 풀이를 통해
문제에 접근하는 사고력 향상

비법 노트
고난도 문제 해결에 꼭 필요한 풀이
비법 제시

개념 노트
문제 풀이에 필요한 하위 개념 제시

/ 차례 *//

실전 개념

01

집합

1. 집합과 원소

(1) 집합과 원소 사이의 관계

　① a가 집합 A의 원소이다. ➡ $a \in A$　　　② a가 집합 A의 원소가 아니다. ➡ $a \notin A$

(2) 원소가 하나도 없는 집합을 공집합이라 하고, 기호로 $\varnothing$과 같이 나타낸다.

(3) 집합 A가 유한집합일 때, A의 원소의 개수를 기호로 $n(A)$와 같이 나타낸다. ⟶ $n(\varnothing)=0$

2. 부분집합

(1) 집합 A의 모든 원소가 집합 B에 속할 때, A를 B의 부분집합이라 하고, 기호로 $A \subset B$와 같이 나타낸다.

(2) 부분집합의 성질: 세 집합 A, B, C에 대하여

　① $\varnothing \subset A$, $A \subset A$, $A \subset U$ (단, U는 전체집합)

　② $A \subset B$이고 $B \subset C$이면 $A \subset C$

　③ $A \subset B$이고 $B \subset A$이면 $A=B$ ⟶ $A=B$, 즉 A, B가 서로 같으면 두 집합 A, B의 원소가 같다.

　④ $A \subset B$이고 $A \neq B$일 때, A를 B의 진부분집합이라 한다.

(3) 부분집합의 개수: 집합 $A=\{a_1, a_2, a_3, \cdots, a_n\}$에 대하여

　① 집합 A의 부분집합의 개수 ➡ 2^n　　　② 집합 A의 진부분집합의 개수 ➡ 2^n-1

　③ 집합 A의 부분집합 중 특정한 k개의 원소를 포함하는 부분집합의 개수 ➡ 2^{n-k}

　　└ 특정한 k개의 원소를 포함하지 않는 부분집합의 개수 ➡ 2^{n-k}

3. 집합의 연산

(1) 집합의 연산: 두 집합 A, B에 대하여

　① 합집합: $A \cup B=\{x \mid x \in A \text{ 또는 } x \in B\}$

　② 교집합: $A \cap B=\{x \mid x \in A \text{ 그리고 } x \in B\}$

　③ 여집합: $A^C=\{x \mid x \in U \text{ 그리고 } x \notin A\}$ (단, U는 전체집합)

　④ 차집합: $A-B=\{x \mid x \in A \text{ 그리고 } x \notin B\}$

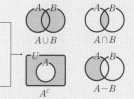

(2) 서로소: 두 집합 A, B에 대하여 $A \cap B=\varnothing$일 때, A와 B는 서로소라 한다.

　참고 $A \cap B=\varnothing$과 같은 표현: ① $A-B=A$, $B-A=B$　② $A \subset B^C$, $B \subset A^C$　③ $n(A \cap B)=0$

(3) 집합의 연산에 대한 성질: 전체집합 U의 두 부분집합 A, B에 대하여

　① $A \cup \varnothing=A$, $A \cap \varnothing=\varnothing$, $A \cup U=U$, $A \cap U=A$, $A \cup (A \cap B)=A$, $A \cap (A \cup B)=A$

　② $(A^C)^C=A$, $\varnothing^C=U$, $U^C=\varnothing$

　③ $A \cup A^C=U$, $A \cap A^C=\varnothing$, $U-A=A^C$

　④ $A-B=A \cap B^C=A-(A \cap B)=(A \cup B)-B=B^C-A^C$

　참고 $A \subset B$와 같은 표현: ① $A \cup B=B$　② $A \cap B=A$　③ $A-B=\varnothing$　④ $B^C \subset A^C$

(4) 집합의 연산 법칙: 전체집합 U의 세 부분집합 A, B, C에 대하여

　① 교환법칙: $A \cup B=B \cup A$, $A \cap B=B \cap A$

　② 결합법칙: $(A \cup B) \cup C=A \cup (B \cup C)$, $(A \cap B) \cap C=A \cap (B \cap C)$

　③ 분배법칙: $A \cap (B \cup C)=(A \cap B) \cup (A \cap C)$, $A \cup (B \cap C)=(A \cup B) \cap (A \cup C)$

　④ 드모르간 법칙: $(A \cup B)^C=A^C \cap B^C$, $(A \cap B)^C=A^C \cup B^C$

4. 유한집합의 원소의 개수

전체집합 U의 세 부분집합 A, B, C가 유한집합일 때

(1) $n(A \cup B)=n(A)+n(B)-n(A \cap B)$

(2) $n(A \cup B \cup C)=n(A)+n(B)+n(C)-n(A \cap B)-n(B \cap C)-n(C \cap A)+n(A \cap B \cap C)$

(3) $n(A^C)=n(U)-n(A)$

(4) $n(A-B)=n(A)-n(A \cap B)=n(A \cup B)-n(B)$ ⟶ $B \subset A$이면 $n(A-B)=n(A)-n(B)$

02 명제

1. 명제와 조건

(1) **명제**: 참 또는 거짓을 명확하게 판별할 수 있는 문장이나 식

(2) **조건**: 포함하는 미지수의 값에 따라 참, 거짓이 판별되는 문장이나 식

(3) **진리집합**: 전체집합의 원소 중에서 조건이 참이 되도록 하는 모든 원소의 집합

(4) **명제와 조건의 부정**: 명제 또는 조건 p에 대하여 'p가 아니다.'를 p의 부정이라 하고, 기호로 $\sim p$와 같이 나타낸다. ── 조건 p의 진리집합을 P라 할 때, $\sim p$의 진리집합은 P^c이다.

2. 명제 $p \longrightarrow q$의 참, 거짓

(1) 두 조건 p, q로 이루어진 명제 'p이면 q이다.'를 기호로 $p \longrightarrow q$와 같이 나타낸다.
가정 ── 결론

(2) 두 조건 p, q의 진리집합을 각각 P, Q라 할 때

① 명제 $p \longrightarrow q$가 참이면 $P \subset Q$이고, $P \subset Q$이면 명제 $p \longrightarrow q$는 참이다.

② 명제 $p \longrightarrow q$가 거짓이면 $P \not\subset Q$이고, $P \not\subset Q$이면 명제 $p \longrightarrow q$는 거짓이다.

[참고] 세 조건 p, q, r에 대하여 두 명제 $p \longrightarrow q$, $q \longrightarrow r$가 모두 참이면 명제 $p \longrightarrow r$도 참이다.

3. '모든'이나 '어떤'을 포함한 명제

(1) 전체집합 U에 대하여 조건 p의 진리집합을 P라 할 때

① 명제 '모든 x에 대하여 p이다.'는 $P = U$이면 참, $P \neq U$이면 거짓이다. ── 하나라도 거짓이면 거짓이다.

② 명제 '어떤 x에 대하여 p이다.'는 $P \neq \varnothing$이면 참, $P = \varnothing$이면 거짓이다. ── 하나라도 참이면 참이다.

(2) '모든'이나 '어떤'을 포함한 명제의 부정

① 명제 '모든 x에 대하여 p이다.'의 부정 ➡ '어떤 x에 대하여 $\sim p$이다.'

② 명제 '어떤 x에 대하여 p이다.'의 부정 ➡ '모든 x에 대하여 $\sim p$이다.'

4. 명제의 역, 대우

명제 $p \longrightarrow q$에 대하여

(1) **역**: $q \longrightarrow p$ ── 명제가 참이라 해도 역이 반드시 참인 것은 아니다.

(2) **대우**: $\sim q \longrightarrow \sim p$ ── 명제와 그 대우의 참, 거짓은 항상 일치한다.

5. 충분조건과 필요조건

(1) **충분조건과 필요조건**: 명제 $p \longrightarrow q$가 참일 때, 기호로 $p \Longrightarrow q$와 같이 나타낸다. 이때 p는 q이기 위한 충분조건, q는 p이기 위한 필요조건이라 한다.

(2) **필요충분조건**: $p \Longrightarrow q$, $q \Longrightarrow p$일 때, 기호로 $p \Longleftrightarrow q$와 같이 나타낸다. 이때 p는 q이기 위한 필요충분조건, q는 p이기 위한 필요충분조건이라 한다.

6. 명제의 증명

(1) **대우를 이용한 증명**: 명제 $p \longrightarrow q$가 참임을 증명할 때, 그 대우 $\sim q \longrightarrow \sim p$가 참임을 보이는 방법

(2) **귀류법**: 명제를 증명하는 과정에서 명제의 결론을 부정하여 가정 또는 이미 알려진 사실에 모순됨을 보여서 그 결론이 성립함을 보이는 방법

7. 절대부등식

(1) **절대부등식**: 부등식의 문자에 어떤 실수를 대입하여도 항상 성립하는 부등식

(2) **부등식의 증명에 이용되는 실수의 성질**: a, b가 실수일 때

① $a > b \Longleftrightarrow a - b > 0$

② $a^2 \geq 0$, $a^2 + b^2 \geq 0$

③ $a^2 + b^2 = 0 \Longleftrightarrow a = b = 0$

④ $|a| \geq a$, $|a|^2 = a^2$, $|ab| = |a||b|$

⑤ $a > 0$, $b > 0$일 때, $a > b \Longleftrightarrow a^2 > b^2 \Longleftrightarrow \sqrt{a} > \sqrt{b}$ ── 두 양수 a, b에 대하여 $a > b$임을 보일 때, $a^2 > b^2$에서 $a^2 - b^2 > 0$임을 보인다.

(3) **산술평균과 기하평균의 관계**

$a > 0$, $b > 0$일 때, $\dfrac{a+b}{2} \geq \sqrt{ab}$ (단, 등호는 $a = b$일 때 성립) ── $\dfrac{a+b}{2}$를 산술평균, $\sqrt{ab}$를 기하평균이라 한다.

(4) **코시-슈바르츠의 부등식**

a, b, x, y가 실수일 때, $(a^2 + b^2)(x^2 + y^2) \geq (ax + by)^2$ $\left(\text{단, 등호는 } \dfrac{x}{a} = \dfrac{y}{b}\text{일 때 성립}\right)$

03

함수

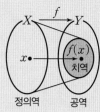

1. 함수
두 집합 X, Y에 대하여 X의 각 원소에 Y의 원소가 오직 하나씩 대응할 때, 이 대응을 집합 X에서 집합 Y로의 함수라 하고, 이 함수 f를 기호로 $f : X \longrightarrow Y$와 같이 나타낸다.

(1) 정의역: 집합 X (2) 공역: 집합 Y

(3) 치역: 함숫값 전체의 집합, 즉 $\{f(x)|x \in X\}$ → 치역은 공역의 부분집합이다.

(4) 함수의 그래프: 함수 $f : X \longrightarrow Y$에서 정의역 X의 각 원소 x와 이에 대응하는 함숫값 $f(x)$의 순서쌍 $(x, f(x))$ 전체의 집합, 즉 $\{(x, f(x))|x \in X\}$

2. 서로 같은 함수
두 함수 f, g의 정의역과 공역이 각각 같고 정의역의 모든 원소 x에 대하여 $f(x)=g(x)$일 때, 두 함수 f와 g는 서로 같다고 하고, 기호로 $f=g$와 같이 나타낸다. → 두 함수 f, g가 서로 같지 않을 때, 기호로 $f \neq g$와 같이 나타낸다.

3. 여러 가지 함수
(1) 일대일함수: 함수 $f : X \longrightarrow Y$에서 정의역 X의 임의의 두 원소 x_1, x_2에 대하여 $x_1 \neq x_2$이면 $f(x_1) \neq f(x_2)$가 성립할 때, 이 함수 f를 일대일함수라 한다.

(2) 일대일대응: 함수 $f : X \longrightarrow Y$가 일대일함수이고 치역과 공역이 같을 때, 이 함수 f를 일대일대응이라 한다. → 일대일대응이면 일대일함수이다.

(3) 항등함수: 함수 $f : X \longrightarrow X$에서 정의역 X의 각 원소 x에 자기 자신이 대응할 때, 즉 $f(x)=x$일 때, 이 함수 f를 집합 X에서의 항등함수라 한다. → 항등함수는 일대일대응이다.

(4) 상수함수: 함수 $f : X \longrightarrow Y$에서 정의역 X의 모든 원소 x에 공역의 원소가 단 하나만 대응할 때, 즉 $f(x)=c$(c는 상수)일 때, 이 함수 f를 상수함수라 한다.

4. 합성함수
(1) 합성함수: 세 집합 X, Y, Z에 대하여 두 함수 f, g가 $f : X \longrightarrow Z$, $g : Z \longrightarrow Y$일 때, X의 각 원소 x에 Y의 원소 $g(f(x))$를 대응시키는 함수를 함수 f와 g의 합성함수라 하고, 기호로 $g \circ f$와 같이 나타낸다. 즉,
$$g \circ f : X \longrightarrow Y, \ (g \circ f)(x)=g(f(x))$$

(2) 합성함수의 성질: 세 함수 f, g, h에 대하여

① $g \circ f \neq f \circ g$ → 교환법칙이 성립하지 않는다.   ② $h \circ (g \circ f)=(h \circ g) \circ f$ → 결합법칙이 성립한다.

③ $f \circ I = I \circ f = f$ (단, I는 항등함수)

5. 역함수

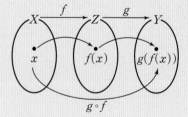

(1) 역함수: 함수 $f : X \longrightarrow Y$가 일대일대응일 때, Y의 각 원소 y에 대하여 $y=f(x)$인 X의 원소 x를 대응시키는 함수를 함수 f의 역함수라 하고, 기호로 f^{-1}와 같이 나타낸다. 즉,
$$f^{-1} : Y \longrightarrow X, \ x=f^{-1}(y)$$ → $f(a)=b$이면 $f^{-1}(b)=a$

(2) 역함수의 성질: 두 함수 $f : X \longrightarrow Y$, $g : Y \longrightarrow Z$가 일대일대응일 때, 그 역함수 $f^{-1} : Y \longrightarrow X$, $g^{-1} : Z \longrightarrow Y$에 대하여 → 일대일대응이면 역함수가 존재한다.

① $(f^{-1})^{-1}=f$ ② $(g \circ f)^{-1}=f^{-1} \circ g^{-1}$

③ $(f^{-1} \circ f)(x)=x$ (단, $x \in X$), $(f \circ f^{-1})(y)=y$ (단, $y \in Y$)

(3) 역함수의 그래프의 성질

함수 $y=f(x)$의 그래프와 그 역함수 $y=f^{-1}(x)$의 그래프는 직선 $y=x$에 대하여 대칭이다.

참고 두 함수 $y=f(x)$, $y=f^{-1}(x)$의 그래프의 교점은 함수 $y=f(x)$의 그래프와 직선 $y=x$의 교점과 같다.

04
유리함수

1. 유리식

(1) 유리식

두 다항식 A, $B (B \neq 0)$에 대하여 $\dfrac{A}{B}$ 꼴로 나타내어지는 식을 유리식이라 한다.

⌐ B가 상수이면 $\dfrac{A}{B}$는 다항식이므로 다항식도 유리식이다.

(2) 유리식의 사칙연산

다항식 A, B, C, $D (C \neq 0, D \neq 0)$에 대하여

① $\dfrac{A}{C} \pm \dfrac{B}{C} = \dfrac{A \pm B}{C}$, $\dfrac{A}{C} \pm \dfrac{B}{D} = \dfrac{AD \pm BC}{CD}$ (복부호 동순)

② $\dfrac{A}{C} \times \dfrac{B}{D} = \dfrac{AB}{CD}$, $\dfrac{A}{C} \div \dfrac{B}{D} = \dfrac{A}{C} \times \dfrac{D}{B} = \dfrac{AD}{BC}$ (단, $B \neq 0$)

[참고] • $\dfrac{\dfrac{A}{C}}{\dfrac{B}{D}} = \dfrac{A}{C} \div \dfrac{B}{D} = \dfrac{A}{C} \times \dfrac{D}{B} = \dfrac{AD}{BC}$ (단, $B \neq 0$)

• $\dfrac{1}{AB} = \dfrac{1}{B-A}\left(\dfrac{1}{A} - \dfrac{1}{B}\right)$ (단, $A \neq B$)

2. 유리함수

(1) 유리함수

함수 $y = f(x)$에서 $f(x)$가 x에 대한 유리식일 때, 이 함수를 유리함수라 한다.

특히 $f(x)$가 x에 대한 다항식일 때, 이 함수를 다항함수라 한다.

(2) 유리함수의 정의역

정의역이 주어지지 않으면 분모가 0이 되지 않도록 하는 실수 전체의 집합을 정의역으로 한다.

[예] 함수 $y = \dfrac{1}{x-1}$의 정의역은 $\{x \mid x \neq 1$인 실수$\}$이다.

3. 유리함수 $y = \dfrac{k}{x} (k \neq 0)$의 그래프

(1) 정의역은 $\{x \mid x \neq 0$인 실수$\}$, 치역은 $\{y \mid y \neq 0$인 실수$\}$이다.

(2) $k > 0$이면 그래프는 제1사분면, 제3사분면에 있고,

$k < 0$이면 그래프는 제2사분면, 제4사분면에 있다.

(3) 점근선은 x축, y축이다.

(4) 원점에 대하여 대칭이고, 두 직선 $y = x$, $y = -x$에 대하여 대칭이다.

(5) $|k|$의 값이 커질수록 그래프는 원점에서 멀어진다.

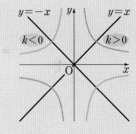

4. 유리함수 $y = \dfrac{k}{x-p} + q (k \neq 0)$의 그래프

(1) 유리함수 $y = \dfrac{k}{x}$의 그래프를 x축의 방향으로 p만큼, y축의

방향으로 q만큼 평행이동한 것이다.

(2) 정의역은 $\{x \mid x \neq p$인 실수$\}$, 치역은 $\{y \mid y \neq q$인 실수$\}$이다.

(3) 점근선은 두 직선 $x = p$, $y = q$이다.

(4) 점 (p, q)에 대하여 대칭이고, 두 직선 $y = (x-p) + q$,

$y = -(x-p) + q$에 대하여 대칭이다.

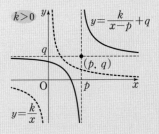

5. 유리함수 $y = \dfrac{ax+b}{cx+d} (c \neq 0, ad-bc \neq 0)$의 그래프

유리함수 $y = \dfrac{ax+b}{cx+d}$의 그래프는 $y = \dfrac{k}{x-p} + q (k \neq 0)$ 꼴로 변형하여 그린다.

[참고] 유리함수 $y = \dfrac{ax+b}{cx+d} (c \neq 0, ad-bc \neq 0)$의 역함수는 $y = \dfrac{-dx+b}{cx-a}$이다. → $y = \dfrac{ax+b}{cx+d}$에서 a와 d의 위치와 부호가 서로 바뀐 것과 같다.

05 무리함수

1. 무리식

(1) 무리식
근호 안에 문자가 포함되어 있는 식 중에서 유리식으로 나타낼 수 없는 식을 무리식이라 한다.
이때 무리식의 값이 실수가 되려면 (근호 안의 식의 값)≥0, (분모)≠0이어야 한다.

(2) 무리식의 연산
① 제곱근의 성질

- a가 실수일 때, $\sqrt{a^2}=|a|=\begin{cases} a & (a\geq0) \\ -a & (a<0) \end{cases}$

- $a>0$, $b>0$일 때, $\sqrt{a}\sqrt{b}=\sqrt{ab}$, $\dfrac{\sqrt{a}}{\sqrt{b}}=\sqrt{\dfrac{a}{b}}$

참고 음수의 제곱근의 성질

(1) $a<0$, $b<0$일 때, $\sqrt{a}\sqrt{b}=-\sqrt{ab}$ (2) $a>0$, $b<0$일 때, $\dfrac{\sqrt{a}}{\sqrt{b}}=-\sqrt{\dfrac{a}{b}}$

② 분모의 유리화

- $\dfrac{a}{\sqrt{b}}=\dfrac{a\sqrt{b}}{\sqrt{b}\sqrt{b}}=\dfrac{a\sqrt{b}}{b}$ (단, $b>0$)

- $\dfrac{1}{\sqrt{a}+\sqrt{b}}=\dfrac{\sqrt{a}-\sqrt{b}}{(\sqrt{a}+\sqrt{b})(\sqrt{a}-\sqrt{b})}=\dfrac{\sqrt{a}-\sqrt{b}}{a-b}$ (단, $a>0$, $b>0$, $a\neq b$)

- $\dfrac{1}{\sqrt{a}-\sqrt{b}}=\dfrac{\sqrt{a}+\sqrt{b}}{(\sqrt{a}-\sqrt{b})(\sqrt{a}+\sqrt{b})}=\dfrac{\sqrt{a}+\sqrt{b}}{a-b}$ (단, $a>0$, $b>0$, $a\neq b$)

2. 무리함수

(1) 무리함수
함수 $y=f(x)$에서 $f(x)$가 x에 대한 무리식일 때, 이 함수를 무리함수라 한다.

(2) 무리함수의 정의역
정의역이 주어지지 않으면 근호 안의 식의 값이 0 이상이 되도록 하는 실수 전체의 집합을 정의역으로 한다.

예 함수 $y=\sqrt{x-1}$의 정의역은 $\{x|x\geq1$인 실수$\}$이다.

3. 무리함수 $y=\sqrt{ax}\,(a\neq0)$의 그래프

(1) $a>0$일 때, 정의역은 $\{x|x\geq0\}$, 치역은 $\{y|y\geq0\}$이다.
(2) $a<0$일 때, 정의역은 $\{x|x\leq0\}$, 치역은 $\{y|y\geq0\}$이다.
(3) 무리함수 $y=-\sqrt{ax}$의 그래프는 무리함수 $y=\sqrt{ax}$의 그래프를 x축에 대하여 대칭이동한 것이다.
(4) $|a|$의 값이 커질수록 그래프는 x축에서 멀어진다.

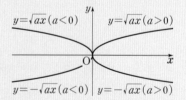

4. 무리함수 $y=\sqrt{a(x-p)}+q\,(a\neq0)$의 그래프

(1) 무리함수 $y=\sqrt{ax}$의 그래프를 x축의 방향으로 p만큼, y축의 방향으로 q만큼 평행이동한 것이다.
(2) $a>0$일 때, 정의역은 $\{x|x\geq p\}$, 치역은 $\{y|y\geq q\}$이다.
(3) $a<0$일 때, 정의역은 $\{x|x\leq p\}$, 치역은 $\{y|y\geq q\}$이다.

참고 무리함수 $y=\sqrt{x-p}$의 그래프와 직선 $y=x+k$의 위치 관계

(1) 서로 다른 두 점에서 만난다. $\Longleftrightarrow$ 직선 $y=x+k$는 (i)과 (ii) 사이에 있거나 (ii)이다.
(2) 한 점에서 만난다. $\Longleftrightarrow$ 직선 $y=x+k$는 (i)이거나 (ii) 아래쪽에 있다.
(3) 만나지 않는다. $\Longleftrightarrow$ 직선 $y=x+k$는 (i) 위쪽에 있다.

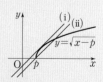

5. 무리함수 $y=\sqrt{ax+b}+c\,(a\neq0)$의 그래프
무리함수 $y=\sqrt{ax+b}+c\,(a\neq0)$의 그래프는 $y=\sqrt{a(x-p)}+q$ 꼴로 변형하여 그린다.

06

경우의 수

1. 경우의 수

(1) 합의 법칙

두 사건 A, B가 동시에 일어나지 않을 때, 사건 A와 사건 B가 일어나는 경우의 수가 각각 m, n이면 사건 A 또는 사건 B가 일어나는 경우의 수는

$$m+n$$

[참고] • 합의 법칙은 어느 두 사건도 동시에 일어나지 않는 세 사건 이상에 대해서도 성립한다.
　　　 • 두 사건 A, B가 일어나는 경우의 수가 각각 m, n, 두 사건 A, B가 동시에 일어나는 경우의 수가 l일 때, 사건 A 또는 사건 B가 일어나는 경우의 수는 $m+n-l$이다.

(2) 곱의 법칙

두 사건 A, B에 대하여 사건 A가 일어나는 경우의 수가 m, 그 각각에 대하여 사건 B가 일어나는 경우의 수가 n이면 두 사건 A, B가 동시에 일어나는 경우의 수는

$$m \times n$$

[참고] 곱의 법칙은 동시에 일어나는 세 사건 이상에 대해서도 성립한다.

2. 순열

(1) 순열: 서로 다른 n개에서 $r(0 < r \le n)$개를 택하여 일렬로 나열하는 것을 n개에서 r개를 택하는 순열이라 하고, 이 순열의 수를 기호로 $_n\mathrm{P}_r$와 같이 나타낸다.

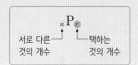

(2) 순열의 수

① $_n\mathrm{P}_r = \underbrace{n(n-1)(n-2) \times \cdots \times (n-r+1)}_{r개}$ (단, $0 < r \le n$)

② $_n\mathrm{P}_r = \dfrac{n!}{(n-r)!}$ (단, $0 \le r \le n$)

③ $_n\mathrm{P}_n = n(n-1)(n-2) \times \cdots \times 2 \times 1 = n!$ → $n!$을 n의 계승이라 한다.

④ $_n\mathrm{P}_0 = 1$, $0! = 1$

3. 조합

(1) 조합: 서로 다른 n개에서 순서를 생각하지 않고 $r(0 < r \le n)$개를 택하는 것을 n개에서 r개를 택하는 조합이라 하고, 이 조합의 수를 기호로 $_n\mathrm{C}_r$와 같이 나타낸다.

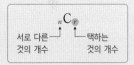

(2) 조합의 수

① $_n\mathrm{C}_r = \dfrac{_n\mathrm{P}_r}{r!} = \dfrac{n!}{r!(n-r)!}$ (단, $0 \le r \le n$)

② $_n\mathrm{C}_0 = {}_n\mathrm{C}_n = 1$, $_n\mathrm{C}_1 = n$

③ $_n\mathrm{C}_r = {}_n\mathrm{C}_{n-r}$ (단, $0 \le r \le n$) → 서로 다른 n개에서 r개를 택하는 것은 택하지 않고 남아 있는 $(n-r)$개를 택하는 것과 같다.

④ $_n\mathrm{C}_r = {}_{n-1}\mathrm{C}_{r-1} + {}_{n-1}\mathrm{C}_r$ (단, $1 \le r < n$)

4. 조 나누기

(1) 서로 다른 n개를 p개, q개, r개$(p+q+r=n)$의 세 묶음으로 나누는 방법의 수는

① p, q, r가 모두 다른 수일 때: $_n\mathrm{C}_p \times {}_{n-p}\mathrm{C}_q \times {}_r\mathrm{C}_r$

② p, q, r 중 어느 두 수가 같을 때: $_n\mathrm{C}_p \times {}_{n-p}\mathrm{C}_q \times {}_r\mathrm{C}_r \times \dfrac{1}{2!}$

③ p, q, r가 모두 같은 수일 때: $_n\mathrm{C}_p \times {}_{n-p}\mathrm{C}_q \times {}_r\mathrm{C}_r \times \dfrac{1}{3!}$

→ 묶음을 구별할 수 없으므로 같은 개수를 갖는 (묶음의 수)!만큼 나누어 준다.

(2) n묶음으로 나누어 n명에게 나누어 주는 방법의 수는

(n묶음으로 나누는 방법의 수) $\times n!$

IV

집합과 명제

01
> 집합과 원소

집합 $A=\{\{1\}, \{1, 2\}, \varnothing\}$의 모든 부분집합을 원소로 갖는 집합을 B라 할 때, 보기에서 옳은 것만을 있는 대로 고른 것은?

┌─ 보기 ─
ㄱ. $1 \in A$ ㄴ. $\{1, 2\} \subset A$
ㄷ. $\{\{1, 2\}\} \in B$ ㄹ. $\{\{\varnothing\}\} \subset B$
└─────

① ㄱ   ② ㄷ   ③ ㄷ, ㄹ
④ ㄱ, ㄴ, ㄷ   ⑤ ㄴ, ㄷ, ㄹ

02
> 부분집합

실수 전체의 집합의 두 부분집합
$$A=\{x \mid |x+1| \le k^2\},\ B=\{x \mid x^2-2x-8 \le 0\}$$
에 대하여 $A \subset B$일 때, 실수 k의 최솟값은?

① -1 ② -2 ③ -3
④ -4 ⑤ -5

03 학평
> 부분집합

자연수 n에 대하여 자연수 전체의 집합의 부분집합 A_n을 다음과 같이 정의하자.
$$A_n=\{x \mid x는 \sqrt{n}\ 이하의\ 홀수\}$$
$A_n \subset A_{25}$를 만족시키는 n의 최댓값을 구하시오.

04
> 집합의 연산

모든 자연수 n에 대하여
$$A=\{x \mid x는\ 3^n-1을\ 5로\ 나누었을\ 때의\ 나머지\},$$
$$B=\{x \mid x는\ 4n+1을\ 10으로\ 나누었을\ 때의\ 나머지\}$$
일 때, 집합 $A-B$의 모든 원소의 합은?

① 2   ② 3   ③ 4
④ 5   ⑤ 6

05
> 집합의 연산

전체집합 U의 두 부분집합 A, B에 대하여
$$A=\{1, 2, 3, 4\},$$
$$(A \cup B^c) \cap (A^c \cup B)=\{1, 3, 5, 7, 9\}$$
일 때, 집합 B^c의 모든 원소의 합을 구하시오.

06
> 집합의 연산에 대한 성질

전체집합 U의 두 부분집합 A, B에 대하여
$$(A-B^c) \cup (B^c-A^c)=A \cap B$$
일 때, 보기에서 항상 옳은 것만을 있는 대로 고른 것은?

┌─ 보기 ─
ㄱ. $A \cap B^c=A$ ㄴ. $A^c \cap B^c=\varnothing$
ㄷ. $A^c \cup B=U$ ㄹ. $A \cap (A-B)^c=A$
└─────

① ㄱ, ㄴ   ② ㄱ, ㄹ   ③ ㄴ, ㄷ
④ ㄷ, ㄹ   ⑤ ㄴ, ㄷ, ㄹ

07
> 집합의 연산 법칙

전체집합 U의 공집합이 아닌 두 부분집합 A, B에 대하여 보기에서 항상 옳은 것만을 있는 대로 고르시오.

┌ 보기 ─────────────────
ㄱ. $(A \cap B)^c \cap B = B - A$
ㄴ. $\{A \cap (A \cup B)\} \cap \{A \cup (A^c \cap B)\} = A$
ㄷ. $(A \cup B) - (A \cap B) = \varnothing$이면 $A = B$이다.
└──────────────────────

08
> 부분집합의 개수

전체집합 $U = \{1, 2, 3, 4, 5, 6, 7, 8\}$의 두 부분집합
$$A = \{1, 2, 3, 4\}, \quad B = \{3, 4, 5, 6\}$$
에 대하여 $A \cup X = B \cup X$를 만족시키는 U의 부분집합 X의 개수를 구하시오.

09
> 유한집합의 원소의 개수

세 집합 A, B, C에 대하여 A와 B가 서로소이고,
$n(A) = 16$, $n(B) = 15$, $n(C) = 23$, $n(A \cup C) = 30$,
$n(B \cup C) = 28$일 때, $n(A \cup B \cup C)$의 값은?

① 33   ② 35   ③ 37
④ 39   ⑤ 41

10 서술형
> 유한집합의 원소의 개수

어느 학급의 학생 30명을 대상으로 모바일 채팅앱의 가입 여부를 조사하였더니 A 모바일 채팅앱에 가입한 학생이 24명, B 모바일 채팅앱에 가입한 학생이 19명이었다. A 모바일 채팅앱과 B 모바일 채팅앱에 모두 가입한 학생 수의 최댓값과 최솟값의 합을 구하시오.

11
> 유한집합의 원소의 개수

전체집합 U의 두 부분집합 A, B에 대하여
$$n(U) = 50, \quad n(B) = 28, \quad n(A^c \cup B^c) = 45$$
일 때, $n(A \cup B^c)$의 값은?

① 24   ② 25   ③ 26
④ 27   ⑤ 28

12 서술형
> 유한집합의 원소의 개수

자연수 k에 대하여 전체집합 $U = \{x \mid x$는 100 이하의 자연수$\}$의 부분집합 A_k를
$$A_k = \{x \mid x$는 k의 배수$\}$$
라 할 때, 집합 $(A_3 \cup A_5) \cap A_2$의 원소의 개수를 구하시오.

01

두 집합

$$A=\{2,\,a,\,b\},\ B=\{2,\,\sqrt{a},\,\sqrt{b},\,9\}$$

에 대하여 $A\subset B$일 때, 집합 B의 모든 원소의 합의 최댓값은? (단, $a,\,b$는 자연수이고, $a<b$이다.)

① 14   ② 15   ③ $14+\sqrt{2}$

④ $14+\sqrt{3}$ ⑤ $15+\sqrt{3}$

02

집합 $S=\{1,\,2,\,3,\,\cdots,\,12\}$의 부분집합 A가 다음 조건을 만족시킬 때, 집합 A의 모든 원소의 곱의 최댓값을 구하시오.

(단, 집합 A의 원소의 개수는 2 이상이다.)

> ㈎ a가 집합 A의 원소이면 $12-a$도 집합 A의 원소이다.
> ㈏ 집합 A의 모든 원소의 곱을 5로 나누었을 때의 나머지는 0 이 아니다.
> ㈐ 집합 A의 모든 원소의 합은 20보다 크고 30보다 작은 짝수이다.

03

실수 전체의 집합 U의 두 부분집합

$$A=\{x\,|\,x^2-2x-15>0\},\ B=\{x\,|\,x^2+ax+b\leq0\}$$

에 대하여 $A\cup B=U$, $A\cap B=\{x\,|\,5<x\leq6\}$일 때, $a+b$의 값을 구하시오. (단, $a,\,b$는 상수이다.)

04

함수 $f(x)=x-[x]$에 대하여 자연수 k에 대한 집합 A_k를

$$A_k=\{x\,|\,f(kx)=0,\ 0\leq x\leq1\}$$

이라 할 때, $n(A_4\cup A_6)$의 값은?

(단, $[x]$는 x보다 크지 않은 최대의 정수이다.)

① 5   ② 6   ③ 7

④ 8   ⑤ 9

05

전체집합 $U=\{x\,|\,x$는 100 이하의 자연수$\}$의 두 부분집합

$$A=\{a,\,b,\,c\},\ B=\{\sqrt{a},\,\sqrt{b},\,\sqrt{c}\}$$

가 다음 조건을 만족시킬 때, 집합 B의 모든 원소의 합을 구하시오. (단, $n(A)=3$, $n(B)=3$)

> ㈎ $n(A\cap B^C)=1$ ㈏ $4\in A\cap B$

06

복소수 $z=a+bi\,(a,\,b$는 실수$)$에 대하여 집합 A를

$$A=\left\{z+\bar{z},\ z-\bar{z},\ z\bar{z},\ \frac{z}{\bar{z}}\right\}$$

라 하자. 실수 전체의 집합 R에 대하여 $A\cap R=\{6,\,13\}$일 때, $|a+b|$의 최댓값은?

(단, $i=\sqrt{-1}$이고, $\bar{z}$는 z의 켤레복소수이다.)

① 3   ② 4   ③ 5

④ 6   ⑤ 7

07

자연수 n에 대하여 실수 전체의 집합의 부분집합 A_n을
$$A_n=\{x\,|\,4n-1\leq x\leq 5n-2\}$$
라 할 때, $A_n\cap A_{n+1}\cap A_{n+2}=\varnothing$을 만족시키는 n의 최댓값을 구하시오.

08 학평

집합 $S=\{a,\,b,\,c\}$의 부분집합을 원소로 갖는 집합 X가 다음 조건을 만족시킨다.

> ㈎ $A\in X$이면 $S-A\in X$
> ㈏ $A\in X$, $B\in X$이면 $A\cup B\in X$

이때 집합 X의 개수는? (단, $X\neq\varnothing$)

① 2   ② 3   ③ 4
④ 5   ⑤ 6

09 서술형

모든 원소가 자연수인 두 집합
$$A=\{a_1,\,a_2,\,a_3,\,a_4,\,a_5\},\ B=\{b\,|\,b=a_i+k,\ a_i\in A\}$$
가 다음 조건을 만족시킬 때, 집합 $B-A$의 모든 원소의 합을 구하시오. (단, $n(A)=n(B)=5$이고, k는 상수이다.)

> ㈎ 집합 A의 모든 원소의 합은 21이다.
> ㈏ 집합 $A\cup B$의 모든 원소의 합은 32이다.
> ㈐ $A\cap B=\{2,\,6,\,7\}$

10

집합 X의 모든 원소의 합을 $f(X)$라 하자. 전체집합
$U=\{x\,|\,x$는 8 이하의 자연수$\}$의 두 부분집합
$$A=\{1,\,2,\,3,\,4\},\ B=\{1,\,2,\,3,\,5\}$$
에 대하여 다음 조건을 만족시키는 U의 부분집합 C의 개수는?
(단, $f(\varnothing)=0$)

> ㈎ $n(A\cap C)=2$
> ㈏ $f(A-B)<f(C)<f(B)$

① 11   ② 12   ③ 13
④ 14   ⑤ 15

11 학평

18 이하의 자연수 k에 대하여 두 집합
$$A=\{x\,|\,x$는 k의 양의 약수$\},\ B=\{2,\,5,\,6\}$$
이 있다. $n(A\cap B)=2$일 때, 보기에서 옳은 것만을 있는 대로 고른 것은?

> ┌ 보기 ├
> ㄱ. $A\cap B=\{2,\,5\}$이면 $k=10$이다.
> ㄴ. $A\cap B=\{5,\,6\}$을 만족시키는 k가 존재한다.
> ㄷ. 집합 $A-B$의 모든 원소의 합이 홀수가 되는 모든 k의 값
>   의 합은 28이다.

① ㄱ   ② ㄷ   ③ ㄱ, ㄷ
④ ㄴ, ㄷ   ⑤ ㄱ, ㄴ, ㄷ

12 [서술형]

전체집합 $U=\{x|x$는 10 이하의 자연수$\}$의 두 부분집합
$$A=\{1, 2, 3, 4, 5, 6\}, B=\{4, 5, 6, 7, 8\}$$
에 대하여 U의 부분집합 X가 다음 조건을 만족시킨다. 집합 X의 모든 원소의 합을 S라 할 때, S의 최댓값과 최솟값의 합을 구하시오.

(가) $X\cup A^C=X\cup B^C$ (나) $n(X)\geq 6$

13

2 이상의 자연수 k에 대하여 두 집합
$$A=\{x|(x-1)(x-k)>0\},$$
$$B=\{x|x^2-(a^2+2a)x+2a^3\leq 0\}$$
이 있다. $A\cap B=\varnothing$이 되도록 하는 자연수 a의 개수를 $f(k)$라 할 때, $f(k)<10$을 만족시키는 k의 개수를 구하시오.

▌**집합의 연산 법칙**

14

실수 전체의 집합 U의 두 부분집합
$$A=\{a, a+1\}, B=\{x|x^2+mx+2=0\}$$
에 대하여 $A\cup B^C=U$가 되도록 하는 정수 m의 개수는?

(단, $a>0$)

① 3 ② 4 ③ 5
④ 6 ⑤ 7

15

전체집합 U의 세 부분집합 A, B, C에 대하여 보기에서 항상 옳은 것만을 있는 대로 고른 것은?

•보기•
ㄱ. $(A-B)-C=A\cap(B\cup C)^C$
ㄴ. $(A\cap B)-(A\cap C)=(A\cap B)-C$
ㄷ. $(A\cup C)\subset(B\cup C)$이고 $(B\cap C)\subset(A\cap C)$이면 $A=B$이다.

---

① ㄱ ② ㄱ, ㄴ ③ ㄱ, ㄷ
④ ㄴ, ㄷ ⑤ ㄱ, ㄴ, ㄷ

16

두 집합 X, Y에 대하여
$$X*Y=X\cap(X^C\cup Y)$$
로 정의하자. 전체집합 $U=\{x|x$는 10 이하의 자연수$\}$의 세 부분집합 A, B, C에 대하여
$$(A\cap C)-B=\{4, 5\},$$
$$(A*B)\cup C=A\cup(B*C)=\{1, 2, 3, 4, 5, 6\}$$
일 때, 집합 $B\cap(A\cup C)$의 모든 원소의 합을 구하시오.

17

전체집합 U의 두 부분집합 A, B에 대하여
$$A\triangle B=(A\cup B)\cap(A^C\cup B^C)$$
으로 정의할 때, 보기에서 항상 옳은 것만을 있는 대로 고르시오.

•보기•
ㄱ. $A\triangle B^C=(A\triangle B)^C$
ㄴ. $(A\triangle B)\triangle B=A$
ㄷ. $A\triangle B=A$이면 $A-B^C=B$이다.

---

18 학평

전체집합 U의 두 부분집합 A, B가 다음 조건을 만족시킬 때, 집합 B의 모든 원소의 합을 구하시오.

> (가) $A=\{3, 4, 5\}$, $A^C \cup B^C=\{1, 2, 4\}$
> (나) $X \subset U$이고 $n(X)=1$인 모든 집합 X에 대하여 집합 $(A \cup X)-B$의 원소의 개수는 1이다.

부분집합의 개수

19 idea ✦

두 집합

$$A=\{x | x \text{는 10 이하의 자연수}\},$$
$$B=\{7, 8, 9, 10, 11, 12\}$$

에 대하여 $(A \cap B) \cup X=A \cap X$를 만족시키는 집합 X의 개수를 구하시오.

20 학평

전체집합 $U=\{x | x \text{는 10 이하의 자연수}\}$의 부분집합 $A=\{x | x \text{는 10의 약수}\}$에 대하여

$$(X-A) \subset (A-X)$$

를 만족시키는 U의 부분집합 X의 개수를 구하시오.

21

전체집합 $U=\{x | x \text{는 } n \text{ 이하의 자연수, } n \text{은 자연수}\}$의 두 부분집합

$$A=\{1, 2, 3\}, B=\{5, 6\}$$

에 대하여 $X \cap (A \cup B)=\varnothing$, $X \cup B=A^C$을 만족시키는 집합 X의 부분집합의 개수가 128일 때, n의 값을 구하시오.

(단, $n \geq 6$)

22 학평

전체집합 $U=\{x | x \text{는 5 이하의 자연수}\}$의 두 부분집합

$$A=\{1, 2\}, B=\{2, 3, 4\}$$

에 대하여 $X \cap A \neq \varnothing$, $X \cap B \neq \varnothing$을 만족시키는 U의 부분집합 X의 개수를 구하시오.

23 학평

집합 $X=\{x | x \text{는 10 이하의 자연수}\}$의 원소 n에 대하여 X의 부분집합 중 n을 최소의 원소로 갖는 모든 집합의 개수를 $f(n)$이라 하자. 보기에서 옳은 것만을 있는 대로 고른 것은?

> ◆ 보기 ◆
> ㄱ. $f(8)=4$
> ㄴ. $a \in X$, $b \in X$일 때, $a < b$이면 $f(a) < f(b)$
> ㄷ. $f(1)+f(3)+f(5)+f(7)+f(9)=682$

① ㄱ   ② ㄱ, ㄴ   ③ ㄱ, ㄷ
④ ㄴ, ㄷ   ⑤ ㄱ, ㄴ, ㄷ

step 2 고난도 *문제

유한집합의 원소의 개수

24

전체집합 $U=\{1, 2, 3, \cdots, 100\}$의 두 부분집합

$\quad A=\{x \,|\, x=2l-1, \ l은 \ 자연수\}$,

$\quad B=\{x \,|\, x=3m-1, \ m은 \ 자연수\}$

에 대하여 $n((A-B)\cup(B-A))$의 값은?

① 48 ② 49 ③ 50

④ 51 ⑤ 52

25

세 집합 A, B, C에 대하여

$\quad n(A)=23, \ n(B)=15, \ n(C)=18,$

$\quad n(B\cap C)=10, \ n(A\cap B\cap C)=6$

일 때, $n(A\cap B^c\cap C^c)$의 최솟값을 구하시오.

26

어느 고등학교 1학년 학생 전체를 대상으로 두 동아리 A, B의 가입 여부를 조사하였다. 그 결과 동아리 A와 동아리 B에 가입한 학생은 각각 1학년 전체 학생의 $\dfrac{2}{5}$, $\dfrac{3}{4}$이었고 동아리 A와 동아리 B에 모두 가입한 학생은 1학년 전체 학생의 $\dfrac{1}{3}$이었다. 동아리 A와 동아리 B 중 어느 동아리도 가입하지 않은 학생이 55명일 때, 이 고등학교 1학년 학생 중 동아리 B에 가입한 학생 수를 구하시오.

27 학평

은행 A 또는 은행 B를 이용하는 고객 중 남자 35명과 여자 30명을 대상으로 두 은행 A, B의 이용 실태를 조사한 결과가 다음과 같다.

> ㈎ 은행 A를 이용하는 고객의 수와 은행 B를 이용하는 고객의 수의 합은 82이다.
>
> ㈏ 두 은행 A, B 중 한 은행만 이용하는 남자 고객의 수와 두 은행 A, B 중 한 은행만 이용하는 여자 고객의 수는 같다.

이 고객 중 은행 A와 은행 B를 모두 이용하는 여자 고객의 수는?

① 5 ② 6 ③ 7

④ 8 ⑤ 9

28 서술형

50명의 고객을 대상으로 세 개의 신제품 A, B, C의 선호도를 조사하였더니 A, B, C를 선호하는 고객의 수가 각각 30, 24, 16이고 세 제품을 모두 선호하는 고객은 없었다. 모든 고객은 적어도 한 제품을 선호한다고 할 때, 세 제품 중 한 개의 제품만 선호하는 고객의 수를 구하시오.

01

자연수 n에 대하여 자연수 전체의 집합의 부분집합 A_n을
$$A_n = \{x \mid x는\ n의\ 배수\}$$
라 하자. $A_3 \cap A_n = A_{3n}$, $147 \notin A_3{}^C \cup A_n$을 만족시키는 200 이하의 자연수 n의 개수를 구하시오.

02 ^{idea} ✦

전체집합 $U = \{1,\ 2,\ 3,\ \cdots,\ 10\}$의 부분집합 X에 대하여 다음 조건을 만족시키는 집합 X의 개수를 구하시오.

> (가) $n(X) \geq 3$
> (나) $x \in X$, $y \in X$일 때 $\dfrac{x}{y}$ 또는 $\dfrac{y}{x}$의 값은 자연수이다.

03

자연수 k에 대하여 집합 A_k를
$$A_k = \{x \mid x는\ k의\ 거듭제곱을\ 10으로\ 나누었을\ 때의\ 나머지\}$$
라 하자. 예를 들어 $k = 2$이면 $2^1 = 2$, $2^2 = 4$, $2^3 = 8$, $2^4 = 16$, $2^5 = 32$, $\cdots$이므로 $A_2 = \{2,\ 4,\ 6,\ 8\}$이다. 자연수 n에 대하여 $n \neq m$, $A_n = A_m$을 만족시키는 자연수 m의 최솟값을 $f(n)$이라 할 때, $f(1) + f(2) + f(3) + \cdots + f(9)$의 값은?

① 91 　　　　　② 92 　　　　　③ 93
④ 94 　　　　　⑤ 95

04 학평

자연수 전체의 집합의 부분집합 X가 상수 p에 대하여 다음 조건을 만족시킨다.

> (가) $n(X) = 3$
> (나) $x \in X$일 때,
> 　　x가 홀수이면 $\dfrac{x+p}{2} \in X$,
> 　　x가 짝수이면 $\dfrac{x}{2} \in X$이다.

$5 \in X$일 때, 모든 자연수 p의 값의 합을 구하시오.

05

두 자연수 m, n에 대하여 두 집합 A_m, B_n을
$$A_m=\{x\,|\,x는\ m의\ 배수\},$$
$$B_n=\{x\,|\,x는\ n의\ 양의\ 약수\}$$
라 하자. 다음 조건을 만족시키는 자연수 p, q에 대하여 $p+q$의 최솟값을 구하시오.

> (개) 집합 $A_2 \cap A_3$의 원소 중 가장 작은 원소를 k라 할 때, $A_p \subset A_k$이다.
> (내) 집합 $B_q \cup B_{20}$의 모든 원소의 합은 $q+50$이다.

06

전체집합 $U=\{2,\ 4,\ 6\}$의 공집합이 아닌 두 부분집합 A, B의 원소 m, $n\ (m \in A,\ n \in B)$에 대하여 집합 C를
$$C=\{a\,|\,a=i^m+(-i)^n\}$$
이라 하자. 보기에서 옳은 것만을 있는 대로 고른 것은?

(단, $i=\sqrt{-1}$)

> ┌ **보기** ┐
> ㄱ. $A=\{2\}$, $B=\{2,\ 4\}$이면 $n(C)=2$이다.
> ㄴ. $n(A \cup B)=3$이고 $n(A \cap B)=1$이면 $n(C)=3$이다.
> ㄷ. $n(A \cup B)=3$이고 $n(A \cap B)=0$이면 $0 \in C$이다.

① ㄱ   ② ㄴ   ③ ㄷ
④ ㄱ, ㄷ   ⑤ ㄴ, ㄷ

07 학평

전체집합 $U=\{x\,|\,x는\ 20\ 이하의\ 자연수\}$의 부분집합
$$A_k=\{x\,|\,x(y-k)=30,\ y \in U\},$$
$$B=\left\{x\,\Big|\,\frac{30-x}{5} \in U\right\}$$
에 대하여 $n(A_k \cap B^C)=1$이 되도록 하는 자연수 k의 개수는?

① 3   ② 5   ③ 7
④ 9   ⑤ 11

08 ^{idea}✦

집합 $A=\{a,\ a+1,\ a+2,\ a+3\}$의 모든 부분집합을 $\varnothing$, A_1, A_2, A_3, $\cdots$, A_n, A라 하고, 집합 A_i의 모든 원소의 합을 $S_i\ (i=1,\ 2,\ 3,\ \cdots,\ n)$라 하자. $S_1+S_2+S_3+\cdots+S_n=98$일 때, $n \times a$의 값을 구하시오.

(단, a는 실수이고, n은 자연수이다.)

09

공집합이 아닌 집합 X의 모든 원소의 합을 $S(X)$라 하자.
집합 $A=\{1, 2, 3, 4\}$의 공집합이 아닌 두 부분집합 B, C가
다음 조건을 만족시킬 때, 순서쌍 (B, C)의 개수는?

> (가) $B \subset C$
> (나) $S(B)+S(C)$의 값은 홀수이다.

① 16   ② 22   ③ 28

④ 34   ⑤ 40

10 학평

9 이하의 자연수 k에 대하여 집합 A_k를
$$A_k=\{x \mid k-1 \leq x \leq k+1, \ x \text{는 실수}\}$$
라 하자. 보기에서 옳은 것만을 있는 대로 고른 것은?

▶보기◀
> ㄱ. $A_1 \cap A_2 \cap A_3 = \{2\}$
> ㄴ. 9 이하의 두 자연수 l, m에 대하여 $|l-m| \leq 2$이면 두 집합 A_l과 A_m은 서로소가 아니다.
> ㄷ. 모든 A_k와 서로소가 아니고 원소가 유한개인 집합 중 원소의 개수가 최소인 집합의 원소의 개수는 4이다.

① ㄱ   ② ㄴ   ③ ㄱ, ㄴ

④ ㄴ, ㄷ   ⑤ ㄱ, ㄴ, ㄷ

11

전체집합 $U=\{x \mid x \text{는 100 이하의 자연수}\}$의 두 부분집합
A, B가 다음 조건을 만족시킬 때, $n(A)+n(B)$의 최댓값
을 구하시오. (단, $n(A) \geq 2$, $n(B) \geq 2$)

> (가) 집합 A의 임의의 서로 다른 두 원소 a_1, a_2에 대하여 a_1+a_2의 값은 5의 배수이다.
> (나) 집합 B의 임의의 서로 다른 두 원소 b_1, b_2에 대하여 b_1+b_2의 값은 5의 배수가 아니다.

12

자연수 n에 대하여 집합 A_n을
$$A_n=\{x \mid x \text{는 } n \text{의 양의 약수}\}$$
라 하자. 서로 다른 세 자연수 p, q, r가 다음 조건을 만족시
킬 때, $p+q+r$의 값을 구하시오.

> (가) $n(A_p)=n(A_q)=\dfrac{1}{2}n(A_r)=3$
> (나) 집합 $A_p \cup A_q \cup A_r$의 모든 원소의 합은 40보다 크고 50보다 작다.

01
> 명제 $p \longrightarrow q$의 참, 거짓

전체집합 U에 대하여 세 조건 p, q, r의 진리집합을 각각 P, Q, R라 할 때, 그림은 세 집합 P, Q, R 사이의 포함 관계를 벤다이어그램으로 나타낸 것이다. 보기에서 항상 참인 명제만을 있는 대로 고른 것은?

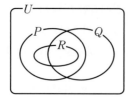

┌ 보기 ┐
ㄱ. $p \longrightarrow q$ ㄴ. $r \longrightarrow q$
ㄷ. $q \longrightarrow \sim p$ ㄹ. $\sim p \longrightarrow \sim r$
└────────┘

① ㄱ   ② ㄹ   ③ ㄱ, ㄴ
④ ㄴ, ㄷ   ⑤ ㄷ, ㄹ

02 학평
> '모든'이나 '어떤'을 포함한 명제

명제

　'어떤 실수 x에 대하여 $x^2+8x+2k-1\leq 0$이다.'

가 거짓이 되도록 하는 정수 k의 최솟값을 구하시오.

03
> '모든'이나 '어떤'을 포함한 명제

다음 두 명제 ⑺, ⑻가 모두 참이 되도록 하는 정수 k의 개수를 구하시오.

┌────────────────────────┐
⑺ $x>0$인 모든 실수 x에 대하여 $x+k>1$이다.
⑻ $x<0$인 어떤 실수 x에 대하여 $x+5\geq k$이다.
└────────────────────────┘

04
> 명제의 역, 대우

두 실수 a, b에 대하여 보기에서 역은 거짓이지만 대우는 참인 명제만을 있는 대로 고른 것은?

┌ 보기 ┐
ㄱ. $a+b>0$, $ab>0$이면 $a>0$, $b>0$이다.
ㄴ. $a^2+b^2=2ab$이면 $ab=0$이다.
ㄷ. 두 자연수 a, b에 대하여 $a+b$가 홀수이면 ab는 짝수이다.
└────────┘

① ㄱ   ② ㄴ   ③ ㄷ
④ ㄱ, ㄷ   ⑤ ㄴ, ㄷ

05
> 명제의 역, 대우

세 조건 p, q, r에 대하여 명제 $p \longrightarrow \sim r$의 역은 참이고, 명제 $r \longrightarrow q$의 대우는 참일 때, 다음 중 항상 참인 명제는?

① $p \longrightarrow q$ ② $p \longrightarrow r$ ③ $r \longrightarrow \sim p$
④ $\sim p \longrightarrow q$ ⑤ $\sim r \longrightarrow \sim q$

06 서술형
> 충분조건과 필요조건

실수 x에 대하여 세 조건 p, q, r가
　p: $x^2-x-12<0$,
　q: $x\geq a$,
　r: $x<b$
일 때, q는 p이기 위한 필요조건이고, p는 r이기 위한 충분조건이 되도록 하는 실수 a의 최댓값과 실수 b의 최솟값의 합을 구하시오.

07
> 충분조건과 필요조건

두 조건 p, q에 대하여 보기에서 p가 q이기 위한 충분조건이지만 필요조건이 아닌 것만을 있는 대로 고르시오.

(단, a, b는 실수이다.)

●보기●
ㄱ. $p: ab \leq 0$ $q: |a|+|b| \geq |a+b|$
ㄴ. $p: a^2+b^2=0$ $q: a^3-b^3=0$
ㄷ. $p: a^2+b^2+c^2 \neq ab+bc+ca$
　　$q: (a-b)(b-c)(c-a) \neq 0$

08
> 명제의 증명

다음은 n이 자연수일 때, 명제

　　'$7n^2-1$이 3의 배수가 아니면 n은 3의 배수이다.'

가 참임을 증명하는 과정이다.

주어진 명제의 대우는

'[   ]'

n이 자연수이고 3의 배수가 아니면

$n=3k-1$ 또는 $n=$ [(가)] (k는 자연수)로 놓을 수 있다.

(ⅰ) $n=3k-1$일 때,

　　$7n^2-1=3($ [(나)] $)$이고 [(나)] 는 자연수이므로 $7n^2-1$은 3의 배수이다.

(ⅱ) $n=$ [(가)] 일 때,

　　$7n^2-1=3($ [(다)] $)$이고 [(다)] 는 자연수이므로 $7n^2-1$은 3의 배수이다.

(ⅰ), (ⅱ)에서 주어진 명제의 대우가 참이므로 주어진 명제도 참이다.

위의 (가), (나), (다)에 알맞은 식을 각각 $f(k)$, $g(k)$, $h(k)$라 할 때, $f(5)+g(5)-h(5)$의 값은?

① 72　　　　　② 74　　　　　③ 76
④ 78　　　　　⑤ 80

09
> 절대부등식

두 양수 a, b에 대하여 보기에서 절대부등식인 것만을 있는 대로 고른 것은?

●보기●
ㄱ. $a^2+b^2 > ab$
ㄴ. $|a-b| < |a|+|b|$
ㄷ. $\sqrt{a}+\sqrt{b} \leq \sqrt{2a+2b}$

① ㄱ　　　　　② ㄴ　　　　　③ ㄱ, ㄴ
④ ㄴ, ㄷ　　　⑤ ㄱ, ㄴ, ㄷ

10
> 산술평균과 기하평균

두 양수 a, b에 대하여 $(2a-3b)\left(\dfrac{2}{a}-\dfrac{3}{b}\right) \leq c$를 만족시키는 실수 c의 최솟값은?

① 1　　　　　② 2　　　　　③ 3
④ 4　　　　　⑤ 5

11 서술형
> 코시-슈바르츠의 부등식

두 실수 x, y에 대하여 $x^2+4y^2=8$일 때, $2x+y$의 최댓값과 최솟값을 각각 M, m이라 하자. 이때 M^2+m^2의 값을 구하시오.

명제 $p \longrightarrow q$의 참, 거짓

01

전체집합 U의 세 부분집합 P, Q, R가 각각 세 조건 p, q, r의 진리집합이고, 두 명제 $p \longrightarrow \sim q$, $q \longrightarrow \sim r$가 모두 참일 때, 보기에서 항상 옳은 것만을 있는 대로 고른 것은?

┌─ •보기•──────────────────────┐
ㄱ. $P \cap Q = \varnothing$
ㄴ. $Q \subset (P \cup R)^C$
ㄷ. $P \cup Q \cup R = U$
└──────────────────────────┘

① ㄱ   ② ㄷ   ③ ㄱ, ㄴ

④ ㄴ, ㄷ   ⑤ ㄱ, ㄴ, ㄷ

02

실수 x에 대하여 두 조건 p, q가

$\quad p: x^2 - (a-2)x - (2a^2 + a - 1) < 0,$

$\quad q: |x-4| \geq 2$

일 때, 명제 $\sim p \longrightarrow q$가 참이 되도록 하는 양수 a의 최솟값은?

① $\dfrac{7}{2}$ ② 4 ③ $\dfrac{9}{2}$

④ 5 ⑤ $\dfrac{11}{2}$

03 학평

전체집합 $U = \{x \mid x$는 8 이하의 자연수$\}$에 대하여 조건 '$p: x^2 \leq 2x + 8$'의 진리집합을 P, 두 조건 q, r의 진리집합을 각각 Q, R라 하자. 두 명제 $p \longrightarrow q$, $\sim p \longrightarrow r$가 모두 참일 때, 두 집합 Q, R의 순서쌍 (Q, R)의 개수를 구하시오.

04

P별에 사는 외계인은 오직 진실만을 말하고, Q별에 사는 외계인은 오직 거짓만을 말한다. 세 외계인 A, B, C가 각각 두 별 P, Q 중 어느 한 별에서만 살 때, 두 외계인 A, B는 다음과 같이 말하였다.

┌──────────────────────────┐
A: 우리 중 P별에 사는 외계인은 없다.
B: 우리 중 Q별에 사는 외계인은 둘뿐이다.
└──────────────────────────┘

세 외계인 A, B, C에 대하여 보기에서 옳은 것만을 있는 대로 고른 것은?

┌─ •보기•──────────────────────┐
ㄱ. A, B, C는 모두 같은 별에 산다.
ㄴ. C는 P별에 산다.
ㄷ. Q별에 사는 외계인의 수는 2 이상이다.
└──────────────────────────┘

① ㄱ   ② ㄴ   ③ ㄷ

④ ㄱ, ㄴ   ⑤ ㄴ, ㄷ

'모든'이나 '어떤'을 포함한 명제

05

전체집합 U의 공집합이 아닌 세 부분집합 P, Q, R가 각각 세 조건 p, q, r의 진리집합이고

$$P \subset Q, \quad Q^C \subset P, \quad R^C \subset P$$

일 때, 보기에서 항상 참인 명제만을 있는 대로 고르시오.

• 보기

ㄱ. $p \longrightarrow r$

ㄴ. $\sim r \longrightarrow q$

ㄷ. $x \in U$인 모든 x에 대하여 q이다.

06 서술형

실수 전체의 집합에서 명제

　'어떤 실수 x에 대하여 $ax^2 + 10ax + 5b \leq 0$이다.'

가 거짓이 되도록 하는 10 이하의 정수 a, b의 순서쌍 (a, b)의 개수를 구하시오.

07 학평

자연수 n에 대한 조건

　'$2 \leq x \leq 5$인 어떤 실수 x에 대하여 $x^2 - 8x + n \geq 0$이다.'

가 참인 명제가 되도록 하는 n의 최솟값은?

① 12　　　　② 13　　　　③ 14

④ 15　　　　⑤ 16

명제의 역, 대우

08

두 실수 x, y에 대하여 보기에서 그 역이 참인 명제만을 있는 대로 고른 것은?

• 보기

ㄱ. $|x| > |y|$이면 $x^2 > y^2$이다.

ㄴ. $(x-1)^2 + y^2 \neq 0$이면 $3x + 2y \neq 3$이다.

ㄷ. $x^3 y^2 < x^2 y^3$이면 $x < y < 0$이다.

① ㄱ　　　　② ㄴ　　　　③ ㄱ, ㄴ

④ ㄴ, ㄷ　　　⑤ ㄱ, ㄴ, ㄷ

09

서로 다른 세 자연수 a, b, c에 대하여 두 조건 p, q의 진리집합이 각각

$$P = \{9, 10, 11\}, \quad Q = \{a+b, b+c, a+c\}$$

이다. 두 명제 $p \longrightarrow q$, $\sim p \longrightarrow \sim q$가 모두 참일 때, $a^2 + b^2 + c^2$의 값을 구하시오.

10

전체집합 $U = \{x \mid x$는 10 이하의 자연수$\}$의 부분집합 A에 대하여 명제

　'$2a + 1 \in A$이면 $a \in A^C$이다.'

가 참일 때, 집합 A의 모든 원소의 합의 최댓값은?

① 44　　　　② 45　　　　③ 46

④ 47　　　　⑤ 48

11 학평

어느 휴대폰 제조 회사에서 휴대폰 판매량과 사용자 선호도에 대한 시장 조사를 하여 다음과 같은 결과를 얻었다.

> (가) 10대, 20대에게 선호도가 높은 제품은 판매량이 많다.
>
> (나) 가격이 싼 제품은 판매량이 많다.
>
> (다) 기능이 많은 제품은 10대, 20대에게 선호도가 높다.

다음 중 위의 결과로부터 추론한 내용으로 항상 옳은 것은?

① 기능이 많은 제품은 가격이 싸지 않다.

② 가격이 싸지 않은 제품은 판매량이 많지 않다.

③ 판매량이 많지 않은 제품은 기능이 많지 않다.

④ 10대, 20대에게 선호도가 높은 제품은 기능이 많다.

⑤ 10대, 20대에게 선호도가 높은 제품은 가격이 싸지 않다.

◤ **충분조건과 필요조건**

12

두 자연수 a, b에 대하여 세 조건 p, q, r의 진리집합이 각각

$$P=\{3\}, \quad Q=\{a,\, a+b^2\}, \quad R=\{a+1,\, b+1,\, a^2b\}$$

이다. p는 q이기 위한 충분조건이고, r는 q이기 위한 필요조건일 때, $a+b$의 값은?

① 3   ② 4   ③ 5

④ 6   ⑤ 7

13

전체집합 U의 공집합이 아닌 두 부분집합 A, B에 대하여 보기에서 조건 q가 조건 p이기 위한 필요조건이지만 충분조건이 아닌 것만을 있는 대로 고른 것은?

> **보기**
>
> ㄱ. p: $A \cap B = U$ q: $A = B$
>
> ㄴ. p: $A \cup B^c = U$ q: $A^c - B^c = \varnothing$
>
> ㄷ. p: $(A^c \cup B) - (A^c \cap B) = \varnothing$ q: $A \cap B = \varnothing$

① ㄱ   ② ㄴ   ③ ㄷ

④ ㄱ, ㄷ   ⑤ ㄴ, ㄷ

14

실수 x에 대하여 세 조건 p, q, r가

$$p: x^2 = a^2, \quad q: x^3 = a^3, \quad r: x^4 = a^4$$

일 때, 보기에서 옳은 것만을 있는 대로 고른 것은?

(단, a는 상수이다.)

> **보기**
>
> ㄱ. r는 p이기 위한 필요충분조건이다.
>
> ㄴ. $a \neq 0$이면 p는 q이기 위한 필요조건이다.
>
> ㄷ. r가 q이기 위한 충분조건이면 $a > 0$이다.

① ㄱ   ② ㄷ   ③ ㄱ, ㄴ

④ ㄴ, ㄷ   ⑤ ㄱ, ㄴ, ㄷ

15 학평

두 실수 a, b에 대하여 세 조건 p, q, r는

$p: |a|+|b|=0$,

$q: a^2-2ab+b^2=0$,

$r: |a+b|=|a-b|$

이다. 보기에서 옳은 것만을 있는 대로 고른 것은?

┌─● 보기 ●─────────────────────────┐
│ ㄱ. p는 q이기 위한 충분조건이다.
│ ㄴ. $\sim p$는 $\sim r$이기 위한 필요조건이다.
│ ㄷ. (q이고 r)는 p이기 위한 필요충분조건이다.
└───────────────────────────────┘

① ㄱ   ② ㄷ   ③ ㄱ, ㄴ

④ ㄴ, ㄷ   ⑤ ㄱ, ㄴ, ㄷ

16

두 양수 a, b에 대하여 두 집합 A, B가

$A=\{x|(x-a)(x+a)\le 0\}$,

$B=\{x||x-4|<b\}$

일 때, 다음 중 $A\cap B=\varnothing$이기 위한 필요충분조건은?

① $a-b\le 4$ ② $a-b\ge 4$ ③ $a+b=4$

④ $a+b\le 4$ ⑤ $a+b\ge 4$

17 서술형

실수 x에 대하여 두 조건 p, q가

$p: x^2-6x+5\le 0$,

$q: ||x|-4|\le a$

일 때, p가 q이기 위한 충분조건이 되도록 하는 자연수 a의 최솟값을 구하시오.

절대부등식

18

보기에서 항상 옳은 것만을 있는 대로 고른 것은?

┌─● 보기 ●─────────────────────────┐
│ ㄱ. 두 양수 a, b에 대하여
│ $a+4b+1\ge 2(\sqrt{a}+2\sqrt{b}-2\sqrt{ab})$
│ ㄴ. 두 실수 a, b에 대하여 $|a-1|+|b+1|\ge |a+b|$
│ ㄷ. 세 양수 a, b, c에 대하여
│ $(a+b)(b+c)(c+a)\ge 8abc$
└───────────────────────────────┘

① ㄱ   ② ㄷ   ③ ㄱ, ㄴ

④ ㄴ, ㄷ   ⑤ ㄱ, ㄴ, ㄷ

19

$x>-1$일 때, $\dfrac{x+1}{x^2-x+2}$의 최댓값을 a, 최댓값을 가질 때의 x의 값을 b라 하자. 이때 $a+b$의 값은?

① 1   ② 2   ③ 3

④ 4   ⑤ 5

20

두 양수 x, y에 대하여 $4x+2y$의 값이 일정할 때, $\dfrac{1}{x}+\dfrac{2}{y}$의 값이 최소일 때의 x, y의 값을 각각 α, β라 하자. 이때 $\dfrac{\alpha^2+\beta^2}{\alpha\beta}$의 값을 구하시오.

21

다음은 두 실수 a, b에 대하여 부등식

$$a^2-ab+b^2 \geq a+b-1$$

이 성립함을 증명하는 과정이다.

> $P=a^2-ab+b^2-a-b+1$이라 하고
> $a=x+y$, $b=x-y$로 놓으면
> $P=\boxed{\text{(가)}}+3y^2$
> 이때 임의의 두 실수 x, y에 대하여 $P \geq 0$이므로 부등식
> $a^2-ab+b^2 \geq a+b-1$이 성립한다.
> 이때 등호가 성립하는 경우는 $a=\boxed{\text{(나)}}$, $b=\boxed{\text{(다)}}$ 일 때이다.

위의 (가)에 알맞은 식을 $f(x)$, (나), (다)에 알맞은 수를 각각 p, q라 할 때, $f(12pq)$의 값은?

① 120   ② 121   ③ 122

④ 123   ⑤ 124

22

다음 조건을 만족시키는 삼각형 ABC에 대하여 $4\overline{BC}^2+\overline{CA}^2$의 값이 최소일 때, 삼각형 ABC의 넓이는?

(가) $\overline{AB}=8$	(나) $\overline{BC}+\overline{CA}=10$

① $2\sqrt{15}$ ② $\sqrt{61}$ ③ $\sqrt{62}$

④ $3\sqrt{7}$ ⑤ 8

23 idea ✦

두 양수 x, y에 대하여 $\left(\dfrac{1}{x^2+3}+\dfrac{4}{y+1}\right)(x^2+y+4)$의 값이 최소가 될 때, x에 대한 y의 값을 $f(x)$라 하자. 다음 중 함수 $y=f(x)$의 그래프를 바르게 나타낸 것은?

①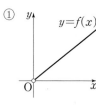

②

③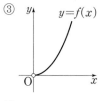

④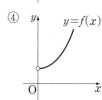

⑤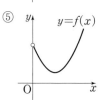

24 학평

두 양수 a, b에 대하여 좌표평면 위의 점 $P(a, b)$를 지나고 직선 OP에 수직인 직선이 y축과 만나는 점을 Q라 하자. 점 $R\left(-\dfrac{1}{a}, 0\right)$에 대하여 삼각형 OQR의 넓이의 최솟값은? (단, O는 원점이다.)

① $\dfrac{1}{2}$ ② 1   ③ $\dfrac{3}{2}$

④ 2   ⑤ $\dfrac{5}{2}$

01

실수 x에 대하여 세 조건 p, q, r가

$\quad p: x(x-b)<0$,

$\quad q: (x-a)(x+5)>0$,

$\quad r: (x+10)(x-c)<0$

일 때, 세 명제 $p \longrightarrow q$, $p \longrightarrow r$, $\sim r \longrightarrow q$가 모두 참이 되도록 하는 정수 a, b, c에 대하여 $a+b+c$의 최솟값은?

① -15 ② -14 ③ -13

④ -12 ⑤ -11

03 idea ✦

두 점 A$(6, 1)$, B$(2, 5)$와 직선 $y=-3x+k$에 대하여 명제

 '직선 $y=-3x+k$ 위의 어떤 점 C에 대하여 삼각형 ABC의 외접원의 중심은 선분 AB의 중점이다.'

가 참이 되도록 하는 자연수 k의 개수를 구하시오.

02

$a^2+b^2\leq10$을 만족시키는 두 정수 a, b에 대하여 실수 x에 대한 두 조건 p, q가

 $p: x<a-1$ 또는 $x\geq a+2$,

 $q: -|b|<x\leq|b|+1$

일 때, 명제 $q \longrightarrow p$가 거짓이 되도록 하는 순서쌍 (a, b)의 개수를 구하시오.

04

다음 조건을 만족시키는 두 실수 a, b에 대하여 $2a^2-3b^2$의 최댓값을 M, 최솟값을 m이라 할 때, $M-m$의 값은?

> ㈎ 명제 '모든 실수 x에 대하여 $(|a|+|b|)x\leq2x-a^2+b^2$'은 참이다.
>
> ㈏ 명제 '어떤 실수 x에 대하여 $x^2-b^2<a^2-4$'는 거짓이다.

① 8   ② 9   ③ 10

④ 11   ⑤ 12

05 학평

두 함수
$$f(x)=x^2-2x+6, \quad g(x)=-|x-t|+11 \ (t\text{는 실수})$$
가 있다. 함수 $h(x)$를
$$h(x)=\begin{cases} f(x) & (f(x)<g(x)) \\ g(x) & (f(x)\geq g(x)) \end{cases}$$
라 할 때, 명제 '어떤 실수 t에 대하여 함수 $y=h(x)$의 그래프와 직선 $y=k$는 서로 다른 세 점에서 만난다.'가 참이 되도록 하는 모든 자연수 k의 값의 합을 구하시오.

06

두 실수 x, y에 대하여 두 조건 p, q가
$$p: (x+2a)^2+(y-a)^2=0,$$
$$q: x^2+kxy+ky^2=0$$
일 때, 보기에서 옳은 것만을 있는 대로 고른 것은?

(단, a, k는 상수이다.)

┌ 보기 ┐
ㄱ. $a=0$, $k=2$이면 p는 q이기 위한 필요충분조건이다.
ㄴ. $a\neq 0$이고 $0<k<4$이면 p는 q이기 위한 충분조건이다.
ㄷ. $a\neq 0$일 때, p가 q이기 위한 충분조건이면 $k=4$이다.
└──────────────────────────┘

① ㄱ   ② ㄴ   ③ ㄱ, ㄷ
④ ㄴ, ㄷ   ⑤ ㄱ, ㄴ, ㄷ

07

세 실수 x, y, z에 대하여
$$x+y+z=2, \quad x^2+y^2+z^2=12$$
일 때, x의 최댓값과 최솟값의 합은?

① 1   ② $\dfrac{4}{3}$ ③ $\dfrac{5}{3}$

④ 2   ⑤ $\dfrac{7}{3}$

08 idea ✦

$a+2b=1$을 만족시키는 두 양수 a, b에 대하여
$$\left(a+\frac{1}{a}\right)^2+\left(2b+\frac{1}{2b}\right)^2$$
의 최솟값은?

① $\dfrac{23}{2}$ ② 12   ③ $\dfrac{25}{2}$

④ 13   ⑤ $\dfrac{27}{2}$

09

전체집합 $U=\{1,\ 2,\ 3,\ 4,\ 5,\ 6,\ 7\}$의 공집합이 아닌 부분집 합 X에 대하여 집합 X의 모든 원소의 곱을 $S(X)$라 하자. $A\cup B=U$, $A\cap B=\{5,\ 7\}$, $n(A)<n(B)$를 만족시키는 U의 두 부분집합 A, B에 대하여 $S(A)+S(B)$의 값이 최 소일 때, 집합 A의 모든 원소의 합은 p 또는 q이다. 이때 $p+q$의 값을 구하시오.

10 [학평]

좌표평면에서 기울기가 $a\,(0<a<3)$인 직선 l과 기울기가 b 인 직선 m이 원 $(x-1)^2+(y-3)^2=1$의 넓이를 4등분 한 다. 직선 l과 x축, y축으로 둘러싸인 삼각형의 넓이를 S_1, 직 선 m과 x축, y축으로 둘러싸인 삼각형의 넓이를 S_2라 할 때, S_1+S_2의 최솟값을 구하시오.

11 [학평]

그림과 같이 $\overline{AB}=2$, $\overline{AC}=3$, $A=30°$인 삼각형 ABC의 변 BC 위의 점 P에서 두 직선 AB, AC 위에 내린 수선의 발을 각각 M, N이라 하자. $\dfrac{\overline{AB}}{\overline{PM}}+\dfrac{\overline{AC}}{\overline{PN}}$의 최솟값이 $\dfrac{q}{p}$일 때, $p+q$의 값을 구하시오. (단, p와 q는 서로소인 자연수이다.)

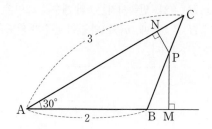

01

학평 → 17쪽 11번

40 이하의 자연수 k에 대하여 두 집합

$A=\{x\,|\,x$는 k의 양의 약수$\}$, $B=\{2,\ 3,\ 5\}$

가 있다. 보기에서 옳은 것만을 있는 대로 고르시오.

보기

ㄱ. $n(A\cap B)=3$이면 $k=30$이다.

ㄴ. $n(A\cap B)=2$를 만족시키는 k의 개수는 12이다.

ㄷ. $n(A\cap B)=1$일 때, $n(A)$의 값이 홀수가 되도록 하는 k의 개수는 4이다.

02

학평 → 19쪽 18번

전체집합 U의 세 부분집합 A, B, X가 다음 조건을 만족시킬 때, 집합 X의 모든 원소의 합의 최댓값을 M, 최솟값을 m이라 하자. 이때 $M+m$의 값은?

(가) $B=\{1,\ 2,\ 5,\ 6\}$, $A\cup B^c=\{3,\ 4,\ 5,\ 6\}$

(나) 집합 $B-(A\cap X)$의 원소의 개수는 2이다.

① 30   ② 32   ③ 34

④ 36   ⑤ 38

03

학평 → 19쪽 20번

전체집합 $U=\{x\,|\,x$는 10 이하의 자연수$\}$의 부분집합 $A=\{x\,|\,x$는 10의 약수$\}$에 대하여

$$(X-A^c)^c\cup(A-X)=A^c$$

을 만족시키는 U의 부분집합 X의 개수를 구하시오.

04

학평 → 19쪽 22번

전체집합 $U=\{1,\ 2,\ 3,\ 4,\ 5,\ 6\}$의 두 부분집합

$A=\{1,\ 2\}$, $B=\{2,\ 3,\ 4\}$

에 대하여 $X\cap A^c\neq\varnothing$, $X\cap B\neq\varnothing$을 만족시키는 U의 부분집합 X의 개수는?

① 51   ② 52   ③ 53

④ 54   ⑤ 55

05

학평 → 20쪽 27번

모바일 앱 A 또는 B를 이용하는 남자 50명과 여자 40명을 대상으로 두 모바일 앱 A, B의 이용 실태를 조사한 결과가 다음과 같을 때, 두 모바일 앱 A, B를 모두 이용하는 여자의 수를 구하시오.

(가) 모바일 앱 A를 이용하는 사람의 수와 모바일 앱 B를 이용하는 사람의 수의 합은 105이다.
(나) 두 모바일 앱 A, B 중 한 가지만 이용하는 남자의 수는 두 앱 A, B 중 한 가지만 이용하는 여자의 수보다 5만큼 크다.

06

학평 → 21쪽 04번

자연수 전체의 집합의 부분집합 X가 상수 p에 대하여 다음 조건을 만족시킨다.

(가) $n(X)=2$
(나) $x\in X$일 때, x가 홀수이면 $\dfrac{x+p}{2}\in X$, x가 짝수이면 $\dfrac{x}{2}\in X$이다.

$3\in X$일 때, 모든 자연수 p의 값의 합을 m, 집합 X의 모든 원소의 합을 n이라 하자. 이때 $m+n$의 값을 구하시오.

07

학평 → 22쪽 07번

전체집합 $U=\{x\,|\,x는 \ 30 \ 이하의 \ 자연수\}$의 부분집합
$$A_k=\{x\,|\,x(y-k)=48,\ y\in U\},$$
$$B=\left\{x\,\left|\,\dfrac{48-x}{6}\in U\right.\right\}$$
에 대하여 $n(A_k\cap B^C)=2$가 되도록 하는 자연수 k의 개수는?

① 4   ② 5   ③ 6
④ 7   ⑤ 8

08

학평 → 23쪽 10번

자연수 k와 실수 a에 대하여 집합 A_k를
$$A_k=\{x\,|\,k\leq x\leq k+a,\ x는 \ 실수\}$$
라 할 때, 보기에서 옳은 것만을 있는 대로 고른 것은?

보기

ㄱ. $a=2$이면 집합 $A_1\cup A_2\cup A_3$의 원소 중 자연수의 개수는 5이다.
ㄴ. 두 자연수 l, $m\,(l<m)$에 대하여 두 집합 A_l, A_m이 서로소이면 $m-l>a$이다.
ㄷ. $a=3$일 때, $k\leq 16$인 모든 자연수 k에 대하여 모든 집합 A_k와 서로소가 아니고 원소의 개수가 최소인 유한집합의 모든 원소의 합은 40이다.

① ㄱ   ② ㄴ   ③ ㄱ, ㄴ
④ ㄱ, ㄷ   ⑤ ㄱ, ㄴ, ㄷ

09

학평→ 27쪽 07번

자연수 n에 대하여 명제
'$0 \leq x \leq n$인 모든 실수 x에 대하여 $x^2 - 6x + n + 4 \geq 0$이다.'
가 참이 되도록 하는 10 이하의 자연수 n의 개수는?

① 6   ② 7   ③ 8

④ 9   ⑤ 10

10

학평→ 28쪽 11번

다음은 블루투스 이어폰을 판매하는 회사에서 실시한 시장 조사의 결과이다. 이 결과로부터 추론한 내용으로 항상 옳은 것은?

> (개) 가격이 비싼 제품은 선호도가 높지 않다.
> (내) 선호도가 높은 제품은 가성비가 높다.
> (대) 가성비가 높은 제품은 판매량이 많다.

① 가격이 비싼 제품은 가성비가 높지 않다.
② 가성비가 높은 제품은 선호도가 높다.
③ 판매량이 많은 제품은 선호도가 높다.
④ 가성비가 높지 않은 제품은 판매량이 많지 않다.
⑤ 선호도가 높은 제품은 판매량도 많고 가격도 비싸지 않다.

11

학평→ 29쪽 15번

두 실수 a, b에 대하여 세 조건 p, q, r가
$$p: a^3b^2 + ab^4 = 0,$$
$$q: a^2 + ab + b^2 \leq 0,$$
$$r: |a+b| = |a| + |b|$$
일 때, 보기에서 옳은 것만을 있는 대로 고른 것은?

> **보기**
> ㄱ. q는 r이기 위한 충분조건이다.
> ㄴ. r는 p이기 위한 필요조건이다.
> ㄷ. (p이고 r)는 q이기 위한 필요조건이다.

① ㄱ   ② ㄴ   ③ ㄱ, ㄴ

④ ㄱ, ㄷ   ⑤ ㄱ, ㄴ, ㄷ

12

학평→ 30쪽 24번

두 양수 a, b에 대하여 두 점 $P\left(a, \dfrac{4}{a}\right)$, $Q\left(-b, -\dfrac{4}{b}\right)$를 지나는 직선과 평행하고 점 $R(-a, b)$를 지나는 직선이 y축과 만나는 점을 S, 점 P에서 x축, y축에 내린 수선의 발을 각각 H_1, H_2라 할 때, $\overline{OS} + \overline{OH_1} + \overline{OH_2}$의 최솟값은? (단, O는 원점이다.)

① 6   ② $\dfrac{13}{2}$ ③ 7

④ $\dfrac{15}{2}$ ⑤ 8

13

학평→ 32쪽 05번

두 함수

$$f(x)=-4x^2+\frac{5}{2},\ g(x)=|x-t|+1\ (t\text{는 실수})$$

가 있다. 함수 $h(x)$를

$$h(x)=\begin{cases} f(x)\ (g(x)<f(x)) \\ g(x)\ (g(x)\geq f(x)) \end{cases}$$

라 할 때, 명제 '어떤 실수 t에 대하여 함수 $y=h(x)$의 그래프와 직선 $y=k$의 교점의 개수는 3 이상이다.'가 참이 되도록 하는 자연수 k의 값은?

① 2   ② 3   ③ 4

④ 5   ⑤ 6

14

학평→ 33쪽 10번

두 직선 l, m이 원 $(x-2)^2+(y-4)^2=4$의 넓이를 4등분한다. 직선 l의 기울기가 $t\,(t>0)$일 때, 직선 m과 x축, y축으로 둘러싸인 삼각형의 넓이를 $f(t)$라 하자. $f(t)$가 $t=a$에서 최솟값 k를 가질 때, ak의 값을 구하시오.

15

학평→ 33쪽 11번

그림과 같이 $\overline{\text{AB}}=8$, $\overline{\text{AC}}=6$인 삼각형 ABC가 있다. 선분 BC 위의 점 D에서 두 변 AB, AC에 내린 수선의 발을 각각 E, F라 하자. $\dfrac{4}{\overline{\text{DE}}}+\dfrac{3}{\overline{\text{DF}}}$의 최솟값이 $\dfrac{7}{3}$일 때, 삼각형 ABC의 넓이는?

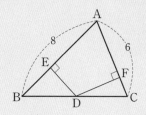

① 21   ② 22   ③ 23

④ 24   ⑤ 25

V

함수

01
> 서로 같은 함수

공집합이 아닌 집합 X를 정의역으로 하는 두 함수
$$f(x)=2x^2-x, \quad g(x)=2x-1$$
에 대하여 $f=g$가 되도록 하는 집합 X의 개수는?

① 3   ② 4   ③ 5

④ 6   ⑤ 7

02
> 함숫값

임의의 두 실수 x, y에 대하여 함수 f가
$$f(x+y)=f(x)+f(y)$$
를 만족시킨다. $f(1)+f(2)+f(3)=10$일 때, $f\left(\dfrac{1}{2}\right)$의 값을 구하시오.

03
> 일대일대응

집합 $X=\{x\,|\,x\geq2\}$에서 집합 $Y=\{y\,|\,y\leq8\}$로의 함수
$f(x)=-x^2-4x+k$가 일대일대응이 되도록 하는 상수 k의 값은?

① 12   ② 16   ③ 20

④ 24   ⑤ 28

04
> 항등함수

집합 $X=\{a, b, c\}$에 대하여 함수
$$f(x)=\begin{cases} -1 & (x<0) \\ -x+4 & (0\leq x<4) \\ x^2-5x-16 & (x\geq4) \end{cases}$$
이 X에서 X로의 항등함수일 때, $a+b+c$의 값을 구하시오.
(단, a, b, c는 상수이다.)

05
> 여러 가지 함수

집합 $X=\{0, 1, 2, 3\}$에 대하여 X에서 X로의 세 함수 f, g, h가 각각 상수함수, 일대일대응, 항등함수이고
$f(0)=g(1)=h(3)$, $g(0)g(1)+g(2)g(3)=f(3)$일 때, $f(1)+g(2)+g(3)$의 값을 구하시오.

06
> 그래프가 주어진 합성함수

$1\leq x\leq5$에서 정의된 함수 $y=f(x)$의 그래프가 그림과 같을 때, $(f\circ f)(a)=4$를 만족시키는 모든 실수 a의 값의 합은?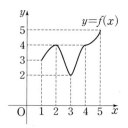

① 8   ② 9

③ 10   ④ 11

⑤ 12

07 ＞f^n 꼴의 합성함수

함수 $f(x)=-x+2$에 대하여
$$f^1=f, \ f^{n+1}=f \circ f^n \ (n \text{은 자연수})$$
으로 정의할 때, $f^{10}(2)+f^{11}(2)$의 값은?

① 2   ② 3   ③ 4

④ 5   ⑤ 6

08 ＞f^n 꼴의 합성함수

$-2 \le x \le 2$에서 정의된 함수 $y=f(x)$의 그래프가 그림과 같을 때,
$f(2)+f^2(2)+f^3(2)+\cdots+f^{16}(2)$의 값을 구하시오. (단, $f^1=f$이고, 모든 자연수 n에 대하여 $f^{n+1}=f \circ f^n$이다.)

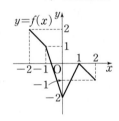

09 학평 ＞합성함수

집합 $X=\{0, 1, 2, 3, 4\}$의 모든 원소 x에 대하여 X에서 X로의 함수 $f(x)$는 '$2x$를 5로 나누었을 때의 나머지'로 정의하고, X에서 X로의 함수 $g(x)$는 $(f \circ g)(x)=(g \circ f)(x)$를 만족시킨다. $g(1)=3$일 때, $g(0)+g(3)$의 값은?

① 1   ② 2   ③ 3

④ 4   ⑤ 5

10 ＞합성함수

집합 $X=\{1, 2, 3, 4, 5\}$에 대하여 함수 $f : X \longrightarrow X$ 중에서 $f(4)=5$이고 $(f \circ f)(x)=x$를 만족시키는 함수 f의 개수는?

① 2   ② 3   ③ 4

④ 5   ⑤ 6

11 서술형 ＞역함수가 존재할 조건

실수 전체의 집합에서 정의된 함수 $f(x)=|2x+1|+kx-3$의 역함수가 존재하도록 하는 상수 k의 값의 범위를 구하시오.

12 ＞역함수와 합성함수

실수 전체의 집합에서 정의된 함수
$$f(x)=\begin{cases} 2x-1 & (x \le 4) \\ x+3 & (x>4) \end{cases}$$
의 역함수가 존재할 때, $(f \circ f)^{-1}(10)$의 값을 구하시오.

함수

01

실수 전체의 집합에서 정의된 두 함수

$$f(x)=\begin{cases} x^2 & (x\text{는 유리수}) \\ -x^2 & (x\text{는 무리수}) \end{cases}, \ g(x)=kx$$

에 대하여 방정식 $f(x)=g(x)$의 서로 다른 실근의 개수를 A_k라 할 때, $A_0+A_1+A_{\sqrt{3}}$의 값을 구하시오.

(단, k는 상수이다.)

02

삼차방정식 $x^3+1=0$의 서로 다른 두 근 α, β에 대하여 자연수 전체의 집합을 정의역으로 하는 함수 f를 $f(n)=\alpha^n+\beta^n$으로 정의할 때, 보기에서 옳은 것만을 있는 대로 고르시오.

(단, $\alpha\neq-1$, $\beta\neq-1$)

─● 보기 ●─
ㄱ. $f(1)+f(2)=0$
ㄴ. 모든 자연수 n에 대하여 $f(n+3)+f(n)=0$이다.
ㄷ. 함수 $f(n)$의 치역은 집합 $\{x\,|\,x^4-5x^2+4=0\}$과 같다.

03 [학평]

집합 $X=\{1,\ 2,\ 3,\ 4\}$에 대하여 함수 $f:X\longrightarrow X$가 다음 조건을 만족시킨다.

집합 X의 임의의 두 원소 a, b에 대하여
   $f(a)\geq b$이면 $f(a)\geq f(b)$
이다.

$f(1)=3$일 때, $f(2)+f(4)$의 최솟값은?

① 3　　　　　② 4　　　　　③ 5
④ 6　　　　　⑤ 7

여러 가지 함수

04

실수 전체의 집합 R에서 R로의 함수

$$f(x)=\begin{cases} x^2+ax+5 & (x<1) \\ -x+b & (x\geq1) \end{cases}$$

가 일대일대응이고 $a^2+ab=15$일 때, a^2+b^2의 값을 구하시오. (단, a, b는 상수이다.)

05 idea ✦

집합 $X=\{1,\ 2,\ 3,\ \cdots,\ n\}$에 대하여 X에서 X로의 두 함수 f, g가 각각 항등함수, 상수함수이다.
$f(n)\times\{g(1)+g(2)+g(3)+\cdots+g(n)\}=768$일 때,
$g(n)\times\{f(1)-f(2)+f(3)-f(4)+\cdots+(-1)^{n+1}f(n)\}$
의 값은? (단, n은 자연수이다.)

① -24　　　　② -12　　　　③ 0
④ 12　　　　　⑤ 24

06

두 집합 $A=\{1,\ 2,\ 3\}$, $B=\{3,\ 4,\ 5\}$에 대하여 함수 $f:A\longrightarrow B$가 다음 조건을 만족시킬 때, $a+b$의 값을 구하시오. (단, a, b는 상수이고, $a>0$이다.)

㈎ 집합 A의 임의의 두 원소 x_1, x_2에 대하여 $x_1\neq x_2$이면 $f(x_1)\neq f(x_2)$이다.
㈏ 집합 A의 임의의 원소 x에 대하여 $f(x)=ax^2-bx+10$이다.

07 서술형

두 집합

$X=\{x\,|\,x$는 5 이하의 자연수$\}$,

$Y=\{y\,|\,y$는 10 이하의 홀수인 자연수$\}$

에 대하여 함수 $f:X \longrightarrow Y$가 다음 조건을 만족시킨다. $f(4)f(5)$의 최댓값을 M, 최솟값을 m이라 할 때, $M+m$의 값을 구하시오.

> (가) 집합 X의 임의의 두 원소 x_1, x_2에 대하여 $x_1 \neq x_2$이면 $f(x_1) \neq f(x_2)$이다.
> (나) $f(1)=5$
> (다) $|f(4)-f(3)|=2$

합성함수

08

집합 $X=\{x\,|\,x$는 10 이하의 짝수인 자연수$\}$에 대하여 X에서 X로의 함수 f가 다음 조건을 만족시킬 때, $f(8)+f(10)$의 값은?

> (가) 집합 X의 임의의 원소 x에 대하여 $f(x)<2x$이다.
> (나) 집합 X의 임의의 두 원소 x_1, x_2에 대하여 $f(x_1)=f(x_2)$이면 $x_1=x_2$이다.
> (다) $(f \circ f)(4)=8$

① 8 　　　　② 10 　　　　③ 12

④ 14 　　　　⑤ 16

09

세 집합 $X=\{0,\ 1\}$, $Y=\{1,\ 2,\ 3\}$, $Z=\{3,\ 4,\ 5,\ 6\}$에 대하여 두 함수 f, g가 $f:X \longrightarrow Y$, $g:Y \longrightarrow Z$일 때, 함수 $g \circ f:X \longrightarrow Z$가 상수함수가 되도록 하는 두 함수 f, g의 순서쌍 $(f,\ g)$의 개수는?

① 280 　　　　② 282 　　　　③ 284

④ 286 　　　　⑤ 288

10 학평

음이 아닌 정수 전체의 집합에서 정의된 함수 f가 음이 아닌 정수 n과 $0 \leq k \leq 9$인 정수 k에 대하여 다음 조건을 만족시킨다.

> (가) $f(0)=0$
> (나) $f(10n+k)=f(n)+k$

보기에서 옳은 것만을 있는 대로 고른 것은?

보기

> ㄱ. $f(100)=1$
> ㄴ. $(f \circ f)(999)=9$
> ㄷ. $f(n)$이 6의 배수이면 n은 6의 배수이다.

① ㄱ 　　　　② ㄷ 　　　　③ ㄱ, ㄴ

④ ㄴ, ㄷ 　　　　⑤ ㄱ, ㄴ, ㄷ

11 서술형

두 함수

$$f(x)=kx^2-2k^2x+k^3+k^2+4k-2,$$
$$g(x)=x^2-x-6$$

이 모든 실수 x에 대하여 $(g \circ f)(x)>0$이 되도록 하는 실수 k의 값의 범위를 구하시오.

12

함수 $y=f(x)$의 그래프가 그림과 같을 때, 직선 $mx-y-m+1=0$이 함수 $y=(f \circ f)(x)$의 그래프와 만나지 않도록 하는 양수 m의 값의 범위를 구하시오.

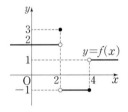

13

실수 전체의 집합에서 정의된 두 함수

$$f(x)=|x+2|+|x-2|,$$

$$g(x)=\begin{cases} x+3 & (x \le -2) \\ -\dfrac{1}{2}x & (-2<x<2) \\ x-3 & (x \ge 2) \end{cases}$$

에 대하여 $(f \circ g)(k)=4$를 만족시키는 정수 k의 개수를 구하시오.

14 학평

$0 \le x \le 2$에서 정의된 함수

$$f(x)=\begin{cases} 2x & (0 \le x<1) \\ -x+3 & (1 \le x \le 2) \end{cases}$$

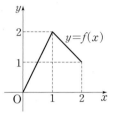

에 대하여 합성함수 $y=(f \circ f)(x)$의 그래프와 직선 $y=\dfrac{1}{2}x+1$의 교점의 개수는?

① 1   ② 2   ③ 3

④ 4   ⑤ 5

15 학평

이차함수 $f(x)$가 다음 조건을 만족시킨다.

> (개) $f(0)=f(2)=0$
> (내) 이차방정식 $f(x)-6(x-2)=0$의 실근의 개수는 1이다.

방정식 $(f \circ f)(x)=-3$의 서로 다른 실근을 모두 곱한 값은?

① $-\dfrac{1}{3}$ ② $-\dfrac{2}{3}$ ③ -1

④ $-\dfrac{4}{3}$ ⑤ $-\dfrac{5}{3}$

16

최고차항의 계수가 음수인 이차함수 $f(x)$가 다음 조건을 만족시킬 때, 방정식 $(f \circ f)(x)=4$의 모든 실근의 합을 구하시오.

> (개) 모든 실수 x에 대하여 $f(x)=f(6-x)$이다.
> (내) 함수 $f(x)$의 최댓값은 4이다.

역함수

17

집합 $X=\{1, 2, 3, 4\}$에서 X로의 함수 f에 대하여 f의 역함수가 존재하고, $(f \circ f)(2)=1$, $f(3)=f^{-1}(3)$일 때, $f(1)-2f(2)+3f(3)$의 값을 구하시오.

18 학평

두 집합 $X=\{1, 2, 3, 4\}$, $Y=\{2, 4, 6, 8\}$에 대하여 함수 $f : X \longrightarrow Y$가 다음 조건을 만족시킨다.

> ㈎ 함수 f는 일대일대응이다.
> ㈏ $f(1) \neq 2$
> ㈐ 등식 $\dfrac{1}{2}f(a)=(f \circ f^{-1})(a)$를 만족시키는 a의 개수는 2이다.

$f(2) \times f^{-1}(2)$의 값을 구하시오.

19

집합 $S=\{1, 2, 3, 4\}$의 공집합이 아닌 두 부분집합 X, Y에 대하여 $X \cap Y=\varnothing$일 때, 함수 $f : X \longrightarrow Y$ 중에서 역함수가 존재하는 함수 f의 개수는?

① 6   ② 12   ③ 18
④ 24   ⑤ 30

20

집합 $S=\{n \mid 1<n<100,\ n$은 11의 배수$\}$의 공집합이 아닌 부분집합 X와 집합 $Y=\{0, 1, 2, 3\}$에 대하여 X에서 Y로의 함수 $f(n)$을 'n을 4로 나누었을 때의 나머지'로 정의할 때, 함수 $f(n)$의 역함수가 존재하도록 하는 집합 X의 개수를 구하시오.

21 학평

세 집합
$$X=\{1, 2, 3, 4\},\ Y=\{2, 3, 4, 5\},\ Z=\{3, 4, 5\}$$
에 대하여 두 함수 $f : X \longrightarrow Y$, $g : Y \longrightarrow Z$가 다음 조건을 만족시킨다.

> ㈎ 함수 f는 일대일대응이다.
> ㈏ $x \in (X \cap Y)$이면 $g(x)-f(x)=1$이다.

보기에서 옳은 것만을 있는 대로 고른 것은?

> **보기**
> ㄱ. 함수 $g \circ f$의 치역은 Z이다.
> ㄴ. $f^{-1}(5) \geq 2$
> ㄷ. $f(3)<g(2)<f(1)$이면 $f(4)+g(2)=6$이다.

① ㄱ   ② ㄱ, ㄴ   ③ ㄱ, ㄷ
④ ㄴ, ㄷ   ⑤ ㄱ, ㄴ, ㄷ

22 학평

정의역이 $\{x | 0 \le x \le 6\}$인 두 함수 $y=f(x)$, $y=g(x)$는 일대일 대응이고 그래프는 그림과 같다. 등식 $f^{-1}(a)=g(b)$를 만족시키는 두 자연수 a, b의 순서쌍 (a, b)의 개수는?

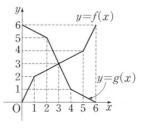

(단, 두 함수의 그래프는 각각 세 선분으로 되어 있다.)

① 1 ② 2 ③ 3
④ 4 ⑤ 5

23

두 함수 $f(x)$, $g(x)$에 대하여

$$f(x)=3x-2, \quad f^{-1}(x)=g\left(\frac{1}{6}x+2\right)$$

일 때, 함수 $y=g(x)$의 그래프와 x축 및 y축으로 둘러싸인 도형의 넓이는?

① $\dfrac{7}{3}$ ② $\dfrac{23}{9}$ ③ $\dfrac{25}{9}$

④ 3 ⑤ $\dfrac{29}{9}$

24 ✦ idea

함수 $f(x)=-x^2+12 \ (x \le 0)$의 그래프와 역함수 $y=f^{-1}(x)$의 그래프의 교점을 A라 하고, 점 B$(8, -2)$를 지나고 기울기가 -1인 직선과 함수 $y=f(x)$의 그래프의 교점을 C라 할 때, 삼각형 ABC의 넓이를 구하시오.

25 서술형

실수 전체의 집합 R에서 R로의 함수

$$f(x)=\begin{cases} \dfrac{1}{2}x-2 & (x<2) \\ kx-7 & (x \ge 2) \end{cases}$$

의 역함수가 존재할 때, 집합 $\{x | (f(x))^2 = f(x)f^{-1}(x)\}$의 모든 원소의 곱을 구하시오.

26

함수 $f(x)=\begin{cases} -2x^2+8x+k-9 & (x<2) \\ x^2-4x+3+k & (x \ge 2) \end{cases}$의 역함수를 $g(x)$라 할 때, 집합 $\{x | f(x)=g(x)\}$의 원소의 개수가 3이 되도록 하는 실수 k의 값의 범위는 $p<k<q$이다. 이때 $p+q$의 값을 구하시오.

27 ✦ idea

함수 $f(x)=mx+n$의 그래프가 점 $(a, a) \ (a>0)$를 지나고, 함수 $g(x)$를

$$g(x)=\begin{cases} f^{-1}(x) & (x<a) \\ f(x) & (x \ge a) \end{cases}$$

로 정의할 때, 함수 $h(x)=x+a$에 대하여 방정식 $(g \circ h)(x)=(h \circ g)(x)$의 서로 다른 실근의 개수를 구하시오. (단, m, n은 상수이고, $0<m<1$이다.)

01

다항함수 f가 임의의 두 실수 x, y에 대하여

$$\{f(xy)\}^2 = f(x^2)f(y^2)$$

을 만족시킬 때, 보기에서 항상 옳은 것만을 있는 대로 고른 것은?

•보기•
ㄱ. $f(0)=0$
ㄴ. f가 일차함수이면 이 함수의 그래프는 원점을 지난다.
ㄷ. $f(1)=10^2$, $f(10)=10^5$이면 $f(100)=10^8$이다.

① ㄱ   ② ㄴ   ③ ㄱ, ㄴ
④ ㄴ, ㄷ   ⑤ ㄱ, ㄴ, ㄷ

02

자연수 전체의 집합에서 정의된 함수 $f(x)$가

$$f(x) = \begin{cases} f(f(x+2k)) & (x<20) \\ x-k & (x \geq 20) \end{cases}$$

일 때, $f(12)=18$을 만족시키는 모든 자연수 k의 값의 곱을 구하시오.

03 학평

집합 $X=\{1, 2, 3, 4, 5, 6, 7, 8, 9\}$에 대하여 두 함수 $f : X \longrightarrow X$, $g : X \longrightarrow X$가 다음 조건을 만족시킨다.

㈎ $f(1)=8$, $f(3) \neq 6$
㈏ 함수 $(g \circ f)(x)$는 항등함수이다.
㈐ 집합 X의 모든 원소 x에 대하여 $f(x)+g(x)$의 값은 일정하다.

$(f \circ f \circ f)(7)$의 값은?

① 3   ② 4   ③ 5
④ 6   ⑤ 7

04 idea ✦

두 함수

$$f(x)=x^3+3x^2+px+q, \quad g(x)=x^2+2x-2$$

에 대하여 두 집합 $A=\{x \,|\, (g \circ f)(x)=0\}$, $B=\{x \,|\, g(x)=0\}$이 있다. $B \subset A$일 때, 정수 p, q에 대하여 $p+q$의 최댓값은?

① -7 ② -5 ③ -3
④ -1 ⑤ 1

05

함수 $f(x)=|x-1|-2$에 대하여
$$f^1=f,\ f^{n+1}=f\circ f^n\ (n은\ 자연수)$$
으로 정의할 때, 함수 $y=f^n(x)$의 그래프와 x축으로 둘러싸인 도형의 넓이를 $S(n)$이라 하자. $S(n)=199$일 때, n의 값을 구하시오.

06

함수 $f(x)=|x+1|-|x-4|+2|x-6|-k$에 대하여 두 함수 $y=f(x)$, $y=(f\circ f)(x)$의 그래프가 무수히 많은 점에서 만나도록 하는 모든 자연수 k의 값의 합은?

① 41　　　　② 42　　　　③ 43

④ 44　　　　⑤ 45

07 학평

실수 전체의 집합에서 정의된 함수 $f(x)$가 다음 조건을 만족시킨다.

(가) $f(x)=\begin{cases} 2 & (0\le x<2) \\ -2x+6 & (2\le x<3) \\ 0 & (3\le x\le 4) \end{cases}$

(나) 모든 실수 x에 대하여 $f(-x)=f(x)$이고
　　$f(x)=f(x-8)$이다.

실수 전체의 집합에서 정의된 함수
$$g(x)=\begin{cases} \dfrac{|x|}{x}+n & (x\ne 0) \\ n & (x=0) \end{cases}$$
에 대하여 함수 $(f\circ g)(x)$가 상수함수가 되도록 하는 60 이하의 자연수 n의 개수는?

① 30　　　　② 32　　　　③ 34

④ 36　　　　⑤ 38

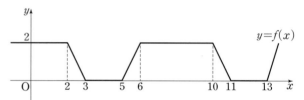

08

세 집합

$$X=\{1, 2, 3, 4\}, Y=\{3, 4, 5, 6\}, Z=\{5, 6, 7, 8\}$$

에 대하여 일대일대응인 두 함수 $f : X \longrightarrow Y$, $g : Y \longrightarrow Z$
가 다음 조건을 만족시킬 때, $f(4)+g(6)$의 값은?

㈎ $3 \in \{x \,|\, f(x)=g(x)\}$　　㈏ $g(f(2))=5$

㈐ $f^{-1}(3) \neq 2$　　㈑ $g(f(4))-2=f(4)$

---

① 10　　　　② 11　　　　③ 12

④ 13　　　　⑤ 14

09 ✦ idea

함수 $f(x)=x^3-x^2+6x$에 대하여 함수 $g(x)$를
$g(x)=f^{-1}(x)-kx$로 정의할 때, 함수 $y=g(x)$의 그래프와
x축의 교점의 개수가 2가 되도록 하는 실수 k의 값이 $\dfrac{b}{a}$이다.
이때 $a+b$의 값을 구하시오.

(단, $k \neq 0$이고, a와 b는 서로소인 자연수이다.)

10 학평

최고차항의 계수가 양수인 이차함수 $f(x)$에 대하여 함수
$g(x)$를 다음과 같이 정의하자.

$$g(x)=\begin{cases} -x+4 & (x<-2) \\ f(x) & (-2 \leq x \leq 1) \\ -x-2 & (x>1) \end{cases}$$

함수 $g(x)$의 치역이 실수 전체의 집합이고 함수 $g(x)$의 역
함수가 존재할 때, 보기에서 옳은 것만을 있는 대로 고른 것
은?

• 보기 •

ㄱ. $f(-2)+f(1)=3$

ㄴ. $g(0)=-1$, $g(1)=-3$이면 곡선 $y=f(x)$의 꼭짓점의
　　x좌표는 $\dfrac{5}{2}$이다.

ㄷ. 곡선 $y=f(x)$의 꼭짓점의 x좌표가 -2이면 $g^{-1}(1)=0$
　　이다.

---

① ㄱ　　　　② ㄴ　　　　③ ㄱ, ㄴ

④ ㄱ, ㄷ　　　　⑤ ㄱ, ㄴ, ㄷ

01
> 유리식

등식 $\dfrac{1}{2-\dfrac{1}{2-\dfrac{1}{x}}}=\dfrac{1}{ax+b}+c$ 를 만족시키는 유리수 a, b, c

에 대하여 $a+b+c$의 값은?

① $\dfrac{5}{3}$ ② $\dfrac{7}{3}$ ③ 3

④ $\dfrac{11}{3}$ ⑤ $\dfrac{13}{3}$

02
> 유리식

자연수 n에 대하여 $f(n)=\dfrac{1}{4n^2-1}$일 때,

$f(1)+f(2)+f(3)+\cdots+f(50)=\dfrac{q}{p}$이다. 이때 서로소인
자연수 p, q에 대하여 $p+q$의 값을 구하시오.

03
> 유리함수의 그래프

함수 $y=\dfrac{4}{x-p}-3$의 그래프가 제1사분면을 지나지 않도록
하는 정수 p의 최댓값은?

① -2 ② -1 ③ 0

④ 1 ⑤ 2

04 학평
> 유리함수의 그래프와 점근선

유리함수 $f(x)=\dfrac{3x+k}{x+4}$의 그래프를 x축의 방향으로 -2만
큼, y축의 방향으로 3만큼 평행이동한 곡선을 $y=g(x)$라 하
자. 곡선 $y=g(x)$의 두 점근선의 교점이 곡선 $y=f(x)$ 위
의 점일 때, 상수 k의 값은?

① -6 ② -3 ③ 0

④ 3 ⑤ 6

05
> 유리함수의 그래프와 점근선

두 유리함수 $y=\dfrac{-ax+2}{x-3}$, $y=\dfrac{x-3}{x-a}$의 그래프의 점근선으로
둘러싸인 도형의 넓이가 21 이상일 때, 양수 a의 값의 범위를
구하시오.

06
> 유리함수의 그래프의 대칭

유리함수 $y=\dfrac{ax+b}{x+c}$의 그래프가 점 $(-1, 1)$을 지나고 두
직선 $y=x+9$, $y=-x-1$에 대하여 대칭일 때, $a-b+c$의
값은? (단, a, b, c는 상수이다.)

① -2 ② -1 ③ 0

④ 1 ⑤ 2

07 서술형
> 유리함수의 그래프와 직선의 위치 관계

함수 $y=\dfrac{2x+3}{x-1}$의 그래프와 직선 $y=mx+2$가 만나지 않도록 하는 상수 m의 값의 범위를 구하시오.

08
> 유리함수의 그래프의 활용

함수 $y=\dfrac{3x-4}{x+2}$의 그래프와 직선 $y=-x+k$의 두 교점을 A, B라 하면 $\overline{AB}=4\sqrt{6}$일 때, 모든 상수 k의 값의 곱은?

① -5 ② -6 ③ -7
④ -8 ⑤ -9

09
> 유리함수의 합성함수

함수 $f(x)=\dfrac{2x-4}{7x+4}$에 대하여
$$f^1=f,\ f^{n+1}=f\circ f^n\ (n은\ 자연수)$$
으로 정의할 때, $f^{999}(-1)-f^{1000}(-1)$의 값은?

① -4 ② -3 ③ -2
④ -1 ⑤ 0

10
> 유리함수의 합성함수

함수 $f(x)=\dfrac{x-1}{x}$에 대하여
$$f^1=f,\ f^{n+1}=f\circ f^n\ (n은\ 자연수)$$
으로 정의할 때, 보기에서 옳은 것만을 있는 대로 고르시오.

보기
ㄱ. 함수 $y=f^2(x)$의 그래프는 점 $(0,\ 1)$을 지난다.
ㄴ. $f^{11}(x)=\dfrac{px+q}{rx-1}$라 할 때, $p+q+r=0$이다.
(단, p, q, r는 상수이다.)
ㄷ. 함수 $f^{24}(x)$는 항등함수이다.

11
> 유리함수의 합성함수와 역함수

유리함수 $f(x)=\dfrac{2x+k}{-3x-1}$에 대하여 $f^{-1}(x)=(f\circ f)(x)$일 때, 상수 k의 값은?

① 1 ② $\dfrac{4}{3}$ ③ $\dfrac{5}{3}$
④ 2 ⑤ $\dfrac{7}{3}$

12
> 유리함수의 합성함수와 역함수

유리함수 $f(x)=\dfrac{px+q}{x+2}$가 다음 조건을 만족시킬 때, $f^{-1}(-1)$의 값을 구하시오. (단, p, q는 상수이다.)

㈎ $x\neq-2$인 모든 실수 x에 대하여 $(f\circ f)(x)=x$이다.
㈏ 함수 $y=f(x)$의 그래프는 점 $(-3,\ -7)$을 지난다.

유리식

01

세 실수 a, b, c에 대하여 $\dfrac{a+2b}{3c}=\dfrac{2b+3c}{a}=\dfrac{3c+a}{2b}$일 때,

$\dfrac{a^3+8b^3+27c^3}{abc}$의 값은? (단, $a+2b+3c\neq0$)

① 18   ② 19   ③ 20

④ 21   ⑤ 22

02

$\dfrac{12m+36}{2m^2+3m}-\dfrac{12m+24}{2m^2+11m+15}+\dfrac{24}{4m^2+16m+15}$의 값이 자연수가 되도록 하는 모든 자연수 m의 값의 합은?

① 3   ② 4   ③ 5

④ 6   ⑤ 7

유리함수의 그래프

03

유리함수 $f(x)=\dfrac{bx+c}{x-a}$가 다음 조건을 만족시킨다.

$2\leq x\leq 4$에서 함수 $f(x)$의 최댓값을 M, 최솟값을 m이라 할 때, $M+3m$의 값을 구하시오. (단, a, b, c는 상수이다.)

> (가) 양의 실수 a에 대하여 두 점 $(1-a, f(1-a))$,
> $(1+a, f(1+a))$의 중점의 좌표는 $(1, 2)$이다.
> (나) 유리함수 $y=f(x)$의 그래프는 점 $(0, 1)$을 지난다.

04

정의역이 $\{x|2\leq x\leq 3\}$인 유리함수 $f(x)=\dfrac{ax-b}{3x-1}$에 대하여 역함수 $f^{-1}(x)$의 정의역이 $\{x|2\leq x\leq 5\}$이다. 이때 상수 a, b에 대하여 $a+b$의 값을 모두 구하시오.

05 서술형

정의역이 $\{x|x\geq 1\}$인 함수 $f(x)=\dfrac{4x+k}{x+1}$의 치역을 집합 X라 할 때, X의 원소 중 정수의 개수가 8이 되도록 하는 모든 정수 k의 값의 합을 구하시오.

06 학평

함수 $f(x)=\dfrac{a}{x-6}+b$에 대하여 함수 $y=\left|f(x+a)+\dfrac{a}{2}\right|$의 그래프가 y축에 대하여 대칭일 때, $f(b)$의 값은?

(단, a, b는 상수이고, $a\neq 0$이다.)

① $-\dfrac{25}{6}$ ② -4 ③ $-\dfrac{23}{6}$

④ $-\dfrac{11}{3}$ ⑤ $-\dfrac{7}{2}$

07

유리함수 $f(x)=\dfrac{cx+d}{ax+b}$의 그래프가 다음 조건을 만족시킬 때, -20 이상 20 이하의 정수 a, b, c, d에 대하여 $a+b+c+d$의 최솟값은? (단, $ad-bc\neq0$, $a\neq0$)

(가) 두 점근선의 방정식은 $x=1$, $y=-3$이다.
(나) 제1, 2, 3, 4사분면을 모두 지난다.

① -38 ② -36 ③ -34
④ -32 ⑤ -30

08

두 집합
$$A=\left\{(x,\,y)\,\Big|\,y=\left|\dfrac{x+k}{x-5}\right|\right\},\ B=\{(x,\,y)\,|\,y=x+1\}$$
에 대하여 $n(A\cap B)=3$이 되도록 하는 정수 k의 개수는?
(단, $k>-5$)

① 11 ② 12 ③ 13
④ 14 ⑤ 15

유리함수의 그래프의 활용

09 학평

$\overline{AB}=\overline{BC}=\overline{CD}=2$, $\overline{AD}=3$인 등변사다리꼴 ABCD에서 선분 BC 위를 움직이는 점을 E, 직선 AE와 직선 CD의 교점을 F라 하자. 점 C와 점 E 사이의 거리를 $x\,(0\leq x\leq2)$, 점 C와 점 F 사이의 거리를 $f(x)$라 할 때, 함수 $y=f(x)$의 그래프의 개형으로 알맞은 것은?

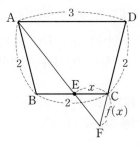

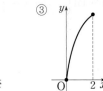

10

그림과 같이 함수 $y=\dfrac{3}{x}$ $(x>0)$의 그래프 위의 한 점 P에 대하여 선분 OP를 $2:1$로 외분하는 점을 Q라 하자. 점 Q를 지나고 x축에 평행한 직선이 함수 $y=\dfrac{3}{x}$의 그래프와 만나는 점을 A, y축과 만나는 점을 B라 하고, 점 Q를 지나고 y축에 평행한 직선이 함수 $y=\dfrac{3}{x}$의 그래프와 만나는 점을 C, x축과 만나는 점을 D라 할 때, 보기에서 옳은 것만을 있는 대로 고르시오. (단, O는 원점이다.)

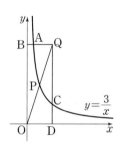

─● 보기 ●─
ㄱ. 점 A는 선분 BQ를 $1:3$으로 내분한다.
ㄴ. 직선 AC의 기울기와 직선 BD의 기울기는 같다.
ㄷ. 직선 BD는 함수 $y=\dfrac{3}{x}$ $(x>0)$의 그래프와 점 P에서 접한다.

11

정의역이 $\{x\,|\,x<0\}$인 함수 $y=-\dfrac{4}{x}$의 그래프 위의 한 점 P에서의 접선이 x축, y축과 만나는 점을 각각 A, B라 할 때, 보기에서 옳은 것만을 있는 대로 고른 것은?
(단, O는 원점이다.)

─● 보기 ●─
ㄱ. $\overline{PA}=\overline{PB}$
ㄴ. 삼각형 OAB의 넓이는 4이다.
ㄷ. 점 P의 x좌표가 -2일 때, 선분 AB의 길이의 최솟값은 $4\sqrt{2}$이다.

① ㄱ   ② ㄱ, ㄴ   ③ ㄱ, ㄷ
④ ㄴ, ㄷ   ⑤ ㄱ, ㄴ, ㄷ

12 학평

그림과 같이 함수 $f(x)=\dfrac{2x}{6x-9}$의 그래프 위의 점 중에서 제1사분면에 있는 점을 P, 제4사분면에 있는 점을 Q라 할 때, 점 P에서 x축, y축에 내린 수선의 발을 각각 A, B라 하고, 점 Q에서 x축, y축에 내린 수선의 발을 각각 C, D라 하자. 두 사각형 OAPB, ODQC가 정사각형일 때, $\overline{OP}:\overline{OQ}=m:n$이다. $m+n$의 값을 구하시오.
(단, O는 원점이고, m, n은 서로소인 자연수이다.)

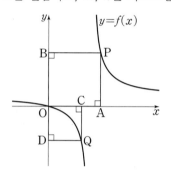

13 학평

곡선 $y=\dfrac{1}{x}$ 위의 두 점 $\mathrm{A}(-1,\ -1)$, $\mathrm{B}\left(a,\ \dfrac{1}{a}\right)$ $(a>1)$을 지나는 직선이 x축, y축과 만나는 점을 각각 P, Q라 하자. 점 B에서 x축에 내린 수선의 발을 B′이라 할 때, 두 삼각형 POQ, PB′B의 넓이를 각각 S_1, S_2라 하자. S_1+S_2의 최솟값은? (단, O는 원점이다.)

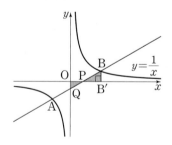

① $\dfrac{2-\sqrt{3}}{2}$ ② $\dfrac{\sqrt{2}-1}{2}$ ③ $2-\sqrt{3}$

④ $\dfrac{\sqrt{3}-1}{2}$ ⑤ $\sqrt{2}-1$

14

함수 $f(x)=\dfrac{k}{x-1}+9\,(k>0)$의 그래프 위의 점 중 x좌표가 1보다 큰 임의의 점 P에서 x축에 내린 수선의 발을 H라 하자. $\overline{\mathrm{OH}}+\overline{\mathrm{PH}}$의 최솟값이 삼각형 POH의 넓이의 최솟값의 $\dfrac{2}{3}$일 때, 양수 k의 값을 구하시오. (단, O는 원점이다.)

15 [학평]

그림과 같이 점 $\mathrm{A}(-2,\,2)$와 곡선 $y=\dfrac{2}{x}$ 위의 두 점 B, C가 다음 조건을 만족시킨다.

> ㈎ 점 B와 점 C는 직선 $y=x$에 대하여 대칭이다.
> ㈏ 삼각형 ABC의 넓이는 $2\sqrt{3}$이다.

점 B의 좌표를 $(\alpha,\,\beta)$라 할 때, $\alpha^2+\beta^2$의 값은? (단, $\alpha>\sqrt{2}$)

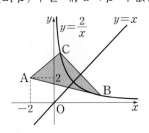

① 5   ② 6   ③ 7
④ 8   ⑤ 9

유리함수의 합성함수와 역함수

16

함수 $f(x)=\dfrac{3x}{2+|x-2|}$에 대하여 합성함수 $(f\circ f)(x)$가 $x\le a$에서 최댓값 3을 갖도록 하는 실수 a의 최솟값을 구하시오.

17 [서술형]

유리함수 $f(x)=\dfrac{ax+b}{2x+1}$에 대하여 $g(x)=f(x-3)+1$이고, $g(1)=4$, $g=g^{-1}$일 때, ab의 값을 구하시오.
(단, a, b는 상수이다.)

18 ✦ idea

함수 $f(x)$는 $x\ne\dfrac{1}{2}$인 실수 x에 대하여 $f\!\left(\dfrac{4x+3}{2x-1}\right)=2x$를 만족시킨다. 함수 $y=f(x)$의 그래프가 두 직선 $y=x+p$, $y=-x+q$에 대하여 대칭일 때, $p+q$의 값은?
(단, p, q는 상수이다.)

① -2 ② -1 ③ 0
④ 1 ⑤ 2

19 [학평]

유리함수 $f(x)=\dfrac{2x+b}{x-a}$가 다음 조건을 만족시킨다.

> ㈎ 2가 아닌 모든 실수 x에 대하여
> $$f^{-1}(x)=f(x-4)-4$$
> 이다.
> ㈏ 함수 $y=f(x)$의 그래프를 평행이동하면 함수 $y=\dfrac{3}{x}$의 그래프와 일치한다.

$a+b$의 값은? (단, a, b는 상수이다.)

① 1   ② 2   ③ 3
④ 4   ⑤ 5

20 ✦ idea

함수 $f(x)=\dfrac{2x-1}{x+1}$에 대하여

$$f^1=f,\ f^{n+1}=f\circ f^n\ (n\text{은 자연수})$$

으로 정의하자. $f^{30}(x)=f^6(x)$일 때, 함수 $y=f^{22}(x)$의 그래프의 두 점근선의 방정식은 $x=\alpha$, $y=\beta$이다. 이때 $\alpha+\beta$의 값을 구하시오.

21 [서술형]

$a<x\le b$에서 유리함수 $f(x)=\dfrac{bx-10a}{x-a}$의 최댓값이 $\dfrac{5}{3}$이다. 두 유리함수 $y=f(x)$, $y=f^{-1}(x)$의 그래프의 점근선으로 둘러싸인 도형의 넓이가 9일 때, $a+b$의 값을 구하시오.

(단, $a<b$)

22

함수 $f(x)=\dfrac{3x}{2+|x|}$에 대하여 보기에서 옳은 것만을 있는 대로 고른 것은?

> **◦보기◦**
> ㄱ. 함수 $y=f(x)$의 그래프는 원점에 대하여 대칭이다.
> ㄴ. 모든 실수 x에 대하여 $|f(x)|>3$이다.
> ㄷ. 두 함수 $y=f(x)$, $y=f^{-1}(x)$의 그래프로 둘러싸인 부분의 경계 및 내부에 포함되고 x좌표와 y좌표가 모두 정수인 점의 개수는 5이다.

① ㄱ   ② ㄱ, ㄴ   ③ ㄱ, ㄷ
④ ㄴ, ㄷ   ⑤ ㄱ, ㄴ, ㄷ

23

유리함수 $f(x)=\dfrac{ax+b}{x+c}$의 역함수를 $g(x)$라 할 때, 함수 $y=g(x)$의 그래프의 두 점근선의 교점의 좌표는 $(4, -4)$이다. $g(3)=p$일 때, 두 함수 $y=f(x)$, $y=g(x)$의 그래프가 만나는 두 점 사이의 거리가 $4\sqrt{2}$가 되도록 하는 상수 p의 값을 구하시오. (단, a, b, c는 상수이다.)

24

유리함수 $f(x)=\dfrac{3x-18}{2x+k}\ (k\ne -9)$에 대하여 방정식 $(f\circ f)(x)-x=0$의 실근이 한 개 존재한다. 이 실근을 α라 할 때, $\alpha+k$의 값은? (단, k는 상수이다.)

① 12   ② 14   ③ 16
④ 18   ⑤ 20

01

유리함수 $f(x)=\dfrac{ax+b}{cx+d}$의 그래프가 두 직선 $y=x+\dfrac{5}{2}$, $y=-x+\dfrac{3}{2}$에 대하여 각각 대칭일 때, $f(-3)+f(-2)+f(-1)+f(0)+f(1)+f(2)$의 값을 구하시오. (단, a, b, c, d는 상수이고, $c\neq0$이다.)

02 학평

두 함수

$$f(x)=-\frac{1}{x}+k,\ g(x)=\frac{1}{x-1}-k$$

가 있다. 정수 k에 대하여 두 곡선 $y=f(x)$, $y=g(x)$의 교점 중 x좌표가 양수인 점의 개수를 $h(k)$라 하자. 등식 $h(k)+h(k+1)+h(k+2)=4$를 만족시키는 정수 k의 값은?

① -2 ② -1 ③ 0

④ 1 ⑤ 2

03

10 이하의 세 자연수 a, b, c에 대하여 정의역이 $\{x|x>0\}$인 함수 $f(x)=\dfrac{ax+b}{x+c}$가 일대일함수가 되도록 하는 순서쌍 (a,b,c)의 개수는?

① 969   ② 970   ③ 971

④ 972   ⑤ 973

04 idea ✦

모든 실수 a에 대하여 함수 $f(x)=\dfrac{(12+a)x-a^2-12a+2}{x-a}$의 그래프와 중심이 (a,a^2)이고 반지름의 길이가 r인 원이 서로 다른 두 점에서 만날 때, r의 값은?

① 2   ② 4   ③ 6

④ 8   ⑤ 10

05

함수 $f(x)=\left|\dfrac{2x-5}{x-2}+a\right|$ 가 $2<x_1<x_2<3$인 어떤 실수 x_1, x_2에 대하여 $f(x_1)<4<f(x_2)$를 만족시킬 때, 정수 a의 최솟값은?

① 2   ② 3   ③ 4

④ 5   ⑤ 6

06 학평

함수 $f(x)$는 다음 조건을 만족시킨다.

> (가) $-2\le x\le2$에서 $f(x)=x^2+2$이다.
> (나) 모든 실수 x에 대하여 $f(x)=f(x+4)$이다.

두 함수 $y=f(x)$, $y=\dfrac{ax}{x+2}$의 그래프가 무수히 많은 점에서 만나도록 하는 정수 a의 값의 합은?

① 14   ② 16   ③ 18

④ 20   ⑤ 22

07

함수 $y=\dfrac{9}{x-1}+2\,(x>1)$의 그래프 위의 한 점 P와 두 점 A$(-4,\ 0)$, B$(0,\ -2)$에 대하여 $\overline{\text{PA}}^2+\overline{\text{PB}}^2$의 값이 최소일 때, 점 P의 x좌표와 y좌표의 합을 구하시오.

08

함수 $y=\dfrac{2}{x-3}+1\,(x>3)$의 그래프 위의 한 점 P와 두 점 A$(3,\ 1)$, B$(3,\ 0)$에 대하여 직선 OA가 각 POB의 이등분선일 때, 선분 OP의 길이는? (단, O는 원점이다.)

① $\sqrt{21}$ ② $\sqrt{22}$ ③ $\sqrt{23}$

④ $2\sqrt{6}$ ⑤ 5

09

그림과 같이 점 A(2, 3)에 대하여 대칭인 유리함수 $y=f(x)$의 그래 프가 점 A를 지나고 기울기가 $\frac{3}{2}$인 직선 l_1과 서로 다른 두 점 O, B에 서 만난다. 유리함수 $y=f(x)$의 그 래프가 점 A를 지나고 기울기가 $m\left(0<m<\frac{3}{2}\right)$인 직선 l_2와 만나는 두 점을 P, Q라 하고, 직 선 l_2와 x축이 만나는 점을 R라 하자. 삼각형 OQR의 넓이가 $\frac{5}{4}$이고 삼각형 APB의 넓이가 $\frac{5}{2}$일 때, m의 값을 구하시오. (단, O는 원점이고, 점 Q의 x좌표는 음수이다.)

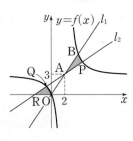

10 idea ✦

그림과 같이 함수 $y=\frac{2}{x-3}$의 그래 프 위의 한 점 P에서 x축과 평행한 직선을 그어 직선 $y=-x+3$과 만 나는 점을 Q라 하고, 점 P에서 직선 $y=-x+3$에 내린 수선의 발을 R라 하자. 선분 PQ의 길이가 최소일 때, 삼각형 PQR의 넓이는?

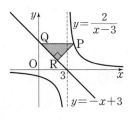

① 2   ② 4   ③ 6
④ 8   ⑤ 10

11

함수 $f(x)=\dfrac{x+19}{2x-p}$가 $f(2)<f(6)<f(4)$를 만족시키도록 하는 자연수 p의 최댓값을 M이라 하자. $p=M$일 때의 함수 $f(x)$와 함수 $g(x)=\dfrac{2x+6}{x+q}$에 대하여 $g(f(6))<g(f(4))<g(f(2))$를 만족시키는 자연수 q의 개 수는?

① 3   ② 4   ③ 5
④ 6   ⑤ 7

12 학평

최고차항의 계수가 양수인 이차함수 $f(x)$와 $x<5$에서 정의 된 함수 $g(x)=1-\dfrac{2}{x-5}$가 있다. 3보다 작은 실수 t에 대하 여 $t\le x\le t+2$에서 함수 $(f\circ g)(x)$의 최솟값을 $h(t)$라 할 때, $h(t)$는 다음 조건을 만족시킨다.

> (가) $h(t)=\begin{cases} f(g(t+2)) & (t<1) \\ 6 & (1\le t<3) \end{cases}$
>
> (나) $h(-1)=7$

$f(5)$의 값을 구하시오.

01

> 무리식

$x=\dfrac{2}{\sqrt{3}-1}$일 때, $\dfrac{\sqrt{x}-1}{\sqrt{x}+1}+\dfrac{2\sqrt{x}}{\sqrt{x}-1}$의 값은?

① $\dfrac{9+2\sqrt{3}}{3}$ ② $3+\sqrt{3}$ ③ $\dfrac{9+4\sqrt{3}}{3}$

④ $\dfrac{9+5\sqrt{3}}{3}$ ⑤ $3+2\sqrt{3}$

02

> 무리함수의 그래프

유리함수 $y=\dfrac{cx+d}{ax+b}$의 그래프가 그림과 같을 때, 무리함수 $y=a\sqrt{bx+c}+d$의 그래프가 지나는 사분면은?
(단, a, b, c, d는 상수이고, $a<0$이다.)

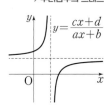

① 제1사분면, 제2사분면
② 제1사분면, 제4사분면
③ 제2사분면, 제3사분면
④ 제2사분면, 제4사분면
⑤ 제1사분면, 제2사분면, 제4사분면

03

> 무리함수의 최대, 최소

$-5\le x\le -2$에서 정의된 두 함수
$$f(x)=a\sqrt{-x-2}+b, \quad g(x)=-x+5$$
의 최댓값과 최솟값이 각각 같을 때, $f(k)=9$를 만족시키는 실수 k의 값을 구하시오. (단, a, b는 상수이고, $a>0$이다.)

04 학평

> 무리함수의 그래프와 직선위 위치 관계

함수 $y=5-2\sqrt{1-x}$의 그래프와 직선 $y=-x+k$가 제1사분면에서 만나도록 하는 모든 정수 k의 값의 합은?

① 11 ② 13 ③ 15
④ 17 ⑤ 19

05 서술형

> 무리함수의 그래프와 직선의 위치 관계

함수 $y=\sqrt{-x-2}$의 그래프와 직선 $y=mx$가 점 (a, b)에서 접할 때, mab의 값을 구하시오. (단, m은 상수이다.)

06

> 무리함수의 그래프의 활용

그림과 같이 함수 $y=2\sqrt{3x}$의 그래프 위의 원점이 아닌 점 A에 대하여 점 A를 지나고 x축에 평행한 직선이 함수 $y=2\sqrt{x}$의 그래프와 만나는 점을 B라 하고, 두 점 A, B에서 x축에 내린 수선의 발을 각각 C, D라 하자. 사각형 ACDB가 정사각형일 때, 정사각형 ACDB의 넓이를 구하시오.

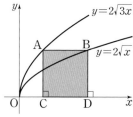

07

> 무리함수의 그래프의 활용

함수 $f(x)=\sqrt{x+3}-3$이 있다. 곡선 $y=f(x)$를 x축에 대하여 대칭이동한 곡선을 $y=g(x)$라 하고, 두 곡선 $y=f(x)$, $y=g(x)$의 교점을 A, 직선 $x=k$가 두 곡선 $y=f(x)$, $y=g(x)$와 만나는 점을 각각 B, C라 하자. $\overline{BC}=4$일 때, 삼각형 ABC의 넓이는? (단, $k>6$)

① 28   ② 29   ③ 30

④ 31   ⑤ 32

08 학평

> 무리함수의 합성함수와 역함수

함수 $f(x)=\sqrt{3x-12}$가 있다. 함수 $g(x)$가 2 이상의 모든 실수 x에 대하여 $f^{-1}(g(x))=2x$를 만족시킬 때, $g(3)$의 값은?

① 2   ② $\sqrt{5}$ ③ $\sqrt{6}$

④ $\sqrt{7}$ ⑤ $2\sqrt{2}$

09

> 무리함수의 합성함수와 역함수

$x>1$에서 정의된 두 함수

$$f(x)=\sqrt{2x-1}+1, \ g(x)=\frac{2x-1}{x-1}$$

에 대하여 $(f \circ (g \circ f)^{-1} \circ f)(a)=\dfrac{4}{3}$를 만족시키는 실수 a의 값을 구하시오.

10

> 무리함수의 역함수

함수 $f(x)=\sqrt{-3x+a}+b$의 그래프와 역함수 $y=f^{-1}(x)$의 그래프가 점 $(2, 4)$에서 만날 때, $a+b$의 값을 구하시오.

(단, a, b는 상수이다.)

11

> 무리함수의 역함수

무리함수 $f(x)=\sqrt{ax+4}-2$의 그래프와 역함수 $y=f^{-1}(x)$의 그래프가 두 점 P, Q에서 만난다. 선분 PQ의 중점의 x좌표가 $\dfrac{3}{2}$일 때, 양수 a의 값은?

① 7   ② 8   ③ 9

④ 10   ⑤ 11

12

> 무리함수의 역함수

함수 $f(x)=-3\sqrt{-x+1}+a$의 그래프와 역함수 $y=f^{-1}(x)$의 그래프가 서로 다른 두 점에서 만나도록 하는 정수 a의 개수는?

① 1   ② 2   ③ 3

④ 4   ⑤ 5

무리함수의 그래프

01

함수 $f(x)=\sqrt{a|x|}\ (a>0)$의 그래프와 함수 $g(x)=\dfrac{|x|}{3}$의 그래프의 교점 중 원점이 아닌 두 교점의 x좌표를 α, β라 하면 $\alpha\beta=-16$일 때, 양수 a의 값은?

① $\dfrac{1}{9}$ ② $\dfrac{2}{9}$ ③ $\dfrac{1}{3}$

④ $\dfrac{4}{9}$ ⑤ $\dfrac{5}{9}$

02 학평

실수 전체의 집합에서 정의된 함수 f가

$$f(x)=\begin{cases} \dfrac{2x+3}{x-2} & (x>3) \\ \sqrt{3-x}+a & (x\le 3) \end{cases}$$

일 때, 함수 f는 다음 조건을 만족시킨다.

⑺ 함수 f의 치역은 $\{y|y>2\}$이다.
⑻ 임의의 두 실수 x_1, x_2에 대하여 $x_1\ne x_2$이면 $f(x_1)\ne f(x_2)$이다.

$f(2)f(k)=40$일 때, 상수 k의 값은? (단, a는 상수이다.)

① $\dfrac{3}{2}$ ② $\dfrac{5}{2}$ ③ $\dfrac{7}{2}$

④ $\dfrac{9}{2}$ ⑤ $\dfrac{11}{2}$

03 학평

좌표평면 위의 두 곡선
$$y=-\sqrt{kx+2k}+4,\ y=\sqrt{-kx+2k}-4$$
에 대하여 보기에서 옳은 것만을 있는 대로 고른 것은? (단, k는 0이 아닌 실수이다.)

• 보기 •
ㄱ. 두 곡선은 서로 원점에 대하여 대칭이다.
ㄴ. $k<0$이면 두 곡선은 한 점에서 만난다.
ㄷ. 두 곡선이 서로 다른 두 점에서 만나도록 하는 k의 최댓값은 16이다.

① ㄱ ② ㄴ ③ ㄱ, ㄴ
④ ㄱ, ㄷ ⑤ ㄱ, ㄴ, ㄷ

04

함수 $f(x)=\begin{cases} \sqrt{-x-2}-5 & (x\le -2) \\ 2x-1 & (-2<x<3) \\ -\sqrt{x-3}+5 & (x\ge 3) \end{cases}$와 실수 t에 대하여 직선 $y=t$와 함수 $y=f(x)$의 그래프의 교점의 개수를 $g(t)$, 직선 $x=t$와 함수 $y=f(x)$의 그래프의 교점 중에서 y좌표가 양수인 점의 개수를 $h(t)$라 하자. 방정식 $g(t)+h(t)=4$를 만족시키는 정수 t의 개수는?

① 2 ② 4 ③ 6
④ 8 ⑤ 10

05

두 함수 $f(x)=\sqrt{-x+2}$, $g(x)=|x|$에 대하여 함수 $h(x)$를

$$h(x)=\frac{3}{2}\{f(x)+g(x)+|f(x)-g(x)|\}$$

라 하자. 함수 $y=h(x)$의 그래프와 직선 $y=k$의 교점의 개수를 $l(k)$라 할 때, $l(2)+l(3)+l(4)+l(5)$의 값은?

(단, k는 상수이다.)

① 3   ② 4   ③ 5
④ 6   ⑤ 7

06

함수 $f(x)=\sqrt{2x+4}-2$에 대하여 $g(x)$를
$g(x)=f(x-k)+k$라 할 때, 함수 $y=g(x)$의 그래프가 네 점 O$(0, 0)$, A$(3, 0)$, B$(6, 3)$, C$(3, 3)$을 꼭짓점으로 하는 사각형 OABC의 네 변과 세 점에서 만나도록 하는 자연수 k의 값을 구하시오.

07 서술형

함수 $y=\sqrt{x-a}$의 그래프와 함수 $y=\dfrac{4x+13}{x+2}$의 그래프가 한 점에서 만나고, 함수 $y=\sqrt{x-a}$의 그래프와 직선 $y=\dfrac{1}{2}x+2$가 서로 다른 두 점에서 만나도록 하는 실수 a의 값의 범위를 구하시오.

08

두 함수 $y=\sqrt{2x+5}$, $y=x+|x-k|$의 그래프가 서로 다른 두 점에서 만나도록 하는 정수 k의 개수는?

① 3   ② 4   ③ 5
④ 6   ⑤ 7

09

실수 전체의 집합에서 정의된 함수 $f(x)$가 다음 조건을 만족시킬 때, 함수 $y=f(x)$의 그래프와 직선 $y=mx+2$의 교점의 개수가 6이 되도록 하는 양수 m의 값을 구하시오.

> (가) $-2\le x\le 2$에서 $f(x)=\sqrt{4-x^2}$이다.
> (나) 모든 실수 x에 대하여 $f(x)=f(-x)$, $f(x)=f(4-x)$이다.

무리함수의 그래프의 활용

10

두 함수 $y=\sqrt{x+3}-3$, $y=\sqrt{3-x}-3$의 그래프와 직선 $y=-3$으로 둘러싸인 부분에 내접하는 직사각형의 한 변이 직선 $y=-3$ 위에 있을 때, 이 직사각형의 둘레의 길이의 최댓값을 구하시오.

11

곡선 $y=\sqrt{-x+9}$가 x축과 만나는 점을 A, y축과 만나는 점을 B라 하고, 점 P가 제1사분면에서 곡선 $y=\sqrt{-x+9}$ 위를 움직일 때, 사각형 OAPB의 넓이의 최댓값을 구하시오.

(단, O는 원점이다.)

12 학평

함수 $f(x)=\begin{cases}\sqrt{x} & (x\geq0) \\ x^2 & (x<0)\end{cases}$ 의 그래프와 직선 $x+3y-10=0$

이 두 점 A$(-2, 4)$, B$(4, 2)$에서 만난다. 그림과 같이 주어진 함수 $y=f(x)$의 그래프와 직선으로 둘러싸인 부분의 넓이를 구하시오. (단, O는 원점이다.)

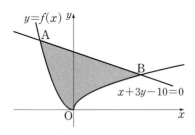

13

함수 $y=a\sqrt{|x|}\,(a>0)$의 그래프가 직선 $y=b\,(b>0)$와 만나는 두 점을 A, B라 하자. 삼각형 OAB가 정삼각형일 때, 이 정삼각형의 넓이는 ka^4이다. 이때 상수 k의 값은?

(단, O는 원점이다.)

① $\dfrac{\sqrt{3}}{18}$ ② $\dfrac{1}{9}$ ③ $\dfrac{\sqrt{2}}{9}$

④ $\dfrac{1}{6}$ ⑤ $\dfrac{\sqrt{3}}{9}$

14 idea ✦

양수 t에 대하여 두 함수 $y=\sqrt{2x+t}-t$, $y=\sqrt{2x-t}+t$의 그래프에 동시에 접하는 직선을 l이라 하고, 접점을 각각 A, B라 하자. 삼각형 OAB의 넓이를 $S(t)$라 할 때, $S(2t)+S(t)=9$를 만족시키는 t의 값을 구하시오.

(단, O는 원점이다.)

▶ 무리함수의 합성함수와 역함수

15

정의역이 $\{x\,|\,x\geq4\}$인 두 함수
$$f(x)=\sqrt{3x+4}+5,\quad g(x)=-\sqrt{x-4}+6$$
에 대하여 $(g\circ f)(a)$의 값이 자연수가 되도록 하는 자연수 a의 값은?

① 20   ② 21   ③ 22

④ 23   ⑤ 24

16 서술형

두 함수 $f(x)=\sqrt{2x+3}$, $g(x)=\sqrt{3x-9}+4$에 대하여 함수 $h(x)=(g\circ f^{-1})^{-1}(x)$라 하자. $6\leq x\leq9$에서 함수 $h(x)$의 최댓값을 M, 최솟값을 m이라 할 때, M^2-m^2의 값을 구하시오.

17

실수 전체의 집합에서 정의된 함수

$$f(x)=\begin{cases} \sqrt{-3x+k}+2 & (x<3) \\ -\sqrt{3x-k}+2 & (x\geq3) \end{cases}$$

에 대하여 집합 $X_a=\{x\,|\,f(x)=a\}$라 하자. 모든 실수 a에 대하여 $n(X_a)=1$을 만족시킬 때, $f^{-1}(1)\times f^{-1}(17)$의 값은? (단, k는 실수이다.)

① -270 ② -260 ③ -250

④ -240 ⑤ -230

18

그림과 같이 원 $(x-3)^2+(y-3)^2=8$이 함수 $f(x)=k\sqrt{x}\,(1\leq k<7)$의 그래프와 만나는 두 점을 A, B라 하고, 역함수 $y=f^{-1}(x)$의 그래프와 만나는 두 점을 C, D라 할 때, 보기에서 옳은 것만을 있는 대로 고른 것은?

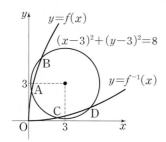

┌ 보기 ┐

ㄱ. 점 D의 좌표가 $(5, 1)$이면 $k=5$이다.

ㄴ. 점 A와 점 C가 같으면 $k=1$이다.

ㄷ. 직선 AB의 기울기와 직선 CD의 기울기의 곱은 1이다.

① ㄱ   ② ㄴ   ③ ㄱ, ㄴ

④ ㄱ, ㄷ   ⑤ ㄱ, ㄴ, ㄷ

19

그림과 같이 함수 $f(x)=k\sqrt{x}\,(k>0)$의 그래프와 역함수 $y=f^{-1}(x)$의 그래프가 만나는 점 중 원점 O가 아닌 점을 P라 하자. 선분 OP를 3 : 1로 내분하는 점을 Q라 하고, 점 Q를 지나면서 x축에 평행한 직선이 함수 $y=f(x)$의 그래프와 만나는 점을 A, 점 Q를 지나면서 y축에 평행한 직선이 역함수 $y=f^{-1}(x)$의 그래프와 만나는 점을 B라 하자. 또 선분 OP를 1 : 3으로 내분하는 점을 R라 하고, 점 R를 지나면서 x축에 평행한 직선이 역함수 $y=f^{-1}(x)$의 그래프와 만나는 점을 C, 점 R를 지나면서 y축에 평행한 직선이 함수 $y=f(x)$의 그래프와 만나는 점을 D라 하자. 삼각형 ABQ와 삼각형 CDR의 넓이의 합이 $\dfrac{25}{2}$일 때, 양수 k의 값은?

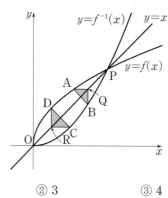

① 2   ② 3   ③ 4

④ 5   ⑤ 6

20 학평

무리함수 $f(x)=\sqrt{x-k}$에 대하여 좌표평면에 곡선 $y=f(x)$와 세 점 A(1, 6), B(7, 1), C(8, 9)를 꼭짓점으로 하는 삼각형 ABC가 있다. 곡선 $y=f(x)$와 함수 $f(x)$의 역함수의 그래프가 삼각형 ABC와 만나도록 하는 실수 k의 최댓값은?

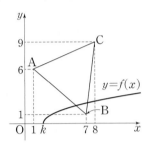

① 6   ② 5   ③ 4

④ 3   ⑤ 2

21 서술형

그림과 같이 함수 $f(x)=-\sqrt{-x-3}$의 그래프 위의 점 A, 역함수 $y=f^{-1}(x)$의 그래프 위의 점 B, 직선 $y=x$ 위의 두 점 C, D에 대하여 사각형 ACBD가 정사각형이 될 때, 정사각형 ACBD의 넓이의 최솟값을 구하시오.

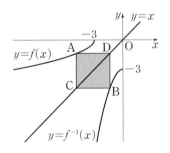

22 학평

그림과 같이 함수 $f(x)=\sqrt{2x+3}$의 그래프와 함수 $g(x)=\dfrac{1}{2}(x^2-3)\,(x\geq0)$의 그래프가 만나는 점을 A라 하자. 함수 $y=f(x)$의 그래프 위의 점 B$\left(\dfrac{1}{2},\ 2\right)$를 지나고 기울기가 -1인 직선 l이 함수 $y=g(x)$의 그래프와 만나는 점을 C라 할 때, 삼각형 ABC의 넓이는?

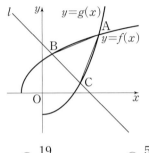

① $\dfrac{9}{4}$ ② $\dfrac{19}{8}$ ③ $\dfrac{5}{2}$

④ $\dfrac{21}{8}$ ⑤ $\dfrac{11}{4}$

23

함수 $f(x)=\sqrt{-x+5}-1$의 그래프와 역함수 $y=f^{-1}(x)$의 그래프의 교점을 A라 하자. 점 A를 지나는 일차함수 $g(x)$가 다음 조건을 만족시킬 때, 점 B$(0,\ g(0))$에 대하여 삼각형 OAB의 넓이를 구하시오. (단, O는 원점이다.)

> (가) 임의의 두 실수 x_1, x_2에 대하여 $x_1>x_2$이면 $g(x_1)<g(x_2)$이다.
>
> (나) 모든 실수 x에 대하여 $g(x)=g^{-1}(x)$이다.

01 idea ✦

정의역이 $\{x\,|\,3\leq x\leq 39\}$인 함수 $f(x)=-2\sqrt{x-3}-2$의 그 래프 위의 두 점 $A(x_1, y_1)$, $B(x_2, y_2)$에 대하여 선분 AB의 중점을 P라 하자. 직선 OP의 기울기의 최댓값을 M, 최솟값을 m이라 할 때, Mm의 값은? (단, O는 원점이다.)

① $\dfrac{10}{39}$　　② $\dfrac{11}{39}$　　③ $\dfrac{4}{13}$

④ $\dfrac{1}{3}$　　⑤ $\dfrac{14}{39}$

02 학평

좌표평면에서 두 곡선 $y=2\sqrt{x}$, $y=-\sqrt{x}+6$과 직선 $x=k$로 둘러싸인 영역의 내부 또는 그 경계에 포함되고 x좌표와 y좌 표가 모두 정수인 점의 개수가 59가 되도록 하는 자연수 k의 값을 구하시오. (단, $k>4$)

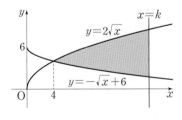

03 모평

좌표평면에서 자연수 n에 대하여 x축과 직선 $x=n$, y축과 곡선 $y=\dfrac{\sqrt{x+3}}{2}$으로 둘러싸인 부분에 포함되는 정사각형 중에서 다음 조건을 만족시키는 모든 정사각형의 개수를 $f(n)$이라 하자.

> (가) 각 꼭짓점의 x좌표, y좌표가 모두 정수이다.
> (나) 한 변의 길이가 $\sqrt{5}$ 이하이다.

예를 들어 $f(14)=15$이다. $f(n)\leq 400$을 만족시키는 자연수 n의 최댓값을 구하시오.

04

두 함수 $f(x)=\dfrac{ax+6}{x+2}$, $g(x)=\sqrt{bx+8}$에 대하여 방정식 $f(x)=g(x)$의 서로 다른 두 실근을 α, β라 할 때, $f(\alpha)\neq 0$, $g(\beta)\neq 0$이 되도록 하는 10보다 작은 자연수 a, b의 순서쌍 (a, b)의 개수는? (단, $a\neq 3$)

① 48　　② 49　　③ 50

④ 51　　⑤ 52

05 학평

그림과 같이 함수 $y=2\sqrt{x}$의 그래프 위를 움직이는 점 P와 직선 $y=x+2$ 위를 움직이는 점 Q에 대하여 선분 PQ의 중점을 M이라 하자. 점 M과 점 A$(0,\ 8)$ 사이의 거리의 최솟값은?

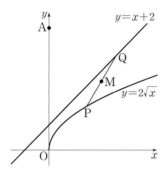

① $\dfrac{13\sqrt{2}}{4}$ ② $\dfrac{27\sqrt{2}}{8}$ ③ $\dfrac{7\sqrt{2}}{2}$

④ $\dfrac{29\sqrt{2}}{8}$ ⑤ $\dfrac{15\sqrt{2}}{4}$

06

그림과 같이 함수 $y=\sqrt{ax+b}+c+1\,(a>0,\ b>0,\ c>0)$의 그래프와 중심이 C인 원 $(x-c)^2+(y-2)^2=13$이 두 점 P, Q에서 만난다. 점 Q$(3,\ 5)$이고 $\overline{\mathrm{PQ}}=\sqrt{26}$일 때, 양수 a, b, c에 대하여 $a+b+c$의 값은?

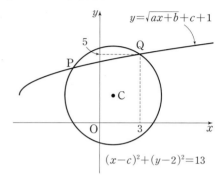

① 7 ② 8 ③ 9

④ 10 ⑤ 11

07 ✦ idea

세 집합

$$A=\{(x,\,y)\,|\,y=\sqrt{x+n^4}-n^2,\ x\geq0\},$$
$$B=\{(y,\,x)\,|\,y=\sqrt{x+n^4}-n^2,\ y\geq0\},$$
$$C=\{(x,\,y)\,|\,y=-x+2n^2+2\}$$

에 대하여 $A\cap B=\{(0,\,0)\}$, $P_n\in A\cap C$, $Q_n\in B\cap C$일 때, $\overline{P_nQ_n}=50\sqrt{2}$를 만족시키는 자연수 n의 값을 구하시오.

08

두 함수 $f(x)=\sqrt{25-5x}-2$, $g(x)=(x-3)^2+a$가 있다. 4 이하의 실수 t에 대하여 $|x-t|\leq1$에서 함수 $(g\circ f)(x)$의 최솟값을 $h(t)$라 할 때,

$$h(t)=\begin{cases} g(f(t+1)) & (t<b) \\ a & (b\leq t\leq c) \\ g(f(t-1)) & (c<t\leq4) \end{cases}$$

이다. $h(-16)=21$일 때, 실수 a, b, c에 대하여 abc의 값을 구하시오.

09

실수 전체의 집합에서 정의된 함수

$$f(x)=\begin{cases} \dfrac{-2x+5}{x-3} & (px+q<0) \\ \sqrt{px+q}+r & (px+q\geq0) \end{cases}$$

의 역함수가 존재할 때, 상수 p, q, r에 대하여 $\dfrac{qr}{p}$의 값은?

① 5   ② 6   ③ 7
④ 8   ⑤ 9

10

$7<k<16$인 유리수 k에 대하여 함수 $f(x)=\sqrt{x+k}-4$가 있다. 함수 $y=f(x)$의 그래프와 x축, y축의 교점을 각각 A, B, 역함수 $y=f^{-1}(x)$의 그래프와 x축, y축의 교점을 각각 C, D라 하고, 두 함수 $y=f(x)$, $y=f^{-1}(x)$의 그래프의 교점을 P라 하자. 자연수 n에 대하여 사각형 ABCD의 넓이가 $2n^2$일 때, 삼각형 ACP의 넓이는 $a+b\sqrt{21}$이다. 이때 유리수 a, b에 대하여 $a+b$의 값을 구하시오.

01

학평→ 44쪽 14번

$0 \leq x \leq 2$에서 정의된 함수 $y = f(x)$의 그래프가 그림과 같을 때, 방정식 $(f \circ f)(x) = \dfrac{3}{8}x$의 서로 다른 실근의 개수를 구하시오.

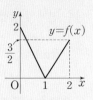

02

학평→ 44쪽 15번

최고차항의 계수가 1인 이차함수 $f(x)$가 다음 조건을 만족시킨다.

> (개) $f(0) = f(2)$
> (내) 함수 $y = f(x)$의 그래프와 직선 $y = 4x - 10$이 오직 한 점에서 만난다.

방정식 $(f \circ f)(x) = 7$의 서로 다른 실근의 개수를 a, 서로 다른 모든 실근의 곱을 b라 할 때, $a - b$의 값은?

① 6   ② 7   ③ 8
④ 9   ⑤ 10

03

학평→ 47쪽 03번

집합 $X = \{1, 2, 3, 4, 5\}$에 대하여 함수 $f : X \longrightarrow X$가 다음 조건을 만족시킬 때, $f(3) \times f(5)$의 값을 구하시오.

> (개) $f(3) > f(4)$
> (내) 역함수 $f^{-1}(x)$가 존재하고, 집합 X의 모든 원소 x에 대하여 $f(x) \neq f^{-1}(x)$이다.
> (대) $f(x) + f^{-1}(x)$의 최솟값은 4, 최댓값은 10이다.

04

학평→ 48쪽 07번

실수 전체의 집합에서 정의된 함수
$$f(x) = \begin{cases} 2 & (0 \leq x < 4) \\ -x + 6 & (4 \leq x < 6) \\ 0 & (6 \leq x \leq 9) \end{cases}$$
가 모든 실수 x에 대하여 $f(-x) = f(x)$, $f(x) = f(x-18)$을 만족시킨다. 실수 전체의 집합에서 정의된 함수
$$g(x) = \begin{cases} 2n + \dfrac{2|x|}{x} & (x \neq 0) \\ 2n & (x = 0) \end{cases}$$
에 대하여 함수 $(f \circ g)(x)$가 상수함수가 되도록 하는 100 이하의 자연수 n의 개수를 구하시오.

05

학평 → 49쪽 10번

이차함수 $f(x)$에 대하여 함수 $g(x)$를 다음과 같이 정의하자.

$$g(x)=\begin{cases} x+4 & (x<-1) \\ f(x) & (-1\leq x\leq 3) \\ 2x+5 & (x>3) \end{cases}$$

두 함수 $f(x)$, $g(x)$가 다음 조건을 만족시킬 때, $g^{-1}(5)$의 값을 구하시오.

> (가) 모든 실수 x에 대하여 $f(3-x)=f(3+x)$이다.
> (나) 함수 $g(x)$의 치역이 실수 전체의 집합이고, 함수 $g(x)$의 역함수가 존재한다.
> (다) $(g \circ g)(3)=3$

07

학평 → 54쪽 13번

그림과 같이 곡선 $y=\dfrac{3}{x}$ 위의 두 점 $A(-3, -1)$,

$B\left(a, \dfrac{3}{a}\right)(a>3)$을 지나는 직선이 x축, y축과 만나는 점을 각각 P, Q라 하자. 점 B에서 x축에 내린 수선의 발을 B′이라 할 때, 두 삼각형 POQ, PB′B의 넓이를 각각 S_1, S_2라 하자. S_1+S_2의 값이 최소일 때, 실수 a의 값을 구하시오.

(단, O는 원점이다.)

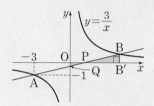

06

학평 → 54쪽 12번

함수 $f(x)=\dfrac{3}{4x-2}$의 그래프를 x축의 방향으로 $-\dfrac{1}{4}$만큼, y축의 방향으로 3만큼 평행이동한 그래프를 나타내는 함수를 $g(x)$라 하자. 함수 $g(x)$의 그래프 위의 점 중에서 제1사분면에 있는 점을 A, 제2사분면에 있는 점을 B라 할 때, 점 A에서 x축, y축에 내린 수선의 발을 각각 P, Q, 점 B에서 x축, y축에 내린 수선의 발을 각각 R, S라 하자. 두 사각형 OPAQ, OSBR가 정사각형일 때, $\overline{OA}:\overline{OB}=m:n$이다. 이때 $m+n$의 값을 구하시오.

(단, O는 원점이고, m, n은 서로소인 자연수이다.)

08

학평 → 55쪽 15번

그림과 같이 직선 $y=-x$ 위의 점 A와 곡선 $y=\dfrac{4}{x}(x>0)$ 위의 두 점 B, C가 다음 조건을 만족시킨다. 점 B의 좌표를 (α, β)라 할 때, $\alpha+\dfrac{4}{\beta}$의 값을 구하시오. (단, $0<\alpha<\beta$)

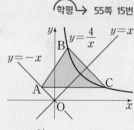

> (가) 점 B와 점 C는 직선 $y=x$에 대하여 대칭이다.
> (나) 삼각형 ACB의 넓이는 $\dfrac{15}{2}$이다.

09

학평 57쪽 02번

정수 k에 대하여 두 함수 $f(x)=-\dfrac{1}{x+1}+k$,

$g(x)=\dfrac{1}{2x}-k$의 그래프의 교점 중 x좌표가 음수인 점의 개수를 $h(k)$라 할 때, 등식 $h(k)+h(k+1)+h(k+2)=5$를 만족시키는 k의 값은?

① -2 ② -1 ③ 0

④ 1 ⑤ 2

10

학평 58쪽 06번

함수 $f(x)$가 다음 조건을 만족시킬 때, 두 함수 $y=f(x)$, $y=\dfrac{ax}{x+1}$의 그래프의 교점의 개수가 무수히 많도록 하는 정수 a의 개수를 구하시오.

(가) $-1\le x\le 1$에서 $f(x)=x^2+1$이다.
(나) 모든 실수 x에 대하여 $f(x)=f(x+2)$이다.

11

학평 59쪽 12번

$x<4$에서 정의된 함수 $f(x)=\dfrac{3}{x-4}+1$과 이차함수 $g(x)=ax^2+bx+c$가 있다. 1보다 작은 실수 t에 대하여 $t\le x\le t+3$에서 함수 $(g\circ f)(x)$의 최댓값을 $h(t)$라 할 때, $h(t)$는 다음 조건을 만족시킨다. 상수 a, b, c에 대하여 abc의 값을 구하시오. (단, $a<0$)

(가) $h(t)=\begin{cases} g(f(t+3)) & (t<0) \\ 4 & (0\le t<1) \end{cases}$

(나) $h(-2)=2$

12

학평 66쪽 20번

그림과 같이 네 점 $A(2,\,7)$, $B(8,\,2)$, $C(10,\,8)$, $D(10,\,11)$을 꼭짓점으로 하는 사각형 ABCD가 있다. 함수 $f(x)=\sqrt{x-k}$의 그래프와 역함수 $y=f^{-1}(x)$의 그래프가 사각형 ABCD와 만나도록 하는 상수 k의 최댓값은?

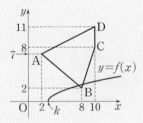

① 0 ② 1 ③ 2

④ 3 ⑤ 4

13

학평 → 66쪽 22번

그림과 같이 함수 $f(x)=\sqrt{-x+6}$의 그래프와 함수 $g(x)=-x^2+6\,(x\geq0)$의 그래프가 만나는 점을 A라 하자. 함수 $y=f(x)$의 그래프 위의 점 B$(-10,\ 4)$를 지나고 기울기가 -1인 직선 l이 함수 $y=g(x)$의 그래프와 만나는 점을 C라 할 때, 삼각형 ABC의 넓이를 구하시오.

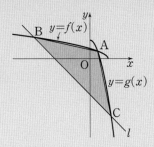

14

학평 → 67쪽 02번

그림과 같이 좌표평면에서 두 곡선 $y=3\sqrt{x}$, $y=-\sqrt{x}+8$과 직선 $x=k$로 둘러싸인 부분의 내부 또는 그 경계에 포함되고 x좌표와 y좌표가 모두 정수인 점의 개수가 32가 되도록 하는 자연수 k의 값을 구하시오. (단, $k>4$)

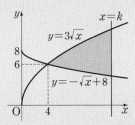

15

모평 → 67쪽 03번

좌표평면에서 자연수 n에 대하여 x축과 직선 $x=n$, y축과 곡선 $y=\dfrac{\sqrt{x+5}}{2}$로 둘러싸인 부분에 포함되는 정사각형 중에서 다음 조건을 만족시키는 모든 정사각형의 개수를 $f(n)$이라 할 때, $f(n)\leq100$을 만족시키는 자연수 n의 최댓값을 구하시오.

(가) 각 꼭짓점의 x좌표, y좌표가 모두 정수이다.
(나) 한 변의 길이가 $\sqrt{2}$ 이상 $\sqrt{5}$ 이하이다.

16

학평 → 68쪽 05번

그림과 같이 함수 $y=2\sqrt{-x}$의 그래프 위를 움직이는 점 P와 직선 $y=-x+5$ 위를 움직이는 점 Q에 대하여 선분 PQ의 중점을 M이라 하자. 점 M과 점 A$(0,\ 10)$ 사이의 거리의 최솟값은?

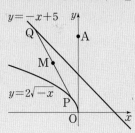

① $\dfrac{5\sqrt{2}}{2}$ ② $\dfrac{11\sqrt{2}}{4}$ ③ $3\sqrt{2}$

④ $\dfrac{13\sqrt{2}}{4}$ ⑤ $\dfrac{7\sqrt{2}}{2}$

VI

경우의 수

06 경우의 수

01
> 합의 법칙

1부터 100까지의 자연수 중 3과 5로 모두 나누어떨어지지 않는 자연수의 개수는?

① 51   ② 52   ③ 53

④ 54   ⑤ 55

02
> 곱의 법칙

432의 양의 약수 중 4의 배수의 개수를 a, 3의 배수의 개수를 b라 할 때, $a+b$의 값은?

① 21   ② 23   ③ 25

④ 27   ⑤ 29

03
> 곱의 법칙

집합 $A=\{1, 2, 3, 4, 5, 6\}$에 대하여 함수 $f : A \longrightarrow A$ 중에서 다음 조건을 만족시키는 함수 f의 개수를 구하시오.

> 집합 A의 모든 원소 x에 대하여 $x+f(x) \geq 7$이다.

04 서술형
> 곱의 법칙

100원짜리 동전 4개, 500원짜리 동전 5개, 1000원짜리 지폐 2장의 일부 또는 전부를 사용하여 지불할 수 있는 방법의 수를 a, 지불할 수 있는 금액의 수를 b라 할 때, $a+b$의 값을 구하시오. (단, 0원을 지불하는 경우는 제외한다.)

05
> 순열의 수

0, 2, 4, 6, 8의 숫자가 각각 하나씩 적혀 있는 5장의 카드 중에서 3장을 택하여 만들 수 있는 세 자리의 자연수 중 3의 배수의 개수는?

① 18   ② 20   ③ 22

④ 24   ⑤ 26

06
> 순열의 수

7개의 자연수 11, 12, 13, 14, 15, 16, 17이 각각 하나씩 적혀 있는 7장의 카드 중에서 5장을 택하여 일렬로 나열할 때, 서로 이웃한 두 장의 카드에 적혀 있는 수의 합이 모두 홀수인 경우의 수를 구하시오.

07 > 순열의 수

TRAVEL에 있는 6개의 문자를 일렬로 나열할 때, 두 문자 T, V 사이에 적어도 2개의 문자가 있도록 나열하는 방법의 수를 구하시오.

10 > 조합의 수

6개의 알파벳 대문자 A, B, C, D, E, F가 각각 하나씩 적혀 있는 6장의 카드와 6개의 알파벳 소문자 a, b, c, d, e, f가 각각 하나씩 적혀 있는 6장의 카드가 있다. 이 12장의 카드 중에서 6장을 택할 때, 2장의 카드에는 각각 서로 같은 알파벳의 대문자와 소문자가 하나씩 적혀 있고 나머지 카드에는 모두 서로 다른 알파벳이 적혀 있는 경우의 수를 구하시오.

08 > 순열의 수

6개의 문자 S, Q, U, A, R, E를 일렬로 나열하여 만든 단어를 사전식으로 나열할 때, 415번째 나열되는 것은?

① RQAESU   ② RQAEUS   ③ RQEASU
④ RQEAUS   ⑤ RQEUAS

11 서술형 > 조합의 수

그림과 같이 반원 위에 있는 10개의 점 중에서 4개의 점을 꼭짓점으로 하는 사각형의 개수를 구하시오.

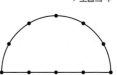

09 학평 > 조합의 수

9개의 숫자 0, 0, 0, 1, 1, 1, 1, 1, 1을 0끼리는 어느 것도 이웃하지 않도록 일렬로 나열하여 만들 수 있는 아홉 자리의 자연수의 개수는?

① 12   ② 14   ③ 16
④ 18   ⑤ 20

12 > 조 나누기

어느 동아리의 부원 7명을 2명, 2명, 3명의 3개 조로 나누어 서로 다른 3곳의 체험 학습 장소에 배정하는 방법의 수는?

① 105   ② 210   ③ 315
④ 630   ⑤ 1260

경우의 수

01

1, 2, 3, 4, 5의 숫자가 각각 하나씩 적혀 있는 5개의 공과 1, 2, 3, 4, 5의 숫자가 각각 하나씩 적혀 있는 5개의 상자가 있다. 5개의 공을 다음 조건을 만족시키도록 5개의 상자에 각각 1개씩 넣는 방법의 수를 구하시오.

> (개) 1이 적혀 있는 공은 5가 적혀 있는 상자에 넣는다.
> (내) a가 적혀 있는 공은 a가 적혀 있는 상자에 넣지 않는다.
> (단, $a=2, 3, 4$)

02

그림과 같이 한 변의 길이가 1인 정사각형을 이어 붙여 만든 도형이 있다. 이 도형의 선들로 이루어진 직사각형 중에서 넓이가 6인 직사각형의 개수는?

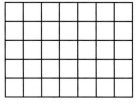

① 44   ② 46   ③ 48
④ 50   ⑤ 52

03

서로 다른 두 개의 주사위 A, B를 동시에 던져서 나오는 눈의 수를 각각 a, b라 할 때, x에 대한 이차방정식
$$x^2+4\sqrt{ab+1}x+(a+b)^2=0$$
이 실근을 갖도록 하는 a, b의 순서쌍 (a, b)의 개수를 구하시오.

04

그림과 같은 A, B, C, D, E 5개의 영역을 서로 다른 5가지의 색으로 칠하려고 한다. 서로 다른 영역에는 같은 색을 중복하여 칠해도 좋으나 인접한 영역은 서로 다른 색으로 칠할 때, 칠하는 방법의 수는?

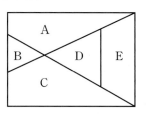

① 520   ② 540   ③ 560
④ 580   ⑤ 600

05

그림과 같이 네 지점 A, B, C, D를 연결하는 도로망이 있다. A 지점에서 출발하여 D 지점으로 가는 방법의 수가 120이 되도록 B 지점과 C 지점 사이에 도로를 추가하려고 할 때, 추가해야 하는 도로의 개수를 구하시오. (단, 한 번 지나간 지점은 다시 지나지 않고, 도로끼리는 서로 만나지 않는다.)

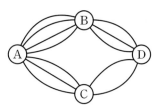

06

그림은 어느 세 도시 A, B, C 사이의 고속도로망과 그 도로를 이용했을 때 이동한 거리를 나타낸 것이다. A 도시를 출발하여 C 도시에 도착했다가 다시 A 도시로 돌아왔을 때, 이동한 거리의 합이 200 km 이하가 되도록 길을 선택하는 방법의 수는?

(단, 각 도시 내에서의 이동 거리는 고려하지 않는다.)

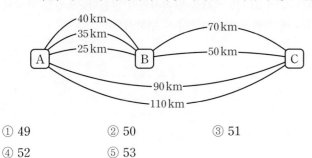

① 49 　　　　② 50 　　　　③ 51
④ 52 　　　　⑤ 53

07

1부터 9까지의 9개의 자연수를 모두 한 번씩 사용하여 일렬로 나열할 때, $1 \le k \le 8$에 대하여 k번째의 수가 k 이상이 되도록 나열하는 경우의 수는?

① 250 　　　　② 252 　　　　③ 254
④ 256 　　　　⑤ 258

◤ 순열의 수

08

6개의 숫자 0, 1, 2, 3, 4, 5를 사용하여 네 자리의 자연수를 만들 때, 각 자리의 숫자에 대하여 다음 조건을 만족시키는 네 자리의 자연수의 개수는?

> (가) 0은 적어도 한 번 사용한다.
> (나) 0을 제외한 다른 숫자는 두 번 이상 사용할 수 없다.

① 245 　　　　② 250 　　　　③ 255
④ 260 　　　　⑤ 265

09 학평

어느 관광지에서 7명의 관광객 A, B, C, D, E, F, G가 마차를 타려고 한다. 그림과 같이 이 마차에는 4개의 2인용 의자가 있고, 마부는 가장 앞에 있는 2인용 의자의 오른쪽 좌석에 앉는다. 7명의 관광객이 다음 조건을 만족시키도록 비어 있는 7개의 좌석에 앉는 경우의 수를 구하시오.

> (가) A와 B는 같은 2인용 의자에 이웃하여 앉는다.
> (나) C와 D는 같은 2인용 의자에 이웃하여 앉지 않는다.

10 서술형

서로 다른 사탕 2개와 서로 다른 과자 4개를 네 사람에게 나누어 주려고 할 때, 과자는 사탕을 받지 않은 사람에게만 각각 1개씩 나누어 주는 방법의 수를 구하시오. (단, 사탕은 남지 않고 과자는 남으며, 사탕을 2개 받은 사람이 있어도 된다.)

11

어느 고등학교에서 세 명의 학생이 4가지 종류의 진로특강 중 2가지씩을 택하여 들으려고 한다. 이때 세 명의 학생이 매 교시마다 서로 다른 진로특강을 택하여 듣고, 2교시에는 각자 1교시에 택한 것과 다른 진로특강을 택하여 듣는 방법의 수를 구하시오.

12

6개의 자연수 1, 2, 3, 4, 5, 6을 일렬로 나열하여 순서대로 a_1, a_2, a_3, a_4, a_5, a_6이라 할 때, 5개의 수 a_1a_2, a_2a_3, a_3a_4, a_4a_5, a_5a_6 중 최댓값을 M이라 하자. 예를 들어 4, 1, 2, 6, 3, 5와 같이 나열하면 $M=18$이다. 이때 $M=20$이 되는 경우의 수는?

① 141　　　② 142　　　③ 143
④ 144　　　⑤ 145

13 학평

9개의 숫자 1, 2, 3, 4, 5, 6, 7, 8, 9 중에서 서로 다른 3개의 숫자를 택하여 다음 조건을 만족시키도록 세 자리 자연수를 만들려고 한다.

> 각 자리의 숫자 중 어떤 두 수의 합도 9가 아니다.

예를 들어 217은 조건을 만족시키지 않는다. 조건을 만족시키는 세 자리 자연수의 개수를 구하시오.

▼ 조합의 수

14

그림과 같이 같은 간격으로 놓인 12개의 점 중에서 3개의 점을 꼭짓점으로 하는 삼각형의 개수를 구하시오.

$$\begin{matrix} \cdot & \cdot & \cdot & \cdot \\ \cdot & \cdot & \cdot & \cdot \\ \cdot & \cdot & \cdot & \cdot \end{matrix}$$

15 학평

다음 조건을 만족시키도록 서로 다른 5개의 바구니에 빨간색 공 3개와 파란색 공 6개를 모두 넣는 경우의 수를 구하시오.
(단, 같은 색의 공은 서로 구별하지 않는다.)

> ㈎ 각 바구니에 공은 1개 이상, 3개 이하로 넣는다.
> ㈏ 빨간색 공은 한 바구니에 2개 이상 넣을 수 없다.

16 학평

그림과 같이 9개의 칸으로 나누어진 정사각형의 각 칸에 1부터 9까지의 자연수가 적혀 있다.

1	2	3
4	5	6
7	8	9

이 9개의 숫자 중 다음 조건을 만족시키도록 2개의 숫자를 선택하려고 한다.

> ㈎ 선택한 2개의 숫자는 서로 다른 가로줄에 있다.
> ㈏ 선택한 2개의 숫자는 서로 다른 세로줄에 있다.

예를 들어 숫자 1과 5를 선택하는 것은 조건을 만족시키지만, 숫자 3과 9를 선택하는 것은 조건을 만족시키지 않는다. 조건을 만족시키도록 2개의 숫자를 선택하는 경우의 수는?

① 9   ② 12   ③ 15

④ 18   ⑤ 21

17 학평

흰 공 4개, 검은 공과 파란 공이 각각 2개씩, 빨간 공과 노란 공이 각각 1개씩 총 10개의 공이 들어 있는 주머니가 있다. 이 주머니에서 5개의 공을 꺼낼 때, 꺼낸 공의 색이 3종류인 경우의 수를 구하시오. (단, 같은 색의 공은 구별하지 않는다.)

18 서술형

네 자리의 자연수에서 천의 자리의 숫자를 a, 백의 자리의 숫자를 b, 십의 자리의 숫자를 c, 일의 자리의 숫자를 d라 하자. $a<b<c=d$를 만족시키는 네 자리의 자연수의 개수를 m, $a \geq b>c>d$를 만족시키는 네 자리의 자연수의 개수를 n이라 할 때, $n-m$의 값을 구하시오.

▶ 조 나누기

19

두 학생 A, B를 포함한 8명의 학생을 2명, 3명, 3명의 3개 조로 나눌 때, A와 B가 서로 다른 조에 속하는 경우의 수를 구하시오.

20

야구대회에 참가한 6개의 팀이 그림과 같은 토너먼트 방식으로 시합을 할 때, 대진표를 작성하는 방법의 수는?

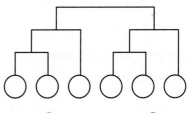

① 78   ② 82   ③ 86

④ 90   ⑤ 94

함수의 개수

21

집합 $A=\{1, 2, 3, 4, 5\}$에 대하여 A에서 A로의 함수 f 중에서 다음 조건을 만족시키는 함수 f의 개수를 구하시오.

> (가) 함수 f는 일대일대응이다.
> (나) $|f(1)-f(2)|=1$ 또는 $|f(2)-f(3)|=2$

22

전체집합 $U=\{x \mid x$는 5 이하의 자연수$\}$의 두 부분집합 A, B에 대하여 $A \cup B=U$, $n(A \cap B)=2$일 때, 함수 $f : A \longrightarrow B$ 중에서 일대일함수인 f의 개수를 구하시오.

(단, $A \neq U$, $B \neq U$)

23 $\overset{idea}{+}$

집합 $X=\{1, 2, 3, 4, 5\}$에 대하여 다음 조건을 만족시키는 함수 $f : X \longrightarrow X$의 개수는?

> (가) 함수 f의 치역의 원소의 개수는 4이다.
> (나) $f(3) \neq f(4)$이고 $f(3) \neq f(5)$이다.

① 930   ② 940   ③ 950
④ 960   ⑤ 970

24

두 집합 $A=\{1, 2, 3\}$, $B=\{1, 2, 3, 4, 5\}$에 대하여 두 함수 $f : A \longrightarrow B$, $g : B \longrightarrow A$의 합성함수 $g \circ f : A \longrightarrow A$가 일대일대응이 되는 두 함수 f, g의 순서쌍 (f, g)의 개수는?

① 3180   ② 3240   ③ 3300
④ 3360   ⑤ 3420

25

두 집합 $X=\{1, 2, 3, 4, 5\}$, $Y=\{1, 2, 3, 4, 5, 6, 7\}$에 대하여 다음 조건을 만족시키는 함수 $f : X \longrightarrow Y$의 개수는?

> (가) $f(3) \leq 6$
> (나) 집합 X의 임의의 두 원소 a, b에 대하여 $a<b$이면 $f(a)+1 \leq f(b)$이다.

① 18   ② 21   ③ 24
④ 27   ⑤ 30

01

0, 1, 2, 2, 2, 3, 4, 5가 하나씩 적혀 있는 8장의 카드가 있다. 이 8장의 카드 중에서 5장을 택하여 일렬로 나열하여 다섯 자리의 자연수를 만들 때, 다음 조건을 만족시키는 자연수의 개수를 구하시오.

> ㈎ 2끼리는 서로 이웃하지 않는다.
> ㈏ 5의 배수이다.

02 학평

서로 다른 종류의 꽃 4송이와 같은 종류의 초콜릿 2개를 5명의 학생에게 남김없이 나누어 주려고 한다. 아무것도 받지 못하는 학생이 없도록 꽃과 초콜릿을 나누어 주는 경우의 수를 구하시오.

03

다음은 어느 극장의 좌석 배치도의 일부분이다.

1열	1	2	3	4	5

2열	1	2	3	4	5

두 쌍의 부부를 포함하여 남자 2명과 여자 5명이 다음 조건을 만족시키도록 좌석에 앉는 방법의 수를 구하시오.
(단, 다른 열의 좌석은 이웃한 좌석이 아니다.)

> ㈎ 부부는 부부끼리 이웃한 좌석에 앉고, 두 쌍의 부부는 모두 같은 열에 앉는다.
> ㈏ 두 쌍의 부부를 제외한 여자 3명은 서로 이웃하지 않도록 앉는다.

04

한 변의 길이가 1이고 흰색 또는 검은색으로 칠해진 정사각형을 이용하여 그림과 같이 가로, 세로의 길이가 각각 6, 2인 직사각형을 만들려고 한다. 이때 검은색으로 칠해진 정사각형이 세로 방향으로 이웃하지 않도록 만들 수 있는 직사각형의 개수를 구하시오. (단, 직사각형을 회전하거나 뒤집는 경우는 생각하지 않는다.)

05 학평

그림과 같이 좌석 번호가 적힌 10개의 의자가 배열되어 있다.

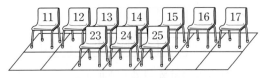

두 학생 A, B를 포함한 5명의 학생이 다음 규칙에 따라 10개의 의자 중에서 서로 다른 5개의 의자에 앉는 경우의 수는?

> (가) A의 좌석 번호는 24 이상이고, B의 좌석 번호는 14 이하이다.
> (나) 5명의 학생 중에서 어느 두 학생도 좌석 번호의 차가 1이 되도록 앉지 않는다.
> (다) 5명의 학생 중에서 어느 두 학생도 좌석 번호의 차가 10이 되도록 앉지 않는다.

① 54   ② 60   ③ 66

④ 72   ⑤ 78

06 idea ✦

6개의 자연수 1, 2, 3, 4, 5, 6을 일렬로 나열하여 만든 6자리의 자연수 N의 각 자리의 숫자를 일의 자리부터 차례대로 a_1, a_2, a_3, a_4, a_5, a_6이라 하자. 예를 들어 $N = 321456$이면 $a_1 = 6$, $a_2 = 5$, $a_3 = 4$, $a_4 = 1$, $a_5 = 2$, $a_6 = 3$이다. 이때 다음 조건을 만족시키는 자연수 N의 개수를 구하시오.

> (가) $a_1 < a_3$
> (나) $a_1 < a_2$, $a_3 < a_4$, $a_5 < a_6$

07 학평

집합 $X = \{-3, -2, -1, 1, 2, 3\}$에 대하여 X에서 X로의 함수 $f(x)$는 다음 조건을 만족시킨다.

> (가) X의 모든 원소 x에 대하여 $|f(x) + f(-x)| = 1$이다.
> (나) $x > 0$이면 $f(x) > 0$이다.

함수 $f(x)$의 개수를 구하시오.

08

집합 $A=\{1, 2, 3, 4, 5\}$의 모든 원소 x에 대하여
$f(x)=f^{-1}(x)$를 만족시키는 함수 $f : A \longrightarrow A$의 개수는?

① 26   ② 27   ③ 28

④ 29   ⑤ 30

09

두 집합 $X=\{1, 2\}$, $Y=\{1, 2, 3\}$에 대하여 세 함수
$f : X \longrightarrow Y$, $g : Y \longrightarrow X$, $h : X \longrightarrow Y$가 다음 조건을 만족시킬 때, 함수 f, g, h의 순서쌍 (f, g, h)의 개수를 구하시오.

> 집합 X의 모든 원소 x에 대하여 $(h \circ g \circ f)(x)$의 값은 일정하다.

10 학평

교내 수학경시대회에 A 학급 학생 3명, B 학급 학생 3명, C 학급 학생 2명이 참가 신청하였다. 그림과 같이 두 분단, 네 줄의 좌석에 다음 조건을 만족시키도록 이 학생 8명을 배정하는 방법의 수를 구하시오.

> (가) 같은 줄의 바로 옆에 같은 학급 학생이 앉지 않도록 배정한다.
> (나) 같은 분단의 바로 앞뒤에 같은 학급 학생이 앉지 않도록 배정한다.
> (다) 같은 학급 학생을 같은 분단에 배정할 경우 학급 번호가 작을수록 교탁에 가까운 자리에 배정한다.

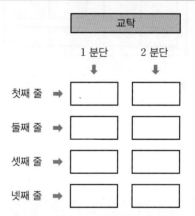

01

학평 → 79쪽 09번

그림과 같이 어느 야구장의 8인용 패밀리 좌석은 4개의 2인용 의자로 이루어져 있다. 7명의 친구 A, B, C, D, E, F, G가 야구 경기를 관람하기 위해 8인용 패밀리 좌석 전체를 예매하였다. 이 7명의 친구들이 다음 조건을 만족시키도록 패밀리 좌석에 앉는 방법의 수를 구하시오.

> (가) A와 B는 같은 2인용 의자에 이웃하여 앉는다.
> (나) C와 D는 서로 다른 2인용 의자에 앉는다.
> (다) G는 2인용 의자에 혼자 앉는다.

앞

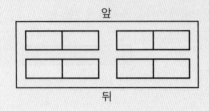

뒤

02

학평 → 80쪽 13번

9개의 숫자 1, 2, 3, 4, 5, 6, 7, 8, 9 중에서 서로 다른 4개의 숫자를 택하여 다음 조건을 만족시키도록 네 자리의 자연수를 만들려고 한다.

> 각 자리의 숫자 중 어떤 세 수의 합은 12의 약수이다.

예를 들어 2173은 조건을 만족시킨다. 조건을 만족시키는 네 자리의 자연수의 개수를 구하시오.

03

학평 → 81쪽 16번

그림과 같이 12개의 칸으로 나누어진 정사각형의 각 칸에 1부터 12까지의 자연수가 적혀 있다. 이 12개의 숫자 중 선택한 2개의 수 a, $b(a<b)$가 다음 조건을 만족시킨다.

1	2	3	4
5	6	7	8
9	10	11	12

> 숫자 a를 포함하는 가로줄과 세로줄에 적힌 6개의 숫자와 숫자 b를 포함하는 가로줄과 세로줄에 적힌 6개의 숫자를 원소로 하는 집합을 X라 할 때, $n(X) \leq 9$이다.

예를 들어 $a=1$, $b=5$이면 조건을 만족시키지만 $a=2$, $b=11$이면 조건을 만족시키지 않는다. 조건을 만족시키는 a, b의 순서쌍 (a, b)의 개수를 구하시오.

04

학평 → 81쪽 17번

검은 공, 파란 공, 빨간 공이 각각 3개씩, 흰 공이 2개, 노란 공이 1개 들어 있는 주머니가 있다. 이 주머니에서 6개의 공을 꺼낼 때, 꺼낸 공의 색이 3종류인 경우의 수는?

(단, 같은 색의 공은 구별하지 않는다.)

① 29   ② 30   ③ 31
④ 32   ⑤ 33

05

학평 → 83쪽 02번

서로 다른 종류의 블루투스 스피커 4개와 같은 종류의 이어폰 3개를 6명의 학생에게 남김없이 나누어 주려고 한다. 모든 학생이 블루투스 스피커 또는 이어폰을 받도록 나누어 주는 방법의 수는?

① 2880　　　　② 2890　　　　③ 2900

④ 2910　　　　⑤ 2920

06

학평 → 84쪽 05번

그림과 같이 번호가 적힌 10개의 사물함이 배열되어 있다.

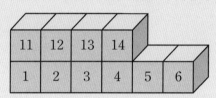

두 학생 A, B를 포함한 5명의 학생이 다음 규칙에 따라 10개의 사물함 중에서 본인이 사용할 서로 다른 5개의 사물함을 택하는 방법의 수를 구하시오.

> (가) A가 택한 사물함의 번호는 13 이상이고, B가 택한 사물함의 번호는 4 이하이다.
> (나) 5명의 학생 중에서 어느 두 학생도 사물함 번호의 차가 1이 되도록 택하지 않는다.
> (다) 5명의 학생 중에서 어느 두 학생도 사물함의 번호의 차가 10이 되도록 택하지 않는다.

07

학평 → 84쪽 07번

집합 $X=\{-2, -1, 1, 2, 3, 4\}$에 대하여 다음 조건을 만족시키는 함수 $f : X \longrightarrow X$의 개수가 $a \times 2^7$일 때, 상수 a의 값은?

> (가) 집합 X의 어떤 원소 x에 대하여
> $\{f(x)\}^2 - \{f(2-x)\}^2 = 3$이다.
> (나) $x > 0$이면 $f(x) > 0$이다.

① 21　　　　② 22　　　　③ 23

④ 24　　　　⑤ 25

08

학평 → 85쪽 10번

그림과 같이 1부터 8까지의 자연수가 각각 하나씩 적혀 있는 8개의 칸으로 이루어진 상자가 있다. 숫자 1, 2, 3이 각각 하나씩 적혀 있는 흰 공 3개와 검은 공 3개를 다음 조건을 만족시키도록 상자에 넣는 방법의 수를 구하시오.

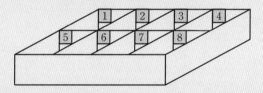

> (가) 상자의 한 칸에는 한 개의 공만 넣는다.
> (나) 상자의 칸막이로 이웃한 칸에는 같은 색의 공을 넣지 않는다.
> (다) 적혀 있는 숫자가 같은 두 공 중 흰 공을 넣은 칸의 번호는 검은 공을 넣은 칸의 번호보다 작다.

수학의 신

고등수학(하)
정답과 해설

📖 책 속의 가접 별책 (특허 제 0557442호)
'정답과 해설'은 본책에서 쉽게 분리할 수 있도록 제작되었으므로
유통 과정에서 분리될 수 있으나 파본이 아닌 정상제품입니다.

visang

수학의 신

고등수학(하)

정답과 해설

빠른*정답

04 유리함수

05 무리함수

06 경우의 수

01 집합

step ① 핵심 문제
|14~15쪽

01 ③	02 ①	03 48	04 ①	05 27	06 ④
07 ㄱ, ㄴ, ㄷ		08 16	09 ②	10 32	11 ④
12 23					

01 답 ③

ㄱ. 집합 A의 원소는 $\{1\}$, $\{1, 2\}$, $\varnothing$
  $\therefore 1 \notin A$

ㄴ. $1 \notin A$, $2 \notin A$이므로 $\{1, 2\} \not\subset A$

ㄷ. $\{1, 2\} \in A$이므로 $\{\{1, 2\}\} \subset A$
  $\therefore \{\{1, 2\}\} \in B$

ㄹ. $\varnothing \in A$, 즉 $\{\varnothing\} \subset A$이므로 $\{\varnothing\} \in B$
  $\therefore \{\{\varnothing\}\} \subset B$

따라서 보기에서 옳은 것은 ㄷ, ㄹ이다.

02 답 ①

$|x+1| \leq k^2$에서
$-k^2 \leq x+1 \leq k^2$, $-k^2-1 \leq x \leq k^2-1$
$\therefore A = \{x \mid -k^2-1 \leq x \leq k^2-1\}$
$x^2-2x-8 \leq 0$에서
$(x+2)(x-4) \leq 0$, $-2 \leq x \leq 4$
$\therefore B = \{x \mid -2 \leq x \leq 4\}$
$A \subset B$가 되도록 두 집합 A, B를 수직선
위에 나타내면 그림과 같으므로
$-2 \leq -k^2-1$, $k^2-1 \leq 4$

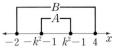

즉, $k^2 \leq 1$, $k^2 \leq 5$에서 $k^2 \leq 1$이므로 $-1 \leq k \leq 1$
따라서 구하는 실수 k의 최솟값은 -1이다.

03 답 48

$A_{25} = \{x \mid x$는 $\sqrt{25}$ 이하의 홀수$\} = \{1, 3, 5\}$
이때 $A_n \subset A_{25}$에서 집합 A_n은 7 이상의 홀수를 원소로 가질 수 없으므로
$1 \leq \sqrt{n} < 7$ $\therefore 1 \leq n < 49$
따라서 자연수 n의 최댓값은 48이다.

04 답 ①

3^n-1에 $n=1, 2, 3, \cdots$을 차례대로 대입하면 $2, 8, 26, 80, 242, \cdots$
따라서 3^n-1을 5로 나누었을 때의 나머지는 차례대로 $2, 3, 1, 0, 2, \cdots$
즉, $2, 3, 1, 0$이 반복되므로 $A = \{0, 1, 2, 3\}$
$4n+1$에 $n=1, 2, 3, \cdots$을 차례대로 대입하면 $5, 9, 13, 17, 21, 25, \cdots$
따라서 $4n+1$을 10으로 나누었을 때의 나머지는 차례대로 $5, 9, 3, 7, 1, 5, \cdots$
즉, $5, 9, 3, 7, 1$이 반복되므로 $B = \{1, 3, 5, 7, 9\}$
$\therefore A-B = \{0, 2\}$
따라서 집합 $A-B$의 모든 원소의 합은 2이다.

05 답 27

집합 $(A \cup B^c) \cap (A^c \cup B)$를 벤다이어그램으
로 나타내면 그림의 색칠한 부분과 같다.
이때 $A \cap \{(A \cup B^c) \cap (A^c \cup B)\} = \{1, 3\}$이
므로 $A \cap B = \{1, 3\}$
$\therefore A-B = \{2, 4\}$, $(A \cup B)^c = \{5, 7, 9\}$
따라서 $B^c = \{2, 4, 5, 7, 9\}$이므로 집합 B^c의 모든 원소의 합은
$2+4+5+7+9 = 27$

06 답 ④

$$(A-B^c) \cup (B^c-A^c) = \{A \cap (B^c)^c\} \cup \{B^c \cap (A^c)^c\}$$
$$= (A \cap B) \cup (B^c \cap A)$$
$$= (A \cap B) \cup (A-B)$$
$$= A$$
따라서 $A \cap B = A$이므로 $A \subset B$

ㄱ. $A \cap B^c = A-B = \varnothing$

ㄴ. $A^c \cap B^c = (A \cup B)^c = B^c$

ㄷ. $A^c \cup B = U$

ㄹ. $A \cap (A-B)^c = A \cap (A \cap B^c)^c = A \cap (A^c \cup B)$
  $= (A \cap A^c) \cup (A \cap B) = \varnothing \cup (A \cap B)$
  $= A \cap B = A$

따라서 보기에서 항상 옳은 것은 ㄷ, ㄹ이다.

07 답 ㄱ, ㄴ, ㄷ

ㄱ. $(A \cap B)^c \cap B = B-(A \cap B) = B-A$

ㄴ. $\{A \cap (A \cup B)\} \cap \{A \cup (A^c \cap B)\} = A \cap \{A \cup (A^c \cap B)\}$
  $= A \cap \{(A \cup A^c) \cap (A \cup B)\}$
  $= A \cap \{U \cap (A \cup B)\}$
  $= A \cap (A \cup B) = A$

ㄷ. 집합 $(A \cup B)-(A \cap B)$를 벤다이어그램으로
  나타내면 그림의 색칠한 부분과 같다.
  따라서 $(A \cup B)-(A \cap B) = \varnothing$이면
  $A-B = \varnothing$이고 $B-A = \varnothing$이므로 $A = B$이다.

따라서 보기에서 항상 옳은 것은 ㄱ, ㄴ, ㄷ이다.

다른 풀이

ㄱ. $(A \cap B)^c \cap B = (A^c \cup B^c) \cap B$
  $= (A^c \cap B) \cup (B^c \cap B)$
  $= (A^c \cap B) \cup \varnothing$
  $= A^c \cap B = B-A$

08 답 16

$A \subset A \cup X$, $B \subset B \cup X$이고, $A \cup X = B \cup X$이므로
$A \subset B \cup X$, $B \subset A \cup X$
$A \subset B \cup X$에서 $1 \in A$, $2 \in A$이지만 $1 \notin B$, $2 \notin B$이므로
$1 \in X$, $2 \in X$ ······ ㉠
$B \subset A \cup X$에서 $5 \in B$, $6 \in B$이지만 $5 \notin A$, $6 \notin A$이므로
$5 \in X$, $6 \in X$ ······ ㉡
㉠, ㉡에서 집합 X는 전체집합 U의 원소 중 $1, 2, 5, 6$을 반드시 원소
로 가져야 하므로 조건을 만족시키는 부분집합 X의 개수는
$2^{8-4} = 2^4 = 16$

09 답 ②

두 집합 A와 B가 서로소이므로 $A\cap B=\varnothing$에서 $A\cap B\cap C=\varnothing$

$\therefore n(A\cap B)=0,\ n(A\cap B\cap C)=0$

$n(A)=16,\ n(C)=23,\ n(A\cup C)=30$이므로

$n(A\cap C)=n(A)+n(C)-n(A\cup C)$

$\qquad\qquad =16+23-30=9$

$n(B)=15,\ n(C)=23,\ n(B\cup C)=28$이므로

$n(B\cap C)=n(B)+n(C)-n(B\cup C)$

$\qquad\qquad =15+23-28=10$

$\therefore n(A\cup B\cup C)$

$\quad =n(A)+n(B)+n(C)-n(A\cap B)-n(B\cap C)-n(C\cap A)$

$\qquad\qquad\qquad\qquad\qquad\qquad\qquad +n(A\cap B\cap C)$

$\quad =16+15+23-0-10-9+0$

$\quad =35$

10 답 32

A 모바일 채팅앱에 가입한 학생의 집합을 A, B 모바일 채팅앱에 가입한 학생의 집합을 B라 하면

$n(A)=24,\ n(B)=19$ ························· 배점 **10%**

$n(A\cup B)=n(A)+n(B)-n(A\cap B)$이고 $n(A\cup B)\le 30$이므로

$24+19-n(A\cap B)\le 30$

$\therefore n(A\cap B)\ge 13$ ······· ㉠ ············· 배점 **40%**

$n(A\cap B)\le n(A)=24,\ n(A\cap B)\le n(B)=19$에서

$n(A\cap B)\le 19$ ······· ㉡ ············· 배점 **30%**

㉠, ㉡에서

$13\le n(A\cap B)\le 19$

따라서 A 모바일 채팅앱과 B 모바일 채팅앱에 모두 가입한 학생 수의 최댓값은 19, 최솟값은 13이므로 그 합은

$19+13=32$ ······························· 배점 **20%**

비법 NOTE

전체집합 U의 두 부분집합 A, B에 대하여 $n(A)\ge n(B)$일 때

(1) $n(A\cap B)$가 최대인 경우

$\quad B\subset A$일 때이므로 $n(A\cap B)=n(B)$

(2) $n(A\cap B)$가 최소인 경우

$\quad A\cup B=U$일 때이므로 $n(A\cup B)=n(U)$

11 답 ④

$n(A^c\cup B^c)=n((A\cap B)^c)=45$이므로

$n(A\cap B)=n(U)-n((A\cap B)^c)=50-45=5$

$n(A\cup B^c)=n((A^c\cap B)^c)=n(U)-n(B\cap A^c)$이고

$n(B\cap A^c)=n(B-A)=n(B)-n(A\cap B)=28-5=23$이므로

$n(A\cup B^c)=50-23=27$

다른 풀이

집합 $A\cup B^c$을 벤다이어그램으로 나타내면 그림의 색칠한 부분과 같고

$n(A\cap B)=n(U)-n((A\cap B)^c)$

$\qquad\qquad =50-45=5$

$\therefore n(A\cup B^c)=n(U)-n(B)+n(A\cap B)$

$\qquad\qquad\qquad =50-28+5=27$

12 답 23

3과 2의 최소공배수는 6이고, 5와 2의 최소공배수는 10이므로

$(A_3\cup A_5)\cap A_2=(A_3\cap A_2)\cup(A_5\cap A_2)=A_6\cup A_{10}$ ············· 배점 **30%**

이때 6과 10의 최소공배수는 30이므로

$n(A_6\cup A_{10})=n(A_6)+n(A_{10})-n(A_6\cap A_{10})$

$\qquad\qquad\quad =n(A_6)+n(A_{10})-n(A_{30})$ ············· 배점 **30%**

100 이하의 6의 배수는 6, 12, 18, …, 96이므로

$n(A_6)=16$

100 이하의 10의 배수는 10, 20, 30, …, 100이므로

$n(A_{10})=10$

100 이하의 30의 배수는 30, 60, 90이므로

$n(A_{30})=3$

따라서 구하는 원소의 개수는

$n(A_6)+n(A_{10})-n(A_{30})=16+10-3=23$ ············· 배점 **40%**

비법 NOTE

자연수 k의 배수의 집합을 A_k라 하면

(1) 두 자연수 k, l에 대하여 l이 k의 배수이면 $A_l\subset A_k$이므로 $A_k\cup A_l=A_k$, $A_k\cap A_l=A_l$이다.

(2) 세 자연수 k, l, m에 대하여 m이 k와 l의 공배수이면 $A_m\subset A_k\cap A_l$이고, $A_k\cap A_l=A_m$일 때 m은 k와 l의 최소공배수이다.

(3) 세 자연수 k, l, n에 대하여 n이 k와 l의 공약수이면 $A_k\cup A_l\subset A_n$이다.

---

step ② 고난도 문제 | 16~20쪽

01 ④	02 864	03 −21	04 ⑤	05 7	06 ③
07 8	08 ④	09 11	10 ①	11 ③	12 80
13 98	14 ④	15 ②	16 12	17 ㄱ, ㄴ, ㄷ	
18 11	19 64	20 16	21 12	22 22	23 ③
24 ④	25 4	26 225	27 ②	28 30	

01 답 ④

$a\in B$이므로 $a=\sqrt{a}$ 또는 $a=\sqrt{b}$ 또는 $a=9$

(i) $a=\sqrt{a}$일 때,

$\quad a^2=a$이므로 $a^2-a=0$, $a(a-1)=0$ $\therefore a=1$ ($\because a$는 자연수)

$\quad b\in B$이고 $a<b$이므로 $b\ne\sqrt{b}$ $\therefore b=9$

$\qquad\quad$└ $b=\sqrt{b}$이면 $b=1$이므로 $a<b$라는 조건을 만족시키지 않는다.

$\quad$따라서 $B=\{1,\ 2,\ 3,\ 9\}$이므로 집합 B의 모든 원소의 합은

$\quad 1+2+3+9=15$

(ii) $a=\sqrt{b}$일 때,

$\quad b=a^2$이고 $b\in B$이므로

$\quad a^2=\sqrt{a}$ 또는 $a^2=9$

$\quad$① $a^2=\sqrt{a}$에서 $a^4=a$, $a^4-a=0$, $a(a^3-1)=0$

$\qquad a(a-1)(a^2+a+1)=0$ $\therefore a=1$ ($\because a$는 자연수)

$\qquad$이때 $b=a^2=1$이므로 $a<b$라는 조건을 만족시키지 않는다.

$\quad$② $a^2=9$에서 $a=3$ ($\because a$는 자연수)

$\qquad$이때 $b=a^2=9$이므로 $B=\{\sqrt{3},\ 2,\ 3,\ 9\}$

$\quad$따라서 집합 B의 모든 원소의 합은

$\quad \sqrt{3}+2+3+9=14+\sqrt{3}$

(iii) $a=9$일 때,

$b=\sqrt{a}=3$ 또는 $b=\sqrt{b}$

ⓘ $b=3$이면 $a<b$라는 조건을 만족시키지 않는다.

ⓘ $b=\sqrt{b}$에서 $b^2=b$, $b^2-b=0$

$b(b-1)=0$ $\therefore b=1$ ($\because b$는 자연수)

이때 $b=1$이므로 $a<b$라는 조건을 만족시키지 않는다.

따라서 조건을 만족시키는 집합 B는 존재하지 않는다.

(i), (ii), (iii)에서 구하는 집합 B의 모든 원소의 합의 최댓값은

$14+\sqrt{3}$

02 답 864

집합 S의 원소 중 ㈎를 만족시키는 순서쌍 $(a, 12-a)$는

$(1, 11), (2, 10), (3, 9), (4, 8), (5, 7), (6, 6)$

이때 ㈏에서 집합 A의 모든 원소의 곱을 5로 나누었을 때의 나머지가 0

이 아니므로 집합 A의 원소로 가능한 순서쌍 $(a, 12-a)$는

$(1, 11), (3, 9), (4, 8), \underset{\underset{\longrightarrow A\text{는 집합이므로 6은 하나의 원소이다.}}{}}{(6, 6)}$

㈐를 만족시키는 집합 A는 $\{1, 3, 9, 11\}$ 또는 $\{1, 4, 8, 11\}$ 또는

$\{3, 4, 8, 9\}$이다.

따라서 집합 A의 모든 원소의 곱의 최댓값은

$3\times4\times8\times9=864$

03 답 −21

$x^2-2x-15>0$에서

$(x+3)(x-5)>0$ $\therefore x<-3$ 또는 $x>5$

$\therefore A=\{x|x<-3$ 또는 $x>5\}$

$A\cup B=U$, $A\cap B=\{x|5<x\le6\}$을 만족

시키려면 그림에서

$B=\{x|-3\le x\le6\}$

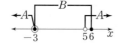

해가 $-3\le x\le6$이고 x^2의 계수가 1인 이차부등식은

$(x+3)(x-6)\le0$ $\therefore x^2-3x-18\le0$

따라서 $a=-3$, $b=-18$이므로

$a+b=-21$

04 답 ⑤

$A_4=\{x|f(4x)=0, 0\le x\le1\}$이므로 $f(4x)=0$에서

$4x-[4x]=0$ $\therefore 4x=[4x]$

즉, A_4는 $0\le x\le1$일 때 $4x$가 정수가 되도록 하는 x의 값을 원소로 갖

는 집합이므로

$A_4=\left\{0, \dfrac{1}{4}, \dfrac{1}{2}, \dfrac{3}{4}, 1\right\}$

$A_6=\{x|f(6x)=0, 0\le x\le1\}$이므로 $f(6x)=0$에서

$6x-[6x]=0$ $\therefore 6x=[6x]$

즉, A_6은 $0\le x\le1$일 때 $6x$가 정수가 되도록 하는 x의 값을 원소로 갖

는 집합이므로

$A_6=\left\{0, \dfrac{1}{6}, \dfrac{1}{3}, \dfrac{1}{2}, \dfrac{2}{3}, \dfrac{5}{6}, 1\right\}$

따라서 $A_4\cup A_6=\left\{0, \dfrac{1}{6}, \dfrac{1}{4}, \dfrac{1}{3}, \dfrac{1}{2}, \dfrac{2}{3}, \dfrac{3}{4}, \dfrac{5}{6}, 1\right\}$이므로

$n(A_4\cup A_6)=9$

05 답 7

㈏에서 $4\in A$이므로 $\sqrt{4}=2\in B$

㈏에서 $4\in B$이므로 $4^2=16\in A$

즉, $A=\{4, 16, c\}$, $B=\{2, 4, \sqrt{c}\}$로 놓을 수 있다.

㈎에서 집합 A의 원소 중 2개는 집합 B의 원소이어야 하므로

$16\in B$ 또는 $c\in B$이어야 한다.

(i) $16\in B$일 때,

$\sqrt{c}=16$이므로 $c=16^2\underset{\underset{\longrightarrow c\text{는 100 이하의 자연수이어야 한다.}}{}}{\notin A}$가 되어 조건을 만족시키지 않는다.

(ii) $c\in B$일 때,

$c=2$ 또는 $c=\sqrt{c}$

ⓘ $c=2$이면 $\sqrt{c}=\sqrt{2}\underset{\underset{\longrightarrow \sqrt{c}\text{는 100 이하의 자연수이어야 한다.}}{}}{\notin B}$가 되어 조건을 만족시키지 않는다.

ⓘ $c=\sqrt{c}$에서 $c^2=c$

$c^2-c=0$, $c(c-1)=0$ $\therefore c=1$ ($\because c$는 자연수)

(i), (ii)에서 $1\in B$이므로 $B=\{1, 2, 4\}$

따라서 집합 B의 모든 원소의 합은

$1+2+4=7$

06 답 ③

$z=a+bi$에서 $\bar{z}=a-bi$이므로

$z+\bar{z}=(a+bi)+(a-bi)=2a$

$z-\bar{z}=(a+bi)-(a-bi)=2bi$

$z\bar{z}=(a+bi)(a-bi)=a^2+b^2$

$\dfrac{z}{\bar{z}}=\dfrac{a+bi}{a-bi}=\dfrac{(a+bi)^2}{(a-bi)(a+bi)}=\dfrac{a^2-b^2+2abi}{a^2+b^2}$

위의 복소수 중에서 그 값이 실수인 것은 $z+\bar{z}$와 $z\bar{z}$이므로

$A\cap R=\{2a, a^2+b^2\}=\{6, 13\}$

(i) $2a=6$, $a^2+b^2=13$일 때,

$a=3$이므로 $b^2=4$에서 $b=-2$ 또는 $b=2$

(ii) $2a=13$, $a^2+b^2=6$일 때,

$a=\dfrac{13}{2}$이므로 $b^2=6-\left(\dfrac{13}{2}\right)^2<0$

이때 조건을 만족시키는 실수 b는 존재하지 않는다.

(i), (ii)에서 $a=3$, $b=-2$ 또는 $a=3$, $b=2$이므로

$|a+b|=1$ 또는 $|a+b|=5$

따라서 $|a+b|$의 최댓값은 5이다.

07 답 8

$A_n=\{x|4n-1\le x\le5n-2\}$이므로

$A_{n+1}=\{x|4n+3\le x\le5n+3\}$, $A_{n+2}=\{x|4n+7\le x\le5n+8\}$

자연수 n에 대하여 $A_n\cap A_{n+1}\cap A_{n+2}=\varnothing$을 만족시키려면 세 부분집합

A_n, A_{n+1}, A_{n+2} 중 어느 두 집합만 교집합이 공집합이어도 된다.

(i) $A_n\cap A_{n+1}=\varnothing$인 경우

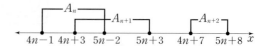

$5n-2<4n+3$이어야 하므로 $n<5$

(ii) $A_{n+1}\cap A_{n+2}=\varnothing$인 경우

$5n+3<4n+7$이어야 하므로 $n<4$

(iii) $A_n \cap A_{n+2} = \varnothing$인 경우

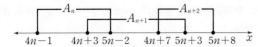

$5n-2 < 4n+7$이어야 하므로 $n < 9$

(i), (ii), (iii)에서 $n < 9$이므로 구하는 자연수 n의 최댓값은 8이다.

08 답 ④

집합 S의 부분집합은

$\varnothing$, $\{a\}$, $\{b\}$, $\{c\}$, $\{a, b\}$, $\{b, c\}$, $\{a, c\}$, S

$\varnothing \in X$이면 ㈎에서 $S \in X$이고, $\varnothing \cup \varnothing = \varnothing$, $\varnothing \cup S = S$, $S \cup S = S$이므로 ㈏를 만족시키는 집합 X는 $\{\varnothing, S\}$

또 ㈎를 만족시키도록 집합 X에 동시에 포함되는 원소인 집합을 순서쌍으로 나타내면

$(\{a\}, \{b, c\})$, $(\{b\}, \{a, c\})$, $(\{c\}, \{a, b\})$

이때 $\{a\}$, $\{b, c\}$를 원소로 가지면 ㈏에 의하여 합집합인 $\{a, b, c\} = S$도 원소이고, S가 원소이면 $\varnothing$도 원소이다.

같은 방법으로 하여 ㈏를 만족시키는 집합 X를 구하면

$\{\varnothing, \{a\}, \{b, c\}, S\}$, $\{\varnothing, \{b\}, \{a, c\}, S\}$, $\{\varnothing, \{c\}, \{a, b\}, S\}$,

$\{\varnothing, \{a\}, \{b\}, \{c\}, \{a, b\}, \{a, c\}, \{b, c\}, S\}$

따라서 구하는 집합 X의 개수는 5이다.

09 답 11

㈐에서 $2 \in A$, $6 \in A$, $7 \in A$이고 $n(A) = 5$이므로 집합 A의 나머지 두 원소를 a, $b \,(a < b)$라 하면 ㈎에서 집합 A의 모든 원소의 합이 21이므로

$a+b+2+6+7 = 21$ ∴ $a+b = 6$

이때 집합 A의 모든 원소는 자연수이므로

$a = 1$, $b = 5$ ∴ $A = \{1, 2, 5, 6, 7\}$ ················· 배점 **40%**

또 ㈐에서 $2 \in B$, $6 \in B$, $7 \in B$이고 $n(B) = 5$이므로 집합 B의 나머지 두 원소를 c, $d \,(c < d)$라 하면 ㈏에서 집합 $A \cup B$의 모든 원소의 합이 32이므로

$1+2+5+6+7+c+d = 32$ ∴ $c+d = 11$

이때 집합 B의 모든 원소는 자연수이므로

$c = 1$, $d = 10$ 또는 $c = 3$, $d = 8$

∴ $B = \{1, 2, 6, 7, 10\}$ 또는 $B = \{2, 3, 6, 7, 8\}$

그런데 $\{1+k, 2+k, 5+k, 6+k, 7+k\} = \{1, 2, 6, 7, 10\}$을 만족시키는 k는 존재하지 않고, $k = 1$일 때,

$\{1+k, 2+k, 5+k, 6+k, 7+k\} = \{2, 3, 6, 7, 8\}$이므로

$B = \{2, 3, 6, 7, 8\}$ ················· 배점 **40%**

따라서 $B - A = \{3, 8\}$이므로 구하는 모든 원소의 합은

$3+8 = 11$ ················· 배점 **20%**

다른 풀이

집합 X의 모든 원소의 합을 $S(X)$라 하자.

㈎에서 $S(A) = a_1 + a_2 + a_3 + a_4 + a_5 = 21$이므로

$S(B) = a_1 + a_2 + a_3 + a_4 + a_5 + 5k = 21 + 5k$

㈏에서 $S(A \cup B) = 32$

㈐에서 $S(A \cap B) = 15$이므로

$S(A \cup B) = S(A) + S(B) - S(A \cap B)$에서

$32 = 21 + (21 + 5k) - 15$ ∴ $k = 1$ ········· 배점 **40%**

이때 $A \cap B = \{2, 6, 7\}$에서 $2 \in A$, $6 \in A$, $7 \in A$이므로

$3 \in B$, $7 \in B$, $8 \in B$ ∴ $B = \{2, 3, 6, 7, 8\}$ ·········· 배점 **40%**

따라서 $B - A = B - (A \cap B) = \{3, 8\}$이므로 구하는 모든 원소의 합은

$3+8 = 11$ ················· 배점 **20%**

10 답 ①

$A - B = \{4\}$이므로 $f(A-B) = 4$

$f(B) = 1+2+3+5 = 11$이므로 ㈏에서

$4 < f(C) < 11$

이때 집합 C는 자연수를 원소로 가지므로 원소의 합도 자연수이다.

따라서 $f(C)$의 값이 될 수 있는 것은 5, 6, 7, …, 10이다.

또 ㈎에서 $n(A \cap C) = 2$이므로 집합 C는 집합 A의 원소 1, 2, 3, 4 중 2개만 원소로 가져야 한다.

따라서 조건을 만족시키는 집합 C는

$\{1, 4\}$, $\{2, 3\}$, $\{2, 4\}$, $\{3, 4\}$, → 집합 A의 원소 2개로만 이루어진 집합

$\{1, 2, 5\}$, $\{1, 2, 6\}$, $\{1, 2, 7\}$, $\{1, 3, 5\}$, $\{1, 3, 6\}$, $\{1, 4, 5\}$,

$\{2, 3, 5\}$ → 집합 A의 원소 2개와 집합 A의 원소가 아닌 원소 1개로 이루어진 집합

의 11개이다.

11 답 ③

ㄱ. $A \cap B = \{2, 5\}$에서 $2 \in A$, $5 \in A$

2와 5가 k의 약수이므로 k는 10의 배수이다.

이때 k는 18 이하의 자연수이므로 $k = 10$

ㄴ. $A \cap B = \{5, 6\}$에서 $5 \in A$, $6 \in A$

5와 6이 k의 약수이므로 k는 30의 배수이다.

이때 k는 18 이하의 자연수이므로 존재하지 않는다.

ㄷ. (i) $A \cap B = \{2, 5\}$일 때,

ㄱ에서 $k = 10$이므로 $A = \{1, 2, 5, 10\}$

따라서 $A - B = \{1, 10\}$이므로 모든 원소의 합은 11이다.

(ii) $A \cap B = \{2, 6\}$일 때,

$2 \in A$, $6 \in A$

2와 6이 k의 약수이므로 k는 6의 배수이다.

이때 k는 18 이하의 자연수이므로 가능한 k의 값은 6, 12, 18이다.

① $k = 6$일 때,

$A = \{1, 2, 3, 6\}$이므로

$A - B = \{1, 3\}$

따라서 집합 $A - B$의 모든 원소의 합은 4이다.

② $k = 12$일 때,

$A = \{1, 2, 3, 4, 6, 12\}$이므로

$A - B = \{1, 3, 4, 12\}$

따라서 집합 $A - B$의 모든 원소의 합은 20이다.

③ $k = 18$일 때,

$A = \{1, 2, 3, 6, 9, 18\}$이므로

$A - B = \{1, 3, 9, 18\}$

따라서 모든 원소의 합은 31이다.

(iii) $A \cap B = \{5, 6\}$일 때,

ㄴ에서 k는 존재하지 않는다.

(i), (ii), (iii)에서 집합 $A - B$의 모든 원소의 합이 홀수가 되는 k의 값은 10, 18이므로 그 합은 28이다.

따라서 보기에서 옳은 것은 ㄱ, ㄷ이다.

12 답 80

$A^C=\{7, 8, 9, 10\}$, $B^C=\{1, 2, 3, 9, 10\}$

㈎에서 $X\cup\{7, 8, 9, 10\}=X\cup\{1, 2, 3, 9, 10\}$이므로

$\{1, 2, 3\}\subset X$, $\{7, 8\}\subset X$

$\therefore \{1, 2, 3, 7, 8\}\subset X\subset U$

이때 ㈏에서 집합 X의 원소의 개수가 6 이상이므로 집합 X는 1, 2, 3, 7, 8이 아닌 원소를 1개 이상 더 가져야 한다. ⋯⋯⋯⋯⋯⋯ 배점 **30%**

이때 1, 2, 3, 7, 8이 아닌 원소 중 가장 작은 원소는 4이므로

$X=\{1, 2, 3, 4, 7, 8\}$일 때, S는 최소이고 최솟값은

$1+2+3+4+7+8=25$ ⋯⋯⋯⋯⋯⋯⋯⋯⋯⋯ 배점 **30%**

또 $X=U$일 때, S는 최대이고 최댓값은

$1+2+3+4+5+6+7+8+9+10=55$ ⋯⋯⋯ 배점 **30%**

따라서 S의 최댓값과 최솟값의 합은

$55+25=80$ ⋯⋯⋯⋯⋯⋯⋯⋯⋯⋯⋯⋯⋯⋯ 배점 **10%**

13 답 98

$k\geq 2$이므로

$A=\{x|(x-1)(x-k)>0\}=\{x|x<1 \text{ 또는 } x>k\}$

$B=\{x|x^2-(a^2+2a)x+2a^3\leq 0\}=\{x|(x-2a)(x-a^2)\leq 0\}$에서

$a=1$일 때, $B=\{x|1\leq x\leq 2\}$

$a\geq 2$일 때, $B=\{x|2a\leq x\leq a^2\}$

(ⅰ) $k=2$일 때,

$A=\{x|x<1 \text{ 또는 } x>2\}$이므로

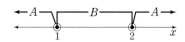

$A\cap B=\varnothing$이 되는 경우는 $a=1$일 때뿐이다.

$\therefore f(2)=1$

(ⅱ) $k\geq 3$일 때,

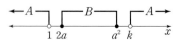

$A\cap B=\varnothing$이 되는 경우는 $a^2\leq k$

이때 $a^2<10^2$이면 $f(k)<10$이므로 가능한 k의 값은

3, 4, ⋯, 99

(ⅰ), (ⅱ)에서 $f(k)<10$을 만족시키는 자연수 k의 개수는

$1+97=98$

└─ $99-3+1=97$

14 답 ④

$A\cup B^C=U$에서

$(A^C\cap B)^C=U$, $(B-A)^C=U$

따라서 $B-A=\varnothing$이므로 $B\subset A$

이차방정식 $x^2+mx+2=0$의 판별식을 D라 하면

$D=m^2-8$

(ⅰ) $m^2-8<0$, 즉 $-2\sqrt{2}<m<2\sqrt{2}$일 때,

이차방정식 $x^2+mx+2=0$은 서로 다른 두 허근을 가지므로 $B=\varnothing$

따라서 $B\subset A$를 만족시키므로 정수 m의 값은

$-2, -1, 0, 1, 2$

(ⅱ) $m^2-8\geq 0$, 즉 $m\leq -2\sqrt{2}$ 또는 $m\geq 2\sqrt{2}$일 때,

$B\subset A$이려면 이차방정식 $x^2+mx+2=0$의 두 실근이 a, $a+1$이어야 한다.

이차방정식의 근과 계수의 관계에 의하여

$a+(a+1)=-m$ ⋯⋯⋯ ㉠

$a(a+1)=2$ ⋯⋯⋯ ㉡

㉡에서 $a^2+a-2=0$, $(a+2)(a-1)=0$

$\therefore a=1 (\because a>0)$

이를 ㉠에 대입하면

$-m=1+2$ $\therefore m=-3$

(ⅰ), (ⅱ)에서 구하는 정수 m은 $-3, -2, -1, 0, 1, 2$의 6개이다.

15 답 ②

ㄱ. $(A-B)-C=(A\cap B^C)\cap C^C$

$\quad=A\cap(B^C\cap C^C)$

$\quad=A\cap(B\cup C)^C$

ㄴ. $(A\cap B)-(A\cap C)=(A\cap B)\cap(A\cap C)^C$

$\quad=(A\cap B)\cap(A^C\cup C^C)$

$\quad=(A\cap B\cap A^C)\cup(A\cap B\cap C^C)$

$\quad=\varnothing\cup(A\cap B\cap C^C)$

$\quad=(A\cap B)\cap C^C$

$\quad=(A\cap B)-C$

ㄷ. $A=\{1, 2, 3\}$, $B=\{1, 2\}$, $C=\{1, 3\}$이라 하면

$A\cup C=\{1, 2, 3\}$, $B\cup C=\{1, 2, 3\}$,

$A\cap C=\{1, 3\}$, $B\cap C=\{1\}$

이때 $(A\cup C)\subset(B\cup C)$이고 $(B\cap C)\subset(A\cap C)$이지만 $A\neq B$이다.

따라서 보기에서 항상 옳은 것은 ㄱ, ㄴ이다.

16 답 12

$X*Y=X\cap(X^C\cup Y)=(X\cap X^C)\cup(X\cap Y)$

$\quad=\varnothing\cup(X\cap Y)=X\cap Y$

이므로 $(A*B)\cup C=A\cup(B*C)$에서

$(A\cap B)\cup C=A\cup(B\cap C)$

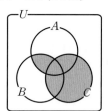

$(A\cap B)\cup C$ $\qquad$ $A\cup(B\cap C)$

위의 벤다이어그램에서 색칠한 부분이 서로 같으려면

$C-(A\cup B)=\varnothing$, $A-(B\cup C)=\varnothing$이어야 한다.

$\therefore (A\cap B)\cup(B\cap C)\cup(C\cap A)$

$\quad=\{1, 2, 3, 4, 5, 6\}$

이때 $(A\cap C)-B=\{4, 5\}$이므로

$B\cap(A\cup C)=(A\cap B)\cup(B\cap C)$

$\quad=\{1, 2, 3, 6\}$

따라서 집합 $B\cap(A\cup C)$의 모든 원소의 합은

$1+2+3+6=12$

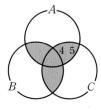

다른 풀이

$(A*B)\cup C=A\cup (B*C)$에서 $(A\cap B)\cup C=A\cup (B\cap C)$

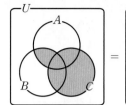 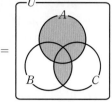

$(A\cap B)\cup C \qquad\qquad A\cup (B\cap C)$

$A=C$인 경우 위의 벤다이어그램에서 색칠한 부분이 서로 같으므로

$(A\cap B)\cup A=A\cup (B\cap A)=A=\{1, 2, 3, 4, 5, 6\}$

$(A\cap C)-B=A-B=\{4, 5\}$이므로

$B\cap (A\cup C)=B\cap A=A-(A-B)=\{1, 2, 3, 6\}$

따라서 집합 $B\cap (A\cup C)$의 모든 원소의 합은

$1+2+3+6=12$

17 답 ㄱ, ㄴ, ㄷ

$A\triangle B=(A\cup B)\cap (A^c\cup B^c)$

$\qquad\quad =(A\cup B)\cap (A\cap B)^c$

$\qquad\quad =(A\cup B)-(A\cap B)$

따라서 $A\triangle B$를 벤다이어그램으로 나타내면 그림과 같다.

ㄱ. $A\triangle B^c=(A\cup B^c)-(A\cap B^c)$

따라서 $A\triangle B^c$을 벤다이어그램으로 나타내면 그림과 같다.

$\therefore A\triangle B^c=(A\triangle B)^c$

ㄴ. $(A\triangle B)\triangle B=\{(A\triangle B)\cup B\}-\{(A\triangle B)\cap B\}$

$(A\triangle B)\triangle B$를 벤다이어그램으로 나타내면 그림과 같다.

$(A\triangle B)\cup B \quad - \quad (A\triangle B)\cap B \quad = \quad (A\triangle B)\triangle B$

$\therefore (A\triangle B)\triangle B=A$

ㄷ. $A\triangle B=A$이면 $B-A=\varnothing$, $A\cap B=\varnothing$이므로 $B=\varnothing$

$\therefore A-B^c=A\cap B=\varnothing=B$

따라서 보기에서 항상 옳은 것은 ㄱ, ㄴ, ㄷ이다.

비법 NOTE

두 집합 A, B에 대하여 $A-B$와 $B-A$의 합집합, 즉 $(A-B)\cup (B-A)$를 대칭차집합이라 하고 벤다이어그램으로 나타내면 그림과 같다.

이때 $A\triangle B=(A-B)\cup (B-A)$라 하면

(1) $A\triangle A=\varnothing$, $A\triangle\varnothing=A$

(2) $A\triangle B=B\triangle A$ → 교환법칙이 성립한다.

(3) $(A\triangle B)\triangle C=A\triangle (B\triangle C)$ → 결합법칙이 성립한다.

(4) $(A\triangle B)\triangle A=B$, $(A\triangle B)\triangle B=A$

참고 대칭차집합과 같은 집합

$(A-B)\cup (B-A)=(A\cup B)-(A\cap B)=(A\cup B)\cap (A^c\cup B^c)$

18 답 11

㈎에서

$A\cap (A^c\cup B^c)=(A\cap A^c)\cup (A\cap B^c)$

$\qquad\qquad\qquad\quad =\varnothing\cup (A\cap B^c)=A-B=\{4\}$

또 $A\cap B=A-(A-B)=\{3, 5\}$이므로 조건을 벤다이어그램으로 나타내면 그림과 같다.

㈏에서

$(A\cup X)-B=(A\cup X)\cap B^c$

$\qquad\qquad\quad =(A\cap B^c)\cup (X\cap B^c)$

$\qquad\qquad\quad =(A-B)\cup (X-B)$

$\qquad\qquad\quad =\{4\}\cup (X-B)$

따라서 집합 $(A\cup X)-B$의 원소의 개수가 1이려면 집합 $X-B$가 공집합이거나 $\{4\}$이어야 한다.

$U=(A\cap B)\cup (A\cap B)^c=\{1, 2, 3, 4, 5\}$이고 $4\notin B$이므로

(ⅰ) $X-B=\varnothing$일 때,

$n(X)=1$에서 $X=\{1\}$ 또는 $X=\{2\}$ 또는 $X=\{3\}$ 또는 $X=\{5\}$

$\therefore B=\{1, 2, 3, 5\}$

(ⅱ) $X-B=\{4\}$일 때,

$n(X)=1$에서 $X=\{4\}$

$\therefore \{3, 5\}\subset B\subset \{1, 2, 3, 5\}$

(ⅰ), (ⅱ)에서 $B=\{1, 2, 3, 5\}$이므로 집합 B의 모든 원소의 합은

$1+2+3+5=11$

idea

19 답 64

$(A\cap B)\cup X=A\cap X$일 때, 모든 집합 X에 대하여

$X\subset (A\cap B)\cup X=A\cap X\subset X$이므로

$X=(A\cap B)\cup X=A\cap X$

$X=(A\cap B)\cup X$에서 $A\cap B\subset X$ $\qquad$ ……㉠

$X=A\cap X$에서 $X\subset A$ $\qquad$ ……㉡

㉠, ㉡에서 $A\cap B\subset X\subset A$

따라서 집합 X의 개수는 집합 A의 부분집합 중 집합 $A\cap B$의 원소인 7, 8, 9, 10을 모두 원소로 갖는 집합의 개수와 같으므로

$2^{10-4}=2^6=64$

20 답 16

$(X-A)\subset (A-X)$에서

$(X-A)\cap (A-X)=X-A$이고

$(X-A)\cap (A-X)=(X\cap A^c)\cap (A\cap X^c)$

$\qquad\qquad\qquad\qquad =(A\cap A^c)\cap (X\cap X^c)=\varnothing$

즉, $X-A=\varnothing$이므로 $X\subset A$

따라서 집합 X는 집합 $A=\{1, 2, 5, 10\}$의 부분집합이므로 구하는 부분집합 X의 개수는 $2^4=16$

21 답 12

$A\cup B=\{1, 2, 3, 5, 6\}$이므로 $X\cap (A\cup B)=\varnothing$에서

$1\notin X, 2\notin X, 3\notin X, 5\notin X, 6\notin X$

$A^c=\{4, 5, 6, \cdots, n\}$이므로 $X\cup B=A^c$에서

$X=\{4, 7, 8, 9, \cdots, n\}$

따라서 집합 X의 부분집합의 개수는 2^{n-5}이므로

$2^{n-5}=128$에서 $2^{n-5}=2^7$

$n-5=7$ $\qquad\therefore n=12$

Ⅳ. 집합과 명제

22 답 22

주어진 집합을 벤다이어그램으로 나타내면 그림과 같다.

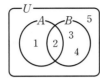

이때 $A \cap B = \{2\}$이므로 다음과 같이 집합 $A \cap B$의 원소가 집합 X에 포함되는 경우와 그렇지 않은 경우로 나눌 수 있다.

(i) $2 \in X$인 경우

$X \cap A \neq \varnothing$, $X \cap B \neq \varnothing$을 만족시키는 집합 X의 개수는 전체집합 U의 부분집합 중에서 2를 반드시 원소로 갖는 부분집합의 개수와 같다.

$\therefore 2^{5-1} = 2^4 = 16$

(ii) $2 \notin X$인 경우

$X \cap A \neq \varnothing$, $X \cap B \neq \varnothing$을 만족시키려면 집합 X는 1을 반드시 원소로 갖고 3 또는 4도 원소로 가져야 한다.

따라서 집합 X는 $\{1, 3\}$, $\{1, 4\}$, $\{1, 3, 4\}$, $\{1, 3, 5\}$, $\{1, 4, 5\}$, $\{1, 3, 4, 5\}$의 6개이다.

(i), (ii)에서 조건을 만족시키는 집합 X의 개수는

$16 + 6 = 22$

23 답 ③

$f(n)$은 n을 반드시 원소로 갖고 n보다 작은 자연수는 원소로 갖지 않는 집합 X의 부분집합의 개수이므로

$f(n) = 2^{10-1-(n-1)} = 2^{10-n}$ (단, $1 \leq n \leq 10$)

ㄱ. $f(8) = 2^{10-8} = 2^2 = 4$

ㄴ. $a=1$, $b=9$라 하면 $1 \in X$, $9 \in X$이고 $1 < 9$이지만

$f(1) = 2^{10-1} = 2^9 = 512$, $f(9) = 2^{10-9} = 2$이므로

$f(1) > f(9)$

ㄷ. $f(1) + f(3) + f(5) + f(7) + f(9)$

$= 2^{10-1} + 2^{10-3} + 2^{10-5} + 2^{10-7} + 2^{10-9}$

$= 2^9 + 2^7 + 2^5 + 2^3 + 2^1$

$= 512 + 128 + 32 + 8 + 2$

$= 682$

따라서 보기에서 옳은 것은 ㄱ, ㄷ이다.

비법 NOTE

집합 X의 부분집합 중 특정한 k개의 원소는 포함하고 특정한 l개는 포함하지 않는 부분집합의 개수 ➡ 2^{n-k-l}

24 답 ④

$(A-B) \cap (B-A) = \varnothing$이므로

$n((A-B) \cup (B-A)) = n(A-B) + n(B-A)$

$= n(A) - n(A \cap B) + n(B) - n(A \cap B)$

$= n(A) + n(B) - 2 \times n(A \cap B)$

$A = \{1, 3, 5, 7, 9, 11, \cdots, 99\}$, $B = \{2, 5, 8, 11, \cdots, 98\}$이므로

$n(A) = 50$, $n(B) = 33$ $\underset{\longrightarrow}{2 \times 50 - 1 = 99}$ $\underset{\longrightarrow}{3 \times 33 - 1 = 98}$

$A \cap B = \{5, 11, 17, \cdots, 95\}$ $\overset{6 \times 16 - 1 = 95}{\longrightarrow}$

이때 $A \cap B = \{x \mid x = 6k-1, k\text{는 자연수}\}$이므로

$n(A \cap B) = 16$

$\therefore n((A-B) \cup (B-A)) = 50 + 33 - 2 \times 16$

$= 51$

25 답 4

$n(A \cap B^C \cap C^C) = n(A \cap (B \cup C)^C)$

$= n(A - (B \cup C))$

$= n(A) - n(A \cap (B \cup C))$

$= 23 - n(A \cap (B \cup C))$

따라서 $n(A \cap B^C \cap C^C)$의 값이 최소이려면 $n(A \cap (B \cup C))$의 값이 최대이어야 한다.

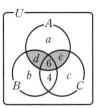

이때 집합 $A \cap (B \cup C)$와 벤다이어그램의 각 영역에 속하는 원소의 개수를 그림과 같이 나타내면 $n(B) = 15$이므로

$b + d + 10 = 15$, $b + d = 5$

이때 d의 값이 최대이어야 하므로 $d = 5$

$n(C) = 18$이므로

$c + e + 10 = 18$, $c + e = 8$

이때 e의 값이 최대이어야 하므로 $e = 8$

$n(A \cap (B \cup C))$의 최댓값은

$d + e + 6 = 5 + 8 + 6 = 19$

따라서 $n(A \cap B^C \cap C^C)$의 최솟값은

$23 - 19 = 4$

26 답 225

고등학교 1학년 학생 전체의 집합을 U라 하고, 두 동아리 A, B에 가입한 학생의 집합을 각각 A, B라 하자.

$n(U) = N$이라 하면

$n(A) = \dfrac{2}{5}N$, $n(B) = \dfrac{3}{4}N$, $n(A \cap B) = \dfrac{1}{3}N$

$\therefore n(A \cup B) = n(A) + n(B) - n(A \cap B)$

$= \dfrac{2}{5}N + \dfrac{3}{4}N - \dfrac{1}{3}N = \dfrac{49}{60}N$

한편 $n((A \cup B)^C) = 55$이고, $n((A \cup B)^C) = n(U) - n(A \cup B)$이므로

$55 = N - \dfrac{49}{60}N$, $\dfrac{11}{60}N = 55$ $\therefore N = 300$

$\therefore n(B) = \dfrac{3}{4}N = \dfrac{3}{4} \times 300 = 225$

따라서 동아리 B에 가입한 학생 수는 225이다.

27 답 ②

은행 A와 은행 B를 이용하는 고객의 집합을 각각 A, B라 하면

$n(A \cup B) = 35 + 30 = 65$

㉮에서 $n(A) + n(B) = 82$이므로

$n(A \cap B) = n(A) + n(B) - n(A \cup B)$

$= 82 - 65 = 17$

따라서 두 은행 A, B 중 한 은행만 이용하는 고객의 수는

$n(A \cup B) - n(A \cap B) = 65 - 17 = 48$

㉯에서 두 은행 A, B 중 한 은행만 이용하는 남자 고객의 수와 두 은행 A, B 중 한 은행만 이용하는 여자 고객의 수는 각각 24이다.

따라서 은행 A 또는 은행 B를 이용하는 여자 고객의 수는 30이고 두 은행 A, B 중 한 은행만 이용하는 여자 고객의 수는 24이므로 은행 A와 은행 B를 모두 이용하는 여자 고객의 수는

$30 - 24 = 6$

다른 풀이

(내)에서 두 은행 A, B 중 한 은행만 이용하는 남자 고객의 수와 두 은행 A, B 중 한 은행만 이용하는 여자 고객의 수가 같으므로 이를 x라 하면 은행 A와 은행 B를 모두 이용하는 남자 고객의 수는 $35-x$이고 은행 A와 은행 B를 모두 이용하는 여자 고객의 수는 $30-x$이다.

(가)에서

$$\{x+2(35-x)\}+\{x+2(30-x)\}=82$$
$$(-x+70)+(-x+60)=82$$
$$2x=48 \qquad \therefore x=24$$

따라서 은행 A와 은행 B를 모두 이용하는 여자 고객의 수는

$$30-24=6$$

28 답 30

세 제품 A, B, C를 선호하는 고객의 집합을 각각 A, B, C라 하면
$n(A)=30$, $n(B)=24$, $n(C)=16$,
$n(A\cap B\cap C)=0$,
$n(A\cup B\cup C)=50$ ·················· 배점 20%

이때 한 개의 제품만 선호하는 고객의 집합을 벤다이어그램으로 나타내면 그림과 같다.

따라서 세 제품 중 한 개의 제품만을 선호하는 고객의 수는

$$n(A\cup B\cup C)$$
$$\qquad -\{n(A\cap B)+n(B\cap C)+n(A\cap C)\} \quad \text{·········· 배점 40\%}$$

이때

$$n(A\cap B)+n(B\cap C)+n(A\cap C)$$
$$=n(A)+n(B)+n(C)-n(A\cup B\cup C)$$
$$=30+24+16-50=20$$

이므로 구하는 고객의 수는

$$50-20=30$$ ·················· 배점 40%

다른 풀이

세 제품 A, B, C를 선호하는 고객의 집합을 각각 A, B, C라 하면
$n(A)=30$, $n(B)=24$, $n(C)=16$,
$n(A\cap B\cap C)=0$,
$n(A\cup B\cup C)=50$ ·················· 배점 20%

이때 벤다이어그램의 각 영역에 속하는 원소의 개수를 그림과 같이 나타내면

$$a+b+c+d+e+f=50 \quad \cdots\cdots \text{㉠}$$
$$a+d+f=30 \quad \cdots\cdots \text{㉡}$$
$$b+d+e=24 \quad \cdots\cdots \text{㉢}$$
$$c+e+f=16 \quad \cdots\cdots \text{㉣}$$ ·················· 배점 30%

㉡+㉢+㉣를 하면

$$a+b+c+2(d+e+f)=70$$

㉠을 대입하면

$$50+d+e+f=70$$
$$\therefore d+e+f=20$$

이를 ㉠에 대입하면

$$a+b+c+20=50$$
$$\therefore a+b+c=30$$

따라서 구하는 고객의 수는 30이다. ·················· 배점 50%

---

step ③ 최고난도 문제 | 21~23쪽

| 01 131 | 02 10 | 03 ⑤ | 04 62 | 05 22 | 06 ④ |
| 07 ② | 08 28 | 09 ③ | 10 ③ | 11 61 | 12 31 |

01 답 131

1단계 n의 조건 파악하기

집합 $A_3\cap A_n$은 3과 n의 공배수의 집합이고 $A_3\cap A_n=A_{3n}$에서 n과 3의 최소공배수가 $3n$이므로 n과 3은 서로소이다.

$147\notin A_3{}^C\cup A_n$에서 $147\notin(A_3\cap A_n{}^C)^C$이므로

$147\in A_3\cap A_n{}^C \qquad \therefore 147\in A_3-A_n$

이때 $147\notin A_n$이므로 n은 147의 약수가 아니다.

따라서 n은 3의 배수도 아니고 147의 약수도 아니다.

2단계 n의 개수 구하기

200 이하인 3의 배수는 66개, 147의 약수는 1, 3, 7, 21, 49, 147의 6개이고, 이때 200 이하의 3의 배수이면서 147의 약수인 수는 3, 21, 147의 3개이므로 조건을 만족시키는 200 이하의 자연수 n의 개수는

$$200-66-6+3=131$$

⁺idea 02 답 10

1단계 x와 y 사이의 관계 이해하기

(내)에서 $x\in X$일 때, x의 배수 또는 약수는 집합 X의 원소가 될 수 있다.

2단계 집합 X 구하기

1은 모든 자연수의 약수이므로 1이 원소가 되는 경우는 나머지 원소끼리 배수 또는 약수이면 된다.

(i) $1\in X$일 때,

1보다 큰 10 이하의 두 자연수 x, $y\,(x<y)$에 대하여 $\dfrac{y}{x}$의 값이 자연수가 되는 경우는 $\dfrac{4}{2}$, $\dfrac{6}{2}$, $\dfrac{8}{2}$, $\dfrac{10}{2}$, $\dfrac{6}{3}$, $\dfrac{9}{3}$, $\dfrac{8}{4}$, $\dfrac{10}{5}$

따라서 1과 위의 분모, 분자에 사용된 x, y의 값을 이용하여 조건을 만족시키는 집합 X를 구하면 $\{1, 2, 4\}$, $\{1, 2, 6\}$, $\{1, 2, 8\}$, $\{1, 2, 10\}$, $\{1, 3, 6\}$, $\{1, 3, 9\}$, $\{1, 4, 8\}$, $\{1, 5, 10\}$, $\{1, 2, 4, 8\}$

(ii) $1\notin X$일 때, $\dfrac{4}{2}$, $\dfrac{8}{4}$, $\dfrac{8}{2}$이 모두 자연수이다.

$$X=\{2, 4, 8\}$$

3단계 집합 X의 개수 구하기

(i), (ii)에서 조건을 만족시키는 집합 X의 개수는 10이다.

03 답 ⑤

1단계 $k=1, 2, 3, \cdots$일 때 집합 A_k 구하기

$k=1$일 때, $A_1=\{1\}$
$k=2$일 때, $A_2=\{2, 4, 6, 8\}$
$k=3$일 때, $A_3=\{1, 3, 7, 9\}$
$k=4$일 때, $A_4=\{4, 6\}$
$k=5$일 때, $A_5=\{5\}$
$k=6$일 때, $A_6=\{6\}$
$k=7$일 때, $A_7=\{1, 3, 7, 9\}$
$k=8$일 때, $A_8=\{2, 4, 6, 8\}$
$k=9$일 때, $A_9=\{1, 9\}$
$k=10$일 때, $A_{10}=\{0\}$
$k=11$일 때, $A_{11}=\{1\}$
    ⋮

2단계 집합 A_k의 원소에 관한 규칙 이해하기

이때 $A_2=A_8$, $A_3=A_7$이고 10 이하인 자연수 l에 대하여 $A_l=A_{10+l}$이 성립한다.

3단계 $f(1)+f(2)+f(3)+\cdots+f(9)$의 값 구하기

$A_2=A_8$에서 $f(2)=8$, $f(8)=2$, $A_3=A_7$에서 $f(3)=7$, $f(7)=3$

$A_1=A_{11}$, $A_4=A_{14}$, $A_5=A_{15}$, $A_6=A_{16}$, $A_9=A_{19}$에서

$f(1)=11$, $f(4)=14$, $f(5)=15$, $f(6)=16$, $f(9)=19$

$\therefore f(1)+f(2)+f(3)+\cdots+f(9)$

$=11+8+7+14+15+16+3+2+19$

$=95$

04 답 62

1단계 $\dfrac{5+p}{2}\in X$임을 알기

$5\in X$이므로 ㈏에서 $\dfrac{5+p}{2}\in X$

2단계 $\dfrac{5+p}{2}$가 홀수인 경우 p의 값 구하기

(ⅰ) $\dfrac{5+p}{2}$가 홀수일 때,

㈏에서 $\dfrac{\frac{5+p}{2}+p}{2}\in X$이므로 $\dfrac{5+3p}{4}\in X$

① $\dfrac{5+3p}{4}$가 홀수일 때,

㈏에서 $\dfrac{\frac{5+3p}{4}+p}{2}\in X$이므로 $\dfrac{5+7p}{8}\in X$

이때 $n(X)=3$이므로

$\dfrac{5+7p}{8}=5$ 또는 $\dfrac{5+7p}{8}=\dfrac{5+p}{2}$ 또는 $\dfrac{5+7p}{8}=\dfrac{5+3p}{4}$

$\dfrac{5+7p}{8}=5$에서 $p=5$

$\dfrac{5+7p}{8}=\dfrac{5+p}{2}$에서 $p=5$

$\dfrac{5+7p}{8}=\dfrac{5+3p}{4}$에서 $p=5$

따라서 $p=5$일 때, 집합 X는 5를 원소로 갖는다.

이때 집합 X의 나머지 두 원소를 a, b라 하면 a, b는 모두 짝수 이므로 → 홀수인 경우는 $p=5$인 경우에 모두 포함된다.

$\dfrac{a}{2}=5$에서 $a=10$, $\dfrac{b}{2}=10$에서 $b=20$

따라서 $p=5$일 때, $X=\{5,\,10,\,20\}$이다.

② $\dfrac{5+3p}{4}$가 짝수일 때,

㈏에서 $\dfrac{\frac{5+3p}{4}}{2}\in X$이므로 $\dfrac{5+3p}{8}\in X$

이때 $n(X)=3$이므로

$\dfrac{5+3p}{8}=5$ 또는 $\dfrac{5+3p}{8}=\dfrac{5+p}{2}$ 또는 $\dfrac{5+3p}{8}=\dfrac{5+3p}{4}$

$\dfrac{5+3p}{8}=5$에서 $p=\dfrac{35}{3}$

$\dfrac{5+3p}{8}=\dfrac{5+p}{2}$에서 $p=-15$

$\dfrac{5+3p}{8}=\dfrac{5+3p}{4}$에서 $p=-\dfrac{5}{3}$

이때 p는 자연수이므로 조건을 만족시키지 않는다.

3단계 $\dfrac{5+p}{2}$가 짝수인 경우 p의 값 구하기

(ⅱ) $\dfrac{5+p}{2}$가 짝수일 때,

㈏에서 $\dfrac{\frac{5+p}{2}}{2}\in X$이므로 $\dfrac{5+p}{4}\in X$

① $\dfrac{5+p}{4}$가 홀수일 때,

㈏에서 $\dfrac{\frac{5+p}{4}+p}{2}\in X$이므로 $\dfrac{5+5p}{8}\in X$

이때 $n(X)=3$이므로

$\dfrac{5+5p}{8}=5$ 또는 $\dfrac{5+5p}{8}=\dfrac{5+p}{2}$ 또는 $\dfrac{5+5p}{8}=\dfrac{5+p}{4}$

$\dfrac{5+5p}{8}=5$에서 $p=7$

$\dfrac{5+5p}{8}=\dfrac{5+p}{2}$에서 $p=15$

$\dfrac{5+5p}{8}=\dfrac{5+p}{4}$에서 $p=\dfrac{5}{3}$

이때 p는 자연수이므로 $p=7$ 또는 $p=15$

$p=7$일 때, ㈏에서 $\dfrac{5+7}{2}=6\in X$, $\dfrac{6}{2}=3\in X$, $\dfrac{3+7}{2}=5\in X$

이므로 $X=\{3,\,5,\,6\}$이 되어 조건을 만족시킨다.

$p=15$일 때, ㈏에서 $\dfrac{5+15}{2}=10\in X$, $\dfrac{10}{2}=5\in X$이므로 집합 X는 5, 10을 원소로 갖고, 이때 집합 X의 나머지 한 원소를 20 이라 하면 $\dfrac{20}{2}=10\in X$이므로 $X=\{5,\,10,\,20\}$이 되어 조건을 만족시킨다. → 조건을 만족시키는 어떤 원소 1개가 존재하면 된다.

② $\dfrac{5+p}{4}$가 짝수일 때,

㈏에서 $\dfrac{\frac{5+p}{4}}{2}\in X$이므로 $\dfrac{5+p}{8}\in X$

이때 $n(X)=3$이므로

$\dfrac{5+p}{8}=5$ 또는 $\dfrac{5+p}{8}=\dfrac{5+p}{2}$ 또는 $\dfrac{5+p}{8}=\dfrac{5+p}{4}$

$\dfrac{5+p}{8}=5$에서 $p=35$

$\dfrac{5+p}{8}=\dfrac{5+p}{2}$에서 $p=-5$

$\dfrac{5+p}{8}=\dfrac{5+p}{4}$에서 $p=-5$

이때 p는 자연수이므로 $p=35$

$p=35$일 때, ㈏에서 $\dfrac{5+35}{2}=20\in X$, $\dfrac{20}{2}=10\in X$,

$\dfrac{10}{2}=5\in X$이므로 $X=\{5,\,10,\,20\}$이 되어 조건을 만족시킨다.

4단계 조건을 만족시키는 자연수 p의 값의 합 구하기

(ⅰ), (ⅱ)에서 조건을 만족시키는 자연수 p의 값은 5, 7, 15, 35이므로 구하는 모든 자연수 p의 값의 합은 $5+7+15+35=62$

05 답 22

1단계 $A_2\cap A_3=A_6$임을 이용하여 자연수 p의 값 구하기

㈎에서 $A_2\cap A_3$은 2의 배수이면서 3의 배수의 집합이므로 2와 3의 공배 수의 집합이다. 이때 2와 3의 최소공배수가 6이므로 $A_2\cap A_3=A_6$

따라서 $k=6$이므로 $A_p\subset A_6$을 만족시키는 자연수 p의 값은 6, 12, 18, $\cdots$이다.

2단계 자연수 q의 값 구하기

(내)에서 $B_{20}=\{1, 2, 4, 5, 10, 20\}$이므로 집합 B_{20}의 모든 원소의 합은 42이다.

(i) q가 20의 약수인 경우

$B_q \cup B_{20}=B_{20}$이므로 집합 $B_q \cup B_{20}$의 모든 원소의 합이 42가 되어 조건을 만족시키지 않는다.

(ii) q가 20의 약수가 아닌 경우

집합 B_q-B_{20}에 포함되는 원소가 존재하고 $(q+50)-42=q+8$이므로 집합 B_q-B_{20}의 원소 중에서 q를 제외한 모든 원소의 합이 8이어야 한다. 이때 $8=1+7=2+6=3+5=1+2+5=1+3+4$이므로 B_q-B_{20}의 원소로 가능한 수는 8, q뿐이다.

따라서 $8 \in B_q$에서 8은 q의 약수이므로 가능한 자연수 q의 값은 16, 40이다.

3단계 $p+q$의 최솟값 구하기

따라서 $p+q$의 최솟값은 $p=6$, $q=16$일 때 22이다.

06 답 ④

1단계 $i^m+(-i)^n$의 m, n에 값을 대입하여 가능한 a의 값 구하기

$i^2=-1$, $i^4=1$, $i^6=-1$, $(-i)^2=-1$, $(-i)^4=1$, $(-i)^6=-1$ 이므로 가능한 $a=i^m+(-i)^n$의 값은 -2, 0, 2이다.

2단계 ㄱ이 옳은지 확인하기

ㄱ. $A=\{2\}$, $B=\{2, 4\}$이면 $i^2+(-i)^2=-2$, $i^2+(-i)^4=0$ 따라서 $C=\{-2, 0\}$이므로 $n(C)=2$이다.

3단계 ㄴ이 옳은지 확인하기

ㄴ. $A=\{2\}$, $B=\{2, 4, 6\}$이라 하면 $n(A \cup B)=3$이고 $n(A \cap B)=1$이지만 $C=\{-2, 0\}$이므로 $n(C)=2$이다.

4단계 ㄷ이 옳은지 확인하기

ㄷ. 전체집합 U의 공집합이 아닌 두 부분집합 A, B에 대하여 $n(A \cup B)=3$이고 $n(A \cap B)=0$인 경우는
$A=\{4\}$, $B=\{6\}$ 또는 $A=\{6\}$, $B=\{2, 4\}$ 또는
$A=\{2, 6\}$, $B=\{4\}$ 또는 $A=\{4\}$, $B=\{2, 6\}$ 또는
$A=\{4, 6\}$, $B=\{2\}$ 또는 $A=\{2\}$, $B=\{4, 6\}$
위의 6가지 경우 각각에 대하여 $C=\{-2, 0\}$ 또는 $C=\{0\}$이므로 $0 \in C$이다.

5단계 옳은 것 구하기

따라서 보기에서 옳은 것은 ㄱ, ㄷ이다.

07 답 ②

1단계 x의 값을 구하여 집합 A_k 유추하기

집합 A_k는 전체집합 U의 부분집합이므로 x는 20 이하의 자연수이고 x와 $y-k$는 30의 약수이다.

이때 $y \in U$에서 $y-k<20$이므로 $x \neq 1$

또 $x \in U$에서 $x \neq 30$이므로 $y-k \neq 1$

따라서 $y-k$의 값에 따른 x의 값은 다음 표와 같다.

$y-k$	2	3	5	6	10	15
x	15	10	6	5	3	2

$\therefore A_k \subset \{2, 3, 5, 6, 10, 15\}$

2단계 집합 B를 구하고 k의 값에 따른 집합 $A_k \cap B^C$ 유추하기

$\dfrac{30-x}{5} \in U$에서 $30-x$는 5의 배수이므로

└→ $30-x=5a$에서 $x=30-5a$ $(a=2, 3, 4, 5)$

$B=\{5, 10, 15, 20\}$ $\therefore A_k \cap B^C \subset \{2, 3, 6\}$

(i) $2 \in A_k \cap B^C$, 즉 $2 \in A_k$일 때,
$x=2$, $y-k=15$에서 $y=15+k \leq 20$이므로 $k \leq 5$

(ii) $3 \in A_k \cap B^C$, 즉 $3 \in A_k$일 때,
$x=3$, $y-k=10$에서 $y=10+k \leq 20$이므로 $k \leq 10$

(iii) $6 \in A_k \cap B^C$, 즉 $6 \in A_k$일 때,
$x=6$, $y-k=5$에서 $y=5+k \leq 20$이므로 $k \leq 15$

(i), (ii), (iii)에서
$k \leq 5$일 때, $A_k \cap B^C=\{2, 3, 6\}$
$5<k \leq 10$일 때, $A_k \cap B^C=\{3, 6\}$
$10<k \leq 15$일 때, $A_k \cap B^C=\{6\}$

3단계 $n(A_k \cap B^C)=1$을 만족시키는 자연수 k의 개수 구하기

따라서 $n(A_k \cap B^C)=1$을 만족시키는 자연수 k는 11, 12, 13, 14, 15의 5개이다.

idea

08 답 28

1단계 n의 값 구하기

집합 A의 부분집합의 개수는 $2^4=16$이므로

$n+2=16$ $\therefore n=14$

2단계 a의 값 구하기

집합 A의 부분집합 중 원소 a를 포함하는 부분집합의 개수는

$2^{4-1}=8$

또 나머지 3개의 원소 각각에 대하여 집합 A의 부분집합 중 그 원소를 포함하는 부분집합의 개수는

$2^{4-1}=8$

따라서 공집합을 제외한 집합 A의 모든 부분집합에 각 원소가 8번씩 들어가므로 모든 부분집합의 모든 원소의 합은

$8(a+a+1+a+2+a+3)=32a+48$

이때 $S_1+S_2+S_3+\cdots+S_n$의 값은 공집합과 집합 A를 제외한 나머지 14개의 부분집합의 모든 원소의 합이므로

$S_1+S_2+S_3+\cdots+S_n=(32a+48)-(4a+6)$

└→ 집합 A의 모든 원소의 합이다.

$\qquad\qquad\qquad\qquad =28a+42$

따라서 $28a+42=98$이므로 $a=2$

3단계 $n \times a$의 값 구하기

$\therefore n \times a=14 \times 2=28$

09 답 ③

1단계 $S(C-B)$의 값이 홀수임을 알기

(개)에서 $B \subset C$이므로 $S(B)+S(C)=2S(B)+S(C-B)$

이때 (내)에서 $S(B)+S(C)$의 값이 홀수이고 $2S(B)$의 값은 짝수이므로 $S(C-B)$의 값은 홀수이다.

2단계 $S(C-B)$의 값이 홀수인 각각의 경우에 대하여 집합 B의 개수 구하기

(i) $S(C-B)=1$인 경우 → $S(A)=10$이므로 $S(C-B)$의 값은 10 이하의 홀수이다.

$C-B=\{1\}$일 때뿐이다.

따라서 집합 B는 $\{2, 3, 4\}$의 공집합이 아닌 부분집합과 같으므로 집합 B의 개수는 $2^3-1=7$

(ii) $S(C-B)=3$인 경우

$C-B=\{3\}$ 또는 $C-B=\{1, 2\}$일 때이다.

따라서 집합 B가 $\{1, 2, 4\}$의 공집합이 아닌 부분집합이거나 $\{3, 4\}$

└→ $C-B=\{3\}$인 경우이다.

의 공집합이 아닌 부분집합과 같으므로 집합 B의 개수는

└→ $C-B=\{1, 2\}$인 경우이다.

$(2^3-1)+(2^2-1)=7+3=10$

(iii) $S(C-B)=5$인 경우

$C-B=\{1,\ 4\}$ 또는 $C-B=\{2,\ 3\}$일 때이다.

따라서 집합 B가 $\{2,\ 3\}$의 공집합이 아닌 부분집합이거나 $\{1,\ 4\}$의 공집합이 아닌 부분집합과 같으므로 집합 B의 개수는

$(2^2-1)+(2^2-1)=3+3=6$

(iv) $S(C-B)=7$인 경우

$C-B=\{3,\ 4\}$ 또는 $C-B=\{1,\ 2,\ 4\}$일 때이다.

따라서 집합 B가 $\{1,\ 2\}$의 공집합이 아닌 부분집합이거나 $\{3\}$일 때이므로 집합 B의 개수는

$(2^2-1)+1=3+1=4$

(v) $S(C-B)=9$인 경우

$C-B=\{2,\ 3,\ 4\}$일 때이므로 집합 B가 $\{1\}$일 때뿐이다.

3단계 순서쌍 $(B,\ C)$의 개수 구하기

(i)~(v)에서 집합 B의 개수는 $7+10+6+4+1=28$

이때 집합 B가 결정되면 집합 C는 하나로 결정되므로 집합 B의 개수와 순서쌍 $(B,\ C)$의 개수는 같다.

따라서 구하는 순서쌍 $(B,\ C)$의 개수는 28이다.

10 답 ③

1단계 집합 A_k 구하기

9 이하의 자연수 k를 대입하여 집합 A_k를 구하면

$A_1=\{x\,|\,0\le x\le2\}$, $A_2=\{x\,|\,1\le x\le3\}$, $A_3=\{x\,|\,2\le x\le4\}$,

$A_4=\{x\,|\,3\le x\le5\}$, $A_5=\{x\,|\,4\le x\le6\}$, $A_6=\{x\,|\,5\le x\le7\}$,

$A_7=\{x\,|\,6\le x\le8\}$, $A_8=\{x\,|\,7\le x\le9\}$, $A_9=\{x\,|\,8\le x\le10\}$

2단계 ㄱ이 옳은지 확인하기

ㄱ. $A_1\cap A_2\cap A_3=\{x\,|\,0\le x\le2\}\cap\{x\,|\,1\le x\le3\}\cap\{x\,|\,2\le x\le4\}$
$=\{2\}$

3단계 ㄴ이 옳은지 확인하기

ㄴ. $|l-m|\le2$이고 $l,\ m$은 자연수이므로

$|l-m|=0$ 또는 $|l-m|=1$ 또는 $|l-m|=2$

(i) $|l-m|=0$일 때, $m=l$이므로 $A_l\cap A_m=A_l\ne\varnothing$

(ii) $|l-m|=1$일 때,

$A_1\cap A_2=A_2\cap A_1=\{x\,|\,1\le x\le2\}\ne\varnothing$

$A_2\cap A_3=A_3\cap A_2=\{x\,|\,2\le x\le3\}\ne\varnothing$

$\vdots$

$A_8\cap A_9=A_9\cap A_8=\{x\,|\,8\le x\le9\}\ne\varnothing$

(iii) $|l-m|=2$일 때,

$A_1\cap A_3=A_3\cap A_1=\{2\}\ne\varnothing$

$A_2\cap A_4=A_4\cap A_2=\{3\}\ne\varnothing$

$\vdots$

$A_7\cap A_9=A_9\cap A_7=\{8\}\ne\varnothing$

(i), (ii), (iii)에서 $|l-m|\le2$일 때, 두 집합 A_l과 A_m은 서로소가 아니다.

4단계 ㄷ이 옳은지 확인하기

ㄷ. $A_k\cap A_{k+1}\cap A_{k+2}\cap A_{k+3}=\varnothing\,(k=1,\ 2,\ \cdots,\ 6)$이고

$A_1\cap A_2\cap A_3=\{2\}$, $A_4\cap A_5\cap A_6=\{5\}$, $A_7\cap A_8\cap A_9=\{8\}$이므로 모든 A_k와 서로소가 아니고 원소가 유한개인 집합 중 원소의 개수가 최소인 집합은 $\{2,\ 5,\ 8\}$이고, 이 집합의 원소의 개수는 3이다.

5단계 옳은 것 구하기

따라서 보기에서 옳은 것은 ㄱ, ㄴ이다.

11 답 61

1단계 조건 ㈎를 만족시키는 집합 A에 대하여 $n(A)$의 최댓값 구하기

전체집합 U의 원소 중 5로 나누었을 때의 나머지가 각각 0, 1, 2, 3, 4인 원소 전체의 집합을 차례대로 $P_0,\ P_1,\ P_2,\ P_3,\ P_4$라 하면 이 5개의 집합은 모두 원소의 개수가 20이다.

㈎에서 집합 A의 원소는 5로 나누었을 때의 나머지가 0인 수이므로

$A\subset P_0$

따라서 $n(A)\le n(P_0)=20$이므로 $n(A)$의 최댓값은 20이다.

2단계 조건 ㈏를 만족시키는 집합 B에 대하여 $n(B)$의 최댓값 구하기

㈏에서 집합 B는 5로 나누었을 때의 나머지의 합이 0 또는 5인 두 수를 동시에 포함하지 않아야 한다.

따라서 집합 B는 집합 P_0의 원소를 하나만 포함하거나 4개의 집합 $P_1\cup P_2$ 또는 $P_1\cup P_3$ 또는 $P_2\cup P_4$ 또는 $P_3\cup P_4$의 부분집합이므로

$n(B)\le n(P_1\cup P_2)+1$
$=n(P_1)+n(P_2)+1 \quad {\scriptstyle\longrightarrow\ P_1\cap P_2=\varnothing}$
$=41$

즉, $n(B)$의 최댓값은 41이다.

3단계 $n(A)+n(B)$의 최댓값 구하기

따라서 $n(A)+n(B)$의 최댓값은

$20+41=61$

12 답 31

1단계 조건 ㈎를 만족시키는 세 집합 $A_p,\ A_q,\ A_r$ 유추하기

$p=p_1^2$, $q=q_1^2$, $r=\underline{r_1^2 r_2}$ $(p_1,\ q_1,\ r_1,\ r_2$는 소수, $r_1\ne r_2)$이면
${\scriptstyle\hookrightarrow}$ 약수의 개수가 6인 수 중 가장 작은 수를 생각한다.

$A_p=\{1,\ p_1,\ p_1^2\}$, $A_q=\{1,\ q_1,\ q_1^2\}$, $A_r=\{1,\ r_1,\ r_1^2,\ r_2,\ r_1r_2,\ r_1^2r_2\}$

이므로 ㈎를 만족시킨다.

2단계 조건 ㈏를 만족시키는 $p,\ q,\ r$의 값 구하기

(i) $p_1=2,\ q_1=3,\ r_1=2,\ r_2=3$인 경우

$p=4,\ q=9,\ r=12$이므로 $A_p=\{1,\ 2,\ 4\}$, $A_q=\{1,\ 3,\ 9\}$,

$A_r=\{1,\ 2,\ 3,\ 4,\ 6,\ 12\}$

따라서 $A_p\cup A_q\cup A_r=\{1,\ 2,\ 3,\ 4,\ 6,\ 9,\ 12\}$이므로 모든 원소의 합은

$1+2+3+4+6+9+12=37$

(ii) $p_1=2,\ q_1=3,\ r_1=3,\ r_2=2$인 경우

$p=4,\ q=9,\ r=18$이므로 $A_p=\{1,\ 2,\ 4\}$, $A_q=\{1,\ 3,\ 9\}$,

$A_r=\{1,\ 2,\ 3,\ 6,\ 9,\ 18\}$

따라서 $A_p\cup A_q\cup A_r=\{1,\ 2,\ 3,\ 4,\ 6,\ 9,\ 18\}$이므로 모든 원소의 합은

$1+2+3+4+6+9+18=43$

(iii) $p_1=2,\ q_1=3,\ r_1=2,\ r_2=5$인 경우

$p=4,\ q=9,\ r=20$이므로 $A_p=\{1,\ 2,\ 4\}$, $A_q=\{1,\ 3,\ 9\}$,

$A_r=\{1,\ 2,\ 4,\ 5,\ 10,\ 20\}$

따라서 $A_p\cup A_q\cup A_r=\{1,\ 2,\ 3,\ 4,\ 5,\ 9,\ 10,\ 20\}$이므로 모든 원소의 합은

$1+2+3+4+5+9+10+20=54$

(i), (ii), (iii)에서 집합 $A_p\cup A_q\cup A_r$의 모든 원소의 합이 40보다 크고 50보다 작을 때는 $p=4,\ q=9,\ r=18$인 경우이다.

3단계 $p+q+r$의 값 구하기

$\therefore p+q+r=4+9+18=31$

02 명제

01 ②	02 9	03 4	04 ③	05 ④	06 1
07 ㄱ, ㄴ	08 ③	09 ⑤	10 ①	11 68	

01 답 ②

ㄱ. $P\not\subset Q$이므로 명제 $p \longrightarrow q$는 참이 아니다.

ㄴ. $R\not\subset Q$이므로 명제 $r \longrightarrow q$는 참이 아니다.

ㄷ. $Q\not\subset P^C$이므로 명제 $q \longrightarrow \sim p$는 참이 아니다.

ㄹ. $R\subset P$에서 $P^C\subset R^C$이므로 명제 $\sim p \longrightarrow \sim r$는 참이다.

따라서 보기에서 항상 참인 명제는 ㄹ이다.

02 답 9

명제 '어떤 실수 x에 대하여 $x^2+8x+2k-1\leq 0$이다.'가 거짓이려면 이 명제의 부정인 '모든 실수 x에 대하여 $x^2+8x+2k-1>0$이다.'가 참이어야 한다.

즉, 이차방정식 $x^2+8x+2k-1=0$의 판별식을 D라 하면

$\dfrac{D}{4}=16-2k+1<0$ ∴ $k>\dfrac{17}{2}$

따라서 구하는 정수 k의 최솟값은 9이다.

03 답 4

명제 ㈎가 참이려면

$\{x|x>0\}\subset\{x|x>1-k\}$이어야 하므로

$1-k\leq 0$ ∴ $k\geq 1$ ······ ㉠

명제 ㈏가 참이려면

$\{x|x<0\}\cap\{x|x\geq k-5\}\neq\varnothing$이어야 하므로

$k-5<0$ ∴ $k<5$ ······ ㉡

㉠, ㉡에서 $1\leq k<5$

따라서 구하는 정수 k는 1, 2, 3, 4의 4개이다.

04 답 ③

ㄱ. 명제: $ab>0$에서 $a>0$, $b>0$ 또는 $a<0$, $b<0$이고, 이때 $a+b>0$이므로 $a>0$, $b>0$이다.

　　따라서 명제가 참이므로 대우도 참이다.

　　역: $a>0$, $b>0$이면 $a+b>0$, $ab>0$이다. (참)

ㄴ. 명제: $a^2+b^2=2ab$이면 $a^2-2ab+b^2=0$, 즉 $(a-b)^2=0$이므로 $a=b$이지만 $a=b$, $a\neq 0$인 경우에는 $ab\neq 0$이다.

　　따라서 명제가 거짓이므로 대우도 거짓이다.

　　역: $ab=0$이면 $a=0$ 또는 $b=0$이다.

　　이때 $a=0$, $b\neq 0$인 경우에는 $a^2+b^2>0$이 되어 $a^2+b^2\neq 2ab$이다. (거짓)

ㄷ. 명제: $a+b$가 홀수이면 a, b 중 하나만 홀수이고, (홀수)×(짝수)=(짝수)이므로 ab는 짝수이다.

　　따라서 명제가 참이므로 대우도 참이다.

　　역: ab가 짝수이면 a, b 중 하나가 짝수이거나 a, b 모두 짝수이다.

　　이때 a, b가 모두 짝수인 경우에는 $a+b$가 짝수이다. (거짓)

따라서 보기에서 역은 거짓이지만 대우는 참인 명제는 ㄷ이다.

05 답 ④

명제 $p \longrightarrow \sim r$의 역 $\sim r \longrightarrow p$가 참이므로 그 대우 $\sim p \longrightarrow r$도 참이다.

또 명제 $r \longrightarrow q$의 대우 $\sim q \longrightarrow \sim r$가 참이므로 명제 $r \longrightarrow q$도 참이다.

이때 두 명제 $\sim q \longrightarrow \sim r$, $\sim r \longrightarrow p$가 모두 참이므로 명제 $\sim q \longrightarrow p$도 참이고, 그 대우 $\sim p \longrightarrow q$도 참이다.

따라서 항상 참인 명제는 ④이다.

06 답 1

$x^2-x-12<0$에서

$(x+3)(x-4)<0$ ∴ $-3<x<4$

세 조건 p, q, r의 진리집합을 각각 P, Q, R라 하면

$P=\{x|-3<x<4\}$, $Q=\{x|x\geq a\}$, $R=\{x|x<b\}$ ·········· 배점 **20%**

이때 q는 p이기 위한 필요조건이므로

$P\subset Q$ ······ ㉠ ·········· 배점 **20%**

또 p는 r이기 위한 충분조건이므로

$P\subset R$ ······ ㉡ ·········· 배점 **20%**

㉠, ㉡을 모두 만족시키도록 세 집합 P, Q, R를 수직선 위에 나타내면 그림과 같다.

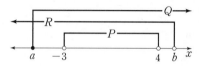

즉, $a\leq -3$이고 $b\geq 4$이어야 하므로 a의 최댓값은 -3, b의 최솟값은 4이다.

따라서 구하는 합은

$-3+4=1$ ·· 배점 **40%**

07 답 ㄱ, ㄴ

ㄱ. $p \longrightarrow q$: $ab\leq 0$에서 $a>0$, $b<0$ 또는 $a<0$, $b>0$ 또는 $a=0$ 또는 $b=0$이므로 $|a|+|b|\geq|a+b|$이다. (참)

　　$q \longrightarrow p$: [반례] $a>0$, $b>0$이면 $|a|+|b|=|a+b|$이지만 $ab>0$이다. (거짓)

　　따라서 $p \Longrightarrow q$이므로 p는 q이기 위한 충분조건이지만 필요조건은 아니다.

ㄴ. $p \longrightarrow q$: $a^2+b^2=0$에서 $a=b=0$이므로 $a^3-b^3=0$이다. (참)

　　$q \longrightarrow p$: [반례] $a=b=1$이면 $a^3-b^3=0$이지만 $a^2+b^2\neq 0$이다. (거짓)

　　따라서 $p \Longrightarrow q$이므로 p는 q이기 위한 충분조건이지만 필요조건은 아니다.

ㄷ. $\sim q \longrightarrow \sim p$: [반례] $a=1$, $b=1$, $c=0$이면 $(a-b)(b-c)(c-a)=0$이지만 $a^2+b^2+c^2\neq ab+bc+ca$이다. (거짓)

　　$\sim p \longrightarrow \sim q$: $a^2+b^2+c^2=ab+bc+ca$에서 $\dfrac{1}{2}\{(a-b)^2+(b-c)^2+(c-a)^2\}=0$

　　즉, $a=b=c$이므로 $(a-b)(b-c)(c-a)=0$이다. (참)

　　따라서 $q \Longrightarrow p$이므로 p는 q이기 위한 필요조건이지만 충분조건은 아니다.

따라서 보기에서 p가 q이기 위한 충분조건이지만 필요조건이 아닌 것은 ㄱ, ㄴ이다.

08 답 ③

주어진 명제의 대우는

'n이 3의 배수가 아니면 $7n^2-1$은 3의 배수이다.'

n이 자연수이고 3의 배수가 아니면

$n=3k-1$ 또는 $n=\boxed{^{(가)}\,3k-2}$ (k는 자연수)로 놓을 수 있다.

(i) $n=3k-1$일 때,

$$7n^2-1=7(3k-1)^2-1=3(\boxed{^{(나)}\,21k^2-14k+2})$$

이고 $\boxed{^{(나)}\,21k^2-14k+2}$는 자연수이므로 $7n^2-1$은 3의 배수이다.

(ii) $n=\boxed{^{(가)}\,3k-2}$일 때,

$$7n^2-1=7(3k-2)^2-1=3(\boxed{^{(다)}\,21k^2-28k+9})$$

이고 $\boxed{^{(다)}\,21k^2-28k+9}$는 자연수이므로 $7n^2-1$은 3의 배수이다.

(i), (ii)에서 주어진 명제의 대우가 참이므로 주어진 명제도 참이다.

따라서 $f(k)=3k-2$, $g(k)=21k^2-14k+2$, $h(k)=21k^2-28k+9$

이므로

$$f(k)+g(k)-h(k)=17k-9$$

$$\therefore f(5)+g(5)-h(5)=85-9=76$$

09 답 ⑤

ㄱ. $a>0$, $b>0$이므로

$$a^2+b^2-ab=(a-b)^2+ab>0$$

$$\therefore a^2+b^2>ab$$

ㄴ. $a>0$, $b>0$이므로

$|a|+|b|>0$, $|a-b|\geq0$

$$(|a|+|b|)^2-(|a-b|)^2$$
$$=(a^2+2|a||b|+b^2)-(a^2-2ab+b^2)$$
$$=4ab>0\ (\because |a||b|=|ab|=ab)$$

$$\therefore |a-b|<|a|+|b|$$

ㄷ. $a>0$, $b>0$이므로

$\sqrt{2a+2b}>0$, $\sqrt{a}+\sqrt{b}>0$

$$(\sqrt{2a+2b})^2-(\sqrt{a}+\sqrt{b})^2=2a+2b-(a+b+2\sqrt{ab})$$
$$=a+b-2\sqrt{ab}=(\sqrt{a}-\sqrt{b})^2\geq0$$

$$\therefore \sqrt{a}+\sqrt{b}\leq\sqrt{2a+2b}$$

따라서 보기에서 절대부등식인 것은 ㄱ, ㄴ, ㄷ이다.

10 답 ①

$$(2a-3b)\left(\frac{2}{a}-\frac{3}{b}\right)=13-6\left(\frac{a}{b}+\frac{b}{a}\right)$$

이때 $\dfrac{a}{b}>0$, $\dfrac{b}{a}>0$이므로 산술평균과 기하평균의 관계에 의하여

$$\frac{a}{b}+\frac{b}{a}\geq2\sqrt{\frac{a}{b}\times\frac{b}{a}}=2\ \left(\text{단, 등호는 } \frac{a}{b}=\frac{b}{a}\text{일 때 성립}\right)$$

$$\therefore (2a-3b)\left(\frac{2}{a}-\frac{3}{b}\right)\leq13-6\times2=1$$

따라서 $c\geq1$이므로 실수 c의 최솟값은 1이다.

11 답 68

x, y가 실수이므로 코시-슈바르츠의 부등식에 의하여

$$\left\{2^2+\left(\frac{1}{2}\right)^2\right\}\{x^2+(2y)^2\}\geq(2x+y)^2\ \left(\text{단, 등호는 } \frac{x}{2}=4y\text{일 때 성립}\right)$$

⋯⋯⋯⋯⋯⋯⋯⋯ 배점 50%

이때 $x^2+4y^2=8$이므로 $(2x+y)^2\leq\dfrac{17}{4}\times8=34$

$$\therefore -\sqrt{34}\leq2x+y\leq\sqrt{34}$$ ⋯⋯⋯⋯ 배점 30%

따라서 $M=\sqrt{34}$, $m=-\sqrt{34}$이므로

$$M^2+m^2=34+34=68$$ ⋯⋯⋯⋯⋯⋯ 배점 20%

step 2 고난도 문제 | 26~30쪽

01 ③	02 ①	03 256	04 ③	05 ㄴ, ㄷ	06 15
07 ①	08 ⑤	09 77	10 ③	11 ③	12 ①
13 ④	14 ③	15 ⑤	16 ④	17 3	18 ⑤
19 ②	20 $\dfrac{5}{2}$	21 ②	22 ④	23 ④	24 ②

01 답 ③

ㄱ. 명제 $p\longrightarrow\sim q$가 참이므로 $P\subset Q^C$

$$\therefore P\cap Q=\varnothing$$

ㄴ. 명제 $q\longrightarrow\sim r$가 참이므로 $Q\subset R^C$

$$\therefore R\subset Q^C$$

이때 ㄱ에서 $P\subset Q^C$이므로 $(P\cup R)\subset Q^C$

$$\therefore Q\subset(P\cup R)^C$$

ㄷ. [반례] 세 집합 P, Q, R의 포함 관계가 벤다이어그램과 같을 때, 즉 $P\cap Q=\varnothing$이고 $R\cap Q=\varnothing$이면 $P\subset Q^C$, $Q\subset R^C$이지만 $P\cup Q\cup R\neq U$이다.

따라서 보기에서 항상 옳은 것은 ㄱ, ㄴ이다.

02 답 ①

$x^2-(a-2)x-(2a^2+a-1)<0$에서

$x^2-(a-2)x-(a+1)(2a-1)<0$

$(x+a+1)(x-2a+1)<0$

$$\therefore -a-1<x<2a-1\ (\because a\text{는 양수})$$

따라서 조건 p의 진리집합을 P라 하면

$P=\{x\,|\,-a-1<x<2a-1\}$

$|x-4|\geq2$에서 $x-4\leq-2$ 또는 $x-4\geq2$

$$\therefore x\leq2 \text{ 또는 } x\geq6$$

따라서 조건 q의 진리집합을 Q라 하면

$Q=\{x\,|\,x\leq2 \text{ 또는 } x\geq6\}$

명제 $\sim p\longrightarrow q$가 참이려면 $P^C\subset Q$

$$\therefore Q^C\subset P$$

따라서 $Q^C\subset P$가 되도록 두 집합 P, Q^C을 수직선 위에 나타내면 그림과 같다.

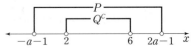

즉, $-a-1\leq2$이고 $6\leq2a-1$이어야 하므로

$a\geq-3$이고 $a\geq\dfrac{7}{2}$

$$\therefore a\geq\frac{7}{2}$$

따라서 구하는 양수 a의 최솟값은 $\dfrac{7}{2}$이다.

정답과 해설

03 답 256

$x^2 \le 2x+8$에서 $x^2-2x-8 \le 0$

$(x+2)(x-4) \le 0$

$\therefore -2 \le x \le 4$

이때 $U=\{1, 2, 3, 4, 5, 6, 7, 8\}$이므로

$P=\{1, 2, 3, 4\}$

명제 $p \longrightarrow q$가 참이므로 $P \subset Q$

$\therefore \{1, 2, 3, 4\} \subset Q$

즉, 집합 Q는 전체집합 U의 부분집합 중에서 1, 2, 3, 4를 원소로 갖는 부분집합과 같으므로 집합 Q의 개수는

$2^{8-4}=2^4=16$

또 명제 $\sim p \longrightarrow r$가 참이므로 $P^C \subset R$

$\therefore \{5, 6, 7, 8\} \subset R$

즉, 집합 R는 전체집합 U의 부분집합 중에서 5, 6, 7, 8을 원소로 갖는 부분집합과 같으므로 집합 R의 개수는

$2^{8-4}=2^4=16$

따라서 두 집합 Q, R의 순서쌍 (Q, R)의 개수는

$16 \times 16 = 256$

04 답 ③

(i) A가 진실을 말한 경우

　A는 P별에 살고 있으므로 A가 한 말은 거짓이 되어 가정에 모순이다.

(ii) A가 거짓을 말한 경우

　A는 Q별에 살고, P별에 사는 외계인이 있다.

　① B가 진실을 말한 경우

　　B는 P별에 살고, Q별에 사는 외계인이 2명이므로 C는 Q별에 산다.

　② B가 거짓을 말한 경우

　　B는 Q별에 살고, Q별에 사는 외계인은 2명이 아니어야 한다.

　　따라서 C도 Q별에 살고 있지만 P별에 사는 외계인이 없으므로 가정에 모순이다.

(i), (ii)에 의하여 A, C는 Q별에 살고, B는 P별에 산다.

따라서 보기에서 옳은 것은 ㄷ이다.

05 답 ㄴ, ㄷ

세 부분집합 P, Q, R가 각각 세 조건 p, q, r의 진리집합이고 $P \subset Q$, $Q^C \subset P$, $R^C \subset P$이므로 세 명제 $p \longrightarrow q$, $\sim q \longrightarrow p$, $\sim r \longrightarrow p$가 모두 참이다.

ㄱ. $R^C \subset P$에서 $P \cap R^C \ne \varnothing$이면 $P \not\subset R$이므로 명제

　$p \longrightarrow r$는 참이 아니다.

ㄴ. 두 명제 $\sim r \longrightarrow p$, $p \longrightarrow q$가 모두 참이므로 명제

　$\sim r \longrightarrow q$도 참이다.

ㄷ. $Q^C \subset P$이고 $P \subset Q$이므로

　$Q^C \subset Q$

　이때 $Q \cap Q^C = \varnothing$이고 $Q \ne \varnothing$이므로

　$Q^C = \varnothing$　$\therefore Q=U$

　따라서 명제 '$x \in U$인 모든 x에 대하여 q이다.'는 참이다.

따라서 보기에서 항상 참인 명제는 ㄴ, ㄷ이다.

06 답 15

명제 '어떤 실수 x에 대하여 $ax^2+10ax+5b \le 0$이다.'가 거짓이려면 이 명제의 부정인 '모든 실수 x에 대하여 $ax^2+10ax+5b>0$이다.'가 참이면 된다. ⋯⋯⋯⋯⋯⋯ 배점 **30%**

(i) $a=0$일 때,

　$0 \times x^2 + 0 \times x + 5b > 0$에서 $b>0$

　이때 b는 10 이하의 정수이므로 조건을 만족시키는 순서쌍 (a, b)는 $(0, 1)$, $(0, 2)$, $\cdots$, $(0, 10)$의 10개이다. ⋯⋯⋯⋯⋯ 배점 **20%**

(ii) $a>0$일 때,

　이차방정식 $ax^2+10ax+5b=0$의 판별식을 D라 하면

　$D=25a^2-5ab<0$, $5a(5a-b)<0$

　$5a-b<0$ $(\because a>0)$　$\therefore b>5a$

　이때 a, b는 10 이하의 정수이므로 조건을 만족시키는 순서쌍 (a, b)는 $(1, 6)$, $(1, 7)$, $(1, 8)$, $(1, 9)$, $(1, 10)$의 5개이다.

⋯⋯⋯⋯⋯⋯⋯⋯⋯⋯⋯⋯⋯⋯⋯⋯⋯⋯⋯⋯⋯⋯ 배점 **20%**

(iii) $a<0$일 때,

　이차함수 $y=ax^2+10ax+5b$의 그래프는 위로 볼록하므로 모든 실수 x에 대하여 $ax^2+10ax+5b>0$인 경우가 존재하지 않는다.

　즉, 조건을 만족시키는 10 이하의 정수 a, b는 존재하지 않는다.

⋯⋯⋯⋯⋯⋯⋯⋯⋯⋯⋯⋯⋯⋯⋯⋯⋯⋯⋯⋯⋯⋯ 배점 **20%**

(i), (ii), (iii)에서 구하는 정수 a, b의 순서쌍 (a, b)의 개수는

$10+5=15$ ⋯⋯⋯⋯⋯⋯⋯⋯⋯⋯⋯⋯⋯⋯⋯⋯ 배점 **10%**

비법 NOTE

(1) '모든 x에 대하여 p이다.'

　전체집합의 모든 원소가 조건 p를 만족시킨다는 것이 거짓임을 보이기 위해서는 조건 p를 거짓이 되게 하는 원소 x가 적어도 하나 존재함을 보이면 된다.

(2) '어떤 x에 대하여 p이다.'

　조건 p를 만족시키는 x가 존재한다는 것이 거짓임을 보이기 위해서는 전체집합의 모든 원소가 조건 p를 만족시키지 않음을 보이면 된다.

07 답 ①

$f(x)=x^2-8x+n$이라 할 때, $2 \le x \le 5$인 어떤 실수 x에 대하여 $f(x) \ge 0$이려면 $f(x) \ge 0$을 만족시키는 실수 x가 $2 \le x \le 5$인 범위에서 적어도 하나 존재해야 하므로 $2 \le x \le 5$에서 함수 $f(x)$의 최댓값이 0 이상이어야 한다.

$f(x)=x^2-8x+n=(x-4)^2+n-16$에서 함수 $y=f(x)$의 그래프의 꼭짓점의 x좌표 4는 $2 \le x \le 5$에 속하고 $f(2)=n-12$, $f(4)=n-16$, $f(5)=n-15$이므로 함수 $f(x)$는 $x=2$에서 최댓값 $n-12$를 갖는다.

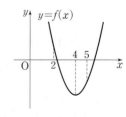

즉, $n-12 \ge 0$이어야 하므로 $n \ge 12$

따라서 구하는 자연수 n의 최솟값은 12이다.

08 답 ⑤

ㄱ. 역: '$x^2>y^2$이면 $|x|>|y|$이다.'

　$x^2>y^2$에서 $x^2-y^2>0$, $(x-y)(x+y)>0$

　$\therefore x-y>0$, $x+y>0$ 또는 $x-y<0$, $x+y<0$

　즉, $-x<y<x$ 또는 $x<y<-x$이므로 $|x|>|y|$이다. (참)

ㄴ. 역의 대우: '$(x-1)^2+y^2=0$이면 $3x+2y=3$이다.'

$(x-1)^2+y^2=0$에서 $x=1$, $y=0$

이를 $3x+2y=3$에 대입하면 성립하므로 참이다.

따라서 주어진 명제의 역의 대우가 참이므로 역도 참이다.

ㄷ. 역: '$x<y<0$이면 $x^3y^2<x^2y^3$이다.'

$x^3y^2<x^2y^3$에서 $x^3y^2-x^2y^3<0$

$x^2y^2(x-y)<0$ ∴ $xy\neq0$이고 $x<y$

따라서 $x<y<0$이면 $xy\neq0$이고 $x<y$이다. (참)

따라서 보기에서 주어진 명제의 역이 참인 것은 ㄱ, ㄴ, ㄷ이다.

09 답 77

명제 $\sim p \longrightarrow \sim q$가 참이므로 그 대우 $q \longrightarrow p$도 참이다.

따라서 두 명제 $p \longrightarrow q$, $q \longrightarrow p$가 모두 참이므로

$P\subset Q$, $Q\subset P$ ∴ $P=Q$

이때 $a<b<c$라 하면 $a+b<a+c<b+c$이므로

$a+b=9$ ······ ㉠

$a+c=10$ ······ ㉡

$b+c=11$ ······ ㉢

㉠+㉡+㉢을 하면 $2(a+b+c)=30$

$a+b+c=15$ ······ ㉣

㉣-㉢을 하면 $a=4$

㉣-㉡을 하면 $b=5$

㉣-㉠을 하면 $c=6$

∴ $a^2+b^2+c^2=16+25+36=77$

10 답 ③

명제 '$2a+1\in A$이면 $a\in A^c$이다.'가 참이므로 그 대우인 '$a\in A$이면 $2a+1\notin A$이다.'도 참이다.

따라서 다음이 성립한다.

$1\in A$이면 $3\notin A$이다.

$2\in A$이면 $5\notin A$이다.

$3\in A$이면 $7\notin A$이다.

$4\in A$이면 $9\notin A$이다. $\longrightarrow$ $a\geq5$이면 $2a+1\geq11$이 되어 $2a+1\notin S$이다.

따라서 위의 네 명제의 대우인 다음 명제도 모두 참이다.

$3\in A$이면 $1\notin A$이다.

$5\in A$이면 $2\notin A$이다.

$7\in A$이면 $3\notin A$이다.

$9\in A$이면 $4\notin A$이다.

따라서 집합 A는 4개의 순서쌍 $(1, 3)$, $(2, 5)$, $(3, 7)$, $(4, 9)$에 각각 포함된 2개의 수 중 하나씩만 원소로 가져야 하므로 집합 A의 원소의 합이 최대이려면 이 중 1, 5, 7, 9가 집합 A의 원소이어야 하고, 6, 8, 10은 모두 집합 A의 원소이어야 한다.

따라서 집합 A의 모든 원소의 합의 최댓값은

$1+5+6+7+8+9+10=46$

11 답 ③

네 조건 p, q, r, s를 다음과 같이 정하자.

p: 10대, 20대에게 선호도가 높다.

q: 판매량이 많다.

r: 가격이 싸다.

s: 기능이 많다.

이때 시장 조사의 결과 ㈎, ㈏, ㈐를 다음과 같이 나타낼 수 있다.

㈎ $p \longrightarrow q$

㈏ $r \longrightarrow q$

㈐ $s \longrightarrow p$

각각의 보기를 네 조건 p, q, r, s로 표현하면 다음과 같다.

① $s \longrightarrow \sim r$

참, 거짓을 알 수 없다.

② $\sim r \longrightarrow \sim q$

참, 거짓을 알 수 없다.

③ $\sim q \longrightarrow \sim s$

두 명제 $s \longrightarrow p$, $p \longrightarrow q$가 모두 참이므로 명제 $s \longrightarrow q$도 참이고, 그 대우 $\sim q \longrightarrow \sim s$도 참이다.

④ $p \longrightarrow s$

참, 거짓을 알 수 없다.

⑤ $p \longrightarrow \sim r$

참, 거짓을 알 수 없다.

따라서 항상 옳은 것은 ③이다.

12 답 ①

p는 q이기 위한 충분조건이므로 $P\subset Q$이고, r는 q이기 위한 필요조건이므로 $Q\subset R$이다.

따라서 $3\in Q$이므로 $a=3$ 또는 $a+b^2=3$

(i) $a=3$일 때,

$Q=\{3, b^2+3\}$, $R=\{4, b+1, 9b\}$

이때 $Q\subset R$이고 b는 자연수이므로

$b+1=3$ ∴ $b=2$

따라서 $Q=\{3, 7\}$, $R=\{3, 4, 18\}$이므로

$Q\not\subset R$

(ii) $a+b^2=3$일 때,

a, b는 자연수이므로 $a=2$, $b=1$

따라서 $Q=\{2, 3\}$, $R=\{2, 3, 4\}$이므로

$Q\subset R$

(i), (ii)에서 $a=2$, $b=1$이므로

$a+b=3$

13 답 ④

ㄱ. $p \longrightarrow q$: $A\cap B=U$이면 $A=B=U$ (참)

$q \longrightarrow p$: [반례] $U=\{1, 2\}$에 대하여 $A=\{1\}$, $B=\{1\}$이면

$A=B$이지만 $A\cap B\neq U$이다. (거짓)

따라서 $p \Longrightarrow q$이므로 q는 p이기 위한 필요조건이지만 충분조건은 아니다.

ㄴ. $p \longrightarrow q$: $A\cup B^c=(A^c\cap B)^c=U$에서

$A^c\cap B=\varnothing$

따라서 $B-A=\varnothing$이므로 $B\subset A$

∴ $A^c-B^c=\varnothing$ (참)

$q \longrightarrow p$: $A^c-B^c=\varnothing$이면 $A^c\subset B^c$이므로

$B\subset A$

∴ $A\cup B^c=U$ (참)

따라서 $p \Longleftrightarrow q$이므로 q는 p이기 위한 필요충분조건이다.

ㄷ. 집합 $(A^C \cup B) - (A^C \cap B)$를 벤다이어그램으로 나타내면 그림과 같다.

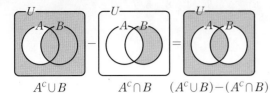

$$A^C \cup B \qquad A^C \cap B \qquad (A^C \cup B) - (A^C \cap B)$$

$p \longrightarrow q$: $(A^C \cup B) - (A^C \cap B) = \varnothing$이려면 $A \cap B = \varnothing$이고
$\qquad\qquad A \cup B = U$이어야 한다. (참)
$q \longrightarrow p$: [반례] $U = \{1, 2, 3\}$에 대하여 $A = \{1\}$, $B = \{2\}$이면
$\qquad\qquad A \cap B = \varnothing$이지만 $A \cup B \neq U$이다. (거짓)
따라서 $p \Longrightarrow q$이므로 q는 p이기 위한 필요조건이지만 충분조건은 아니다.

따라서 보기에서 조건 q가 조건 p이기 위한 필요조건이지만 충분조건이 아닌 것은 ㄱ, ㄷ이다.

14 답 ③

세 조건 p, q, r의 진리집합을 각각 P, Q, R라 하자.
p: $x^2 = a^2$에서 $x^2 - a^2 = 0$, $(x+a)(x-a) = 0$
$\quad \therefore x = -a$ 또는 $x = a$
따라서 $a = 0$이면 $P = \{0\}$, $a \neq 0$이면 $P = \{-a, a\}$
q: $x^3 = a^3$에서 $x^3 - a^3 = 0$, $(x-a)(x^2 + ax + a^2) = 0$
$\quad \therefore x = a$ $(\because x^2 + ax + a^2 \neq 0)$
따라서 $a = 0$이면 $Q = \{0\}$, $a \neq 0$이면 $Q = \{a\}$
r: $x^4 = a^4$에서 $x^4 - a^4 = 0$, $(x^2 - a^2)(x^2 + a^2) = 0$
$\quad (x+a)(x-a)(x^2 + a^2) = 0$
$\quad \therefore x = -a$ 또는 $x = a$ $(\because x^2 + a^2 \neq 0)$
따라서 $a = 0$이면 $R = \{0\}$, $a \neq 0$이면 $R = \{-a, a\}$
ㄱ. $P = R$이므로 r는 p이기 위한 필요충분조건이다.
ㄴ. $a \neq 0$이면 $Q \subset P$이므로 p는 q이기 위한 필요조건이다.
ㄷ. r가 q이기 위한 충분조건이면 $R \subset Q$이므로 $a = 0$이다.
따라서 보기에서 옳은 것은 ㄱ, ㄴ이다.

15 답 ⑤

p: $|a| + |b| = 0$에서 $|a| = 0$, $|b| = 0$이므로
$\quad a = b = 0$
q: $a^2 - 2ab + b^2 = 0$에서 $(a-b)^2 = 0$이므로
$\quad a = b$
r: $|a+b| = |a-b|$에서 $|a+b|^2 = |a-b|^2$
$\quad a^2 + 2|a||b| + b^2 = a^2 - 2|a||b| + b^2$
$\quad 4|a||b| = 0$
$\quad \therefore a = 0$ 또는 $b = 0$
ㄱ. $p \Longrightarrow q$이므로 p는 q이기 위한 충분조건이다.
ㄴ. $\sim p$: $a \neq 0$ 또는 $b \neq 0$
$\quad \sim r$: $a \neq 0$이고 $b \neq 0$
$\quad$ 따라서 $\sim r \Longrightarrow \sim p$이므로 p는 $\sim r$이기 위한 필요조건이다.
ㄷ. q이고 r: $a = b = 0$
$\quad$ 따라서 $(q$이고 $r) \Longleftrightarrow p$이므로 $(q$이고 $r)$는 p이기 위한 필요충분조건이다.
따라서 보기에서 옳은 것은 ㄱ, ㄴ, ㄷ이다.

16 답 ④

$(x-a)(x+a) \leq 0$에서 $-a \leq x \leq a$ $(\because a > 0)$
$\therefore A = \{x \mid -a \leq x \leq a\}$
$|x-4| < b$에서 $-b+4 < x < b+4$ $(\because b > 0)$
$\therefore B = \{x \mid -b+4 < x < b+4\}$
따라서 $A \cap B = \varnothing$을 만족시키는 경우는 다음과 같다.
(i) $a \leq -b+4$일 때,

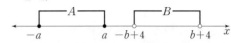

$\therefore a + b \leq 4$
(ii) $b+4 \leq -a$일 때,

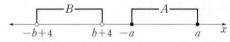

$\therefore a + b \leq -4$
그런데 $a > 0$, $b > 0$이므로 이를 만족시키는 a, b는 존재하지 않는다.
(i), (ii)에서 $A \cap B = \varnothing$이기 위한 필요충분조건은 $a + b \leq 4$이다.

17 답 3

두 조건 p, q의 진리집합을 각각 P, Q라 하자.
$x^2 - 6x + 5 \leq 0$에서 $(x-1)(x-5) \leq 0$
$\therefore 1 \leq x \leq 5$ $\quad \therefore P = \{x \mid 1 \leq x \leq 5\}$
$||x| - 4| \leq a$에서
$-a \leq |x| - 4 \leq a$ $\quad \therefore -a+4 \leq |x| \leq a+4$
$\therefore Q = \{x \mid -a+4 \leq |x| \leq a+4\}$ ┄┄┄┄ 배점 **20%**
이때 p가 q이기 위한 충분조건이려면 $P \subset Q$이어야 한다. ┄┄┄ 배점 **10%**
(i) $-a+4 < 0$, 즉 $a > 4$일 때,
$\quad -a+4 \leq |x| \leq a+4$에서
$\quad |x| \leq a+4$ $\quad \therefore -a-4 \leq x \leq a+4$
따라서 $P \subset Q$가 되도록 두 집합 P, Q를 수직선 위에 나타내면 그림과 같다.

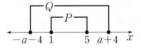

즉, $-a-4 \leq 1$이고 $5 \leq a+4$이므로
$a \geq -5$이고 $a \geq 1$ $\quad \therefore a \geq 1$
그런데 $a > 4$이므로 $a > 4$ ┄┄┄┄┄┄┄┄┄┄ 배점 **30%**
(ii) $-a+4 \geq 0$, 즉 $a \leq 4$일 때,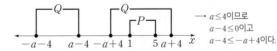
$\quad -a+4 \leq |x| \leq a+4$에서
$\quad -a+4 \leq -x \leq a+4$ 또는 $-a+4 \leq x \leq a+4$
$\quad \therefore -a-4 \leq x \leq a-4$ 또는 $-a+4 \leq x \leq a+4$
따라서 $P \subset Q$가 되도록 두 집합 P, Q를 수직선 위에 나타내면 그림과 같다.

즉, $-a+4 \leq 1$이고 $5 \leq a+4$이므로
$a \geq 3$이고 $a \geq 1$ $\quad \therefore a \geq 3$
그런데 $a \leq 4$이므로 $3 \leq a \leq 4$ ┄┄┄┄┄┄ 배점 **30%**
(i), (ii)에서 a의 값의 범위는 $a \geq 3$
따라서 자연수 a의 최솟값은 3이다. ┄┄┄┄┄ 배점 **10%**

18 답 ⑤

ㄱ. $(a+4b+1)-2(\sqrt{a}+2\sqrt{b}-2\sqrt{ab})$
$=(a+4b+4\sqrt{ab})-2(\sqrt{a}+2\sqrt{b})+1$
$=(\sqrt{a}+2\sqrt{b})^2-2(\sqrt{a}+2\sqrt{b})+1$
$=(\sqrt{a}+2\sqrt{b}-1)^2\geq 0$
$\therefore a+4b+1\geq 2(\sqrt{a}+2\sqrt{b}-2\sqrt{ab})$

ㄴ. $a-1=X$, $b+1=Y(X, Y$는 실수)로 놓으면
$(|X|+|Y|)^2-(X+Y)^2$
$=X^2+2|X||Y|+Y^2-X^2-2XY-Y^2$
$=2(|XY|-XY)\geq 0\ (\because |XY|\geq XY)$
$\therefore |X|+|Y|\geq |X+Y|$
$\therefore |a-1|+|b+1|\geq |a+b|$

ㄷ. $a>0$, $b>0$, $c>0$이므로 산술평균과 기하평균의 관계에 의하여
$a+b\geq 2\sqrt{ab}$, $b+c\geq 2\sqrt{bc}$, $c+a\geq 2\sqrt{ca}$이므로
$(a+b)(b+c)(c+a)\geq 2\sqrt{ab}\times 2\sqrt{bc}\times 2\sqrt{ca}$
$\qquad\qquad\qquad\qquad =8\sqrt{a^2b^2c^2}=8abc$
(단, 등호는 $a=b=c$일 때 성립)

따라서 보기에서 항상 옳은 것은 ㄱ, ㄴ, ㄷ이다.

19 답 ②

$x+1=t$로 놓으면 $t>0$이고
$\dfrac{x+1}{x^2-x+2}=\dfrac{t}{(t-1)^2-(t-1)+2}$
$\qquad\qquad\quad =\dfrac{t}{t^2-3t+4}=\dfrac{1}{t+\dfrac{4}{t}-3}$ ...... ㉠

이때 $t>0$이므로 산술평균과 기하평균의 관계에 의하여
$t+\dfrac{4}{t}\geq 2\sqrt{t\times\dfrac{4}{t}}=4$ $\left(단, 등호는 t=\dfrac{4}{t}일 때 성립\right)$

즉, $t+\dfrac{4}{t}$의 최솟값은 4이고, $t+\dfrac{4}{t}$의 값이 최소인 경우는 $t=\dfrac{4}{t}$, 즉
$t=2$일 때이므로 $x+1=t$에서 $x=1$일 때이다.

따라서 $x=1$일 때 ㉠은 최댓값 1을 가지므로 $a=1$, $b=1$
$\therefore a+b=2$

비법 NOTE
산술평균과 기하평균의 관계를 이용하는 경우
(1) 두 양수에 대하여 합이 일정할 때, 곱의 최댓값을 구하는 경우
(2) 두 양수에 대하여 곱이 일정할 때, 합의 최솟값을 구하는 경우

20 답 $\dfrac{5}{2}$

$4x+2y=k(k>0)$라 하자.

이때 $\dfrac{1}{x}>0$, $\dfrac{2}{y}>0$이므로 산술평균과 기하평균의 관계에 의하여
$\dfrac{1}{x}+\dfrac{2}{y}\geq 2\sqrt{\dfrac{1}{x}\times\dfrac{2}{y}}$ $\left(단, 등호는 \dfrac{1}{x}=\dfrac{2}{y}일 때 성립\right)$

이때 $\dfrac{1}{x}+\dfrac{2}{y}$의 값이 최소인 경우는 $\dfrac{1}{x}=\dfrac{2}{y}$, 즉 $y=2x$일 때이므로
$4x+2y=k$에서 $x=\dfrac{k}{8}$, $y=\dfrac{k}{4}$일 때이다.

따라서 $\alpha=\dfrac{k}{8}$, $\beta=\dfrac{k}{4}$이므로
$\dfrac{\alpha^2+\beta^2}{\alpha\beta}=\dfrac{\alpha}{\beta}+\dfrac{\beta}{\alpha}=\dfrac{4}{8}+\dfrac{8}{4}=\dfrac{5}{2}$

21 답 ②

$P=a^2-ab+b^2-a-b+1$이라 하고
$a=x+y$, $b=x-y$ ...... ㉠
로 놓으면 $a+b=2x$, $ab=x^2-y^2$이므로
$P=a^2-ab+b^2-a-b+1$
$=(a+b)^2-3ab-(a+b)+1$
$=(2x)^2-3(x^2-y^2)-2x+1$
$=x^2+3y^2-2x+1$
$=\boxed{\text{(가)} (x-1)^2}+3y^2$

이때 임의의 두 실수 x, y에 대하여 $P\geq 0$이므로 부등식
$a^2-ab+b^2\geq a+b-1$이 성립한다.
이때 등호는 $(x-1)^2+3y^2=0$, 즉 $x=1$, $y=0$일 때 성립하므로 ㉠에서
$a=\boxed{\text{(나)} 1}$, $b=\boxed{\text{(다)} 1}$일 때이다.
따라서 $f(x)=(x-1)^2$, $p=1$, $q=1$이므로
$f(12pq)=f(12)=11^2=121$

22 답 ④

$\overline{BC}=x$, $\overline{CA}=y(x>0, y>0)$로 놓으면
$4\overline{BC}^2+\overline{CA}^2=4x^2+y^2$
㈏의 $\overline{BC}+\overline{CA}=10$에서
$x+y=10$
이때 x, y가 실수이므로 코시-슈바르츠의 부등식에 의하여
$\left\{\left(\dfrac{1}{2}\right)^2+1^2\right\}\{(2x)^2+y^2\}\geq (x+y)^2$ $\left(단, 등호는 \dfrac{2x}{\frac{1}{2}}=\dfrac{y}{1}일 때 성립\right)$
$\dfrac{5}{4}(4x^2+y^2)\geq 10^2$
$4x^2+y^2\geq 80$

이때 $4x^2+y^2$의 값이 최소인 경우는 $\dfrac{2x}{\frac{1}{2}}=\dfrac{y}{1}$, 즉 $4x=y$일 때이므로

$x+y=10$에서 $x=2$, $y=8$일 때이다.
따라서 $4\overline{BC}^2+\overline{CA}^2$의 값이 최소일 때 $\overline{BC}=2$, $\overline{CA}=8$이다.
이때 삼각형 ABC는 $\overline{AB}=\overline{CA}=8$, $\overline{BC}=2$인 이등변삼각
형이므로 꼭짓점 A에서 선분 BC에 내린 수선의 발을 H
라 하면
$\overline{BH}=\dfrac{1}{2}\overline{BC}=1$
삼각형 ABH에서
$\overline{AH}=\sqrt{\overline{AB}^2-\overline{BH}^2}=\sqrt{8^2-1^2}=3\sqrt{7}$
따라서 삼각형 ABC의 넓이는
$\dfrac{1}{2}\times\overline{BC}\times\overline{AH}=\dfrac{1}{2}\times 2\times 3\sqrt{7}=3\sqrt{7}$

비법 NOTE
코시-슈바르츠의 부등식을 이용하는 경우
(1) 제곱의 합이 일정할 때, 일차식의 최댓값 또는 최솟값을 구하는 경우
(2) 일차식의 합이 일정할 때, 제곱의 합의 최솟값을 구하는 경우

idea
23 답 ④

$a=x^2+3$, $b=y+1$로 놓으면

$$\left(\frac{1}{x^2+3}+\frac{4}{y+1}\right)(x^2+y+4)=\left(\frac{1}{a}+\frac{4}{b}\right)(a+b)$$
$$=5+\frac{b}{a}+\frac{4a}{b}$$

이때 $\frac{b}{a}>0$, $\frac{4a}{b}>0$이므로 산술평균과 기하평균의 관계에 의하여

$$\frac{b}{a}+\frac{4a}{b}\geq2\sqrt{\frac{b}{a}\times\frac{4a}{b}}=4\ \left(\text{단, 등호는 }\frac{b}{a}=\frac{4a}{b}\text{일 때 성립}\right)$$

따라서 $\left(\frac{1}{a}+\frac{4}{b}\right)(a+b)$의 값이 최소인 경우는 $\frac{b}{a}=\frac{4a}{b}$, 즉 $b=2a$

$(\because a>0, b>0)$일 때이므로 $y+1=2(x^2+3)$에서

$y=2x^2+5\ (x>0)$일 때이다.

따라서 함수 $y=f(x)$의 그래프를 바르게 나타낸 것은 ④이다.

24 답 ②

직선 OP의 기울기는 $\frac{b}{a}$이므로 점 P(a,b)

를 지나고 직선 OP에 수직인 직선의 방정

식은

$$y=-\frac{a}{b}(x-a)+b$$

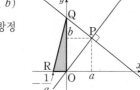

$x=0$을 대입하면

$$y=\frac{a^2}{b}+b$$

$$\therefore Q\left(0, \frac{a^2}{b}+b\right)$$

즉, 점 R$\left(-\frac{1}{a}, 0\right)$에 대하여 삼각형 OQR의 넓이는

$$\frac{1}{2}\times\frac{1}{a}\times\left(\frac{a^2}{b}+b\right)=\frac{1}{2}\left(\frac{a}{b}+\frac{b}{a}\right)$$

이때 $\frac{a}{b}>0$, $\frac{b}{a}>0$이므로 산술평균과 기하평균의 관계에 의하여

$$\frac{1}{2}\left(\frac{a}{b}+\frac{b}{a}\right)\geq\frac{1}{2}\times2\sqrt{\frac{a}{b}\times\frac{b}{a}}=1\ \left(\text{단, 등호는 }\frac{a}{b}=\frac{b}{a}\text{일 때 성립}\right)$$

따라서 삼각형 OQR의 넓이의 최솟값은 1이다.

step ❸ 최고난도 문제
| 31~33쪽

| 01 ② | 02 32 | 03 17 | 04 ④ | 05 26 | 06 ③ |
| 07 ② | 08 ③ | 09 39 | 10 10 | 11 28 |

01 답 ②

1단계 주어진 명제가 참일 때, 진리집합 사이의 포함 관계 알기

세 조건 p, q, r의 진리집합을 각각 P, Q, R라 하자.

세 명제 $p\longrightarrow q$, $p\longrightarrow r$, $\sim r\longrightarrow q$가 모두 참이 되려면

$P\subset Q$, $P\subset R$, $R^C\subset Q$이어야 한다.

2단계 진리집합 사이의 포함 관계를 수직선 위에 나타내기

이때 $P\subset Q$에서 $P\cap Q^c=\varnothing$이고 $R^C\subset Q$에서 $Q^C\subset R$이므로 이를 만족

시키도록 세 집합 P, Q^c, R를 수직선 위에 나타내면 그림과 같다.

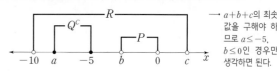

→ $a+b+c$의 최솟값을 구해야 하므로 $a\leq-5$, $b\leq0$인 경우만 생각하면 된다.

3단계 $a+b+c$의 최솟값 구하기

따라서 $-10<a\leq b$, $-5\leq b\leq c$, $c\geq0$이어야 하므로 정수 a, b, c에

대하여 $a+b+c$의 최솟값은 $a=-9$, $b=-5$, $c=0$일 때이다.

$$\therefore a+b+c=-9+(-5)+0=-14$$

02 답 32

1단계 $a^2+b^2\leq10$을 만족시키는 순서쌍 (a,b)의 개수 구하기

$a^2+b^2\leq10$에서 a, b는 정수이므로

$|b|=0$일 때, $|a|=0, 1, 2, 3 \longrightarrow b=0$이고 $a=0, \pm1, \pm2, \pm3$

$|b|=1$일 때, $|a|=0, 1, 2, 3 \longrightarrow b=\pm1$이고 $a=0, \pm1, \pm2, \pm3$

$|b|=2$일 때, $|a|=0, 1, 2 \longrightarrow b=\pm2$이고 $a=0, \pm1, \pm2$

$|b|=3$일 때, $|a|=0, 1 \longrightarrow b=\pm3$이고 $a=0, \pm1$

따라서 $a^2+b^2\leq10$을 만족시키는 순서쌍 (a,b)의 개수는

$$1\times7+2\times7+2\times5+2\times3=37$$

2단계 $q\longrightarrow p$가 참이 되도록 하는 진리집합 사이의 포함 관계를 수직선 위에 나타내기

두 조건 p, q의 진리집합을 각각 P, Q라 할 때, 명제 $q\longrightarrow p$가 참이려

면 $Q\subset P$이어야 하므로 이를 만족시키도록 두 집합 P, Q를 수직선 위

에 나타내면 그림과 같다.

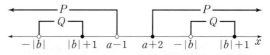

따라서 $|b|+1<a-1$ 또는 $a+2\leq-|b|$이므로

$a>|b|+2$ 또는 $a\leq-|b|-2$ $\quad$ …… ㉠

3단계 $q\longrightarrow p$가 참이 되도록 하는 순서쌍 (a,b)의 개수 구하기

(i) $a>|b|+2$일 때

　① $|b|=0$일 때, $a>2$

　　따라서 순서쌍 (a,b)는

　　$(3, 0)$

　② $|b|\geq1$일 때, $a>3$

　　따라서 조건을 만족시키는 순서쌍 (a,b)는 존재하지 않는다.

(ii) $a\leq-|b|-2$일 때

　① $|b|=0$일 때, $a\leq-2$

　　따라서 순서쌍 (a,b)는

　　$(-2, 0)$, $(-3, 0)$

　② $|b|=1$일 때, $a\leq-3$

　　따라서 순서쌍 (a,b)는

　　$(-3, -1)$, $(-3, 1)$

　③ $|b|\geq2$일 때, $a\leq-4$

　　따라서 조건을 만족시키는 순서쌍 (a,b)는 존재하지 않는다.

(i), (ii)에서 ㉠을 만족시키는 순서쌍 (a,b)는 $(3, 0)$, $(-2, 0)$,

$(-3, 0)$, $(-3, -1)$, $(-3, 1)$의 5개이다.

4단계 $q\longrightarrow p$가 거짓이 되도록 하는 순서쌍 (a,b)의 개수 구하기

따라서 명제 $q\longrightarrow p$가 거짓이 되도록 하는 순서쌍 (a,b)의 개수는

$$37-5=32$$

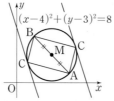

✦ 03 답 17

1단계 주어진 명제 이해하기

두 점 $A(6, 1)$, $B(2, 5)$에 대하여 선분 AB의 중점을 M이라 하면
$M(4, 3)$

삼각형 ABC의 외접원의 중심이 선분 AB의 중점이면 선분 AB는 외접
원의 지름이므로 이 원의 반지름의 길이는

$$\frac{1}{2}\overline{AB} = \frac{1}{2}\sqrt{(6-2)^2+(1-5)^2} = 2\sqrt{2}$$

즉, 삼각형 ABC의 외접원의 방정식은

$(x-4)^2 + (y-3)^2 = 8$ ...... ㉠

따라서 주어진 명제가 참이 되려면 점 C는 원 ㉠ 위의 점이어야 한다.

2단계 주어진 명제가 참이 되는 경우 찾기

그림에서 명제 '직선 $y=-3x+k$ 위의 어떤 점 C에 대하여 삼각형 ABC의 외접원의 중심은 선분 AB의 중점이다.'가 참이 되려면 직선 $y=-3x+k$와 원 ㉠이 적어도 한 점에서 만나야 한다.

3단계 주어진 명제가 참이 되도록 하는 k의 값의 범위 구하기

직선 $y=-3x+k$, 즉 $3x+y-k=0$과 원 ㉠의 교점이 한 개 이상이려
면 이 직선과 원의 중심 $M(4, 3)$ 사이의 거리가 원의 반지름의 길이
$2\sqrt{2}$보다 작거나 같아야 하므로

$$\frac{|12+3-k|}{\sqrt{3^2+1^2}} \leq 2\sqrt{2}$$

$|15-k| \leq 4\sqrt{5}$, $-4\sqrt{5} \leq 15-k \leq 4\sqrt{5}$

$\therefore 15-4\sqrt{5} \leq k \leq 15+4\sqrt{5}$ ...... ㉡

4단계 자연수 k의 개수 구하기

이때 $8 < 4\sqrt{5} < 9$이므로 ㉡에서
$6 < k < 24$

따라서 직선 $y=-3x+k$와 원 ㉠이 적어도 한 점에서 만나도록 하는
자연수 k는 7, 8, …, 23의 17개이다.

04 답 ④

1단계 조건 ㈎ 이해하기

㈎의 $(|a|+|b|)x \leq 2x-a^2+b^2$에서
$(|a|+|b|-2)x \leq b^2-a^2$

이 부등식이 모든 실수 x에 대하여 성립하려면 → $mx \leq n$이 항상 성립하려면 $m=0$, $n \geq 0$이다.

$|a|+|b|-2=0$, $b^2-a^2 \geq 0$

$\therefore |a|+|b|=2$, $a^2 \leq b^2$ ...... ㉠

2단계 조건 ㈏ 이해하기

㈏에서 명제 '어떤 실수 x에 대하여 $x^2-b^2 < a^2-4$'가 거짓이므로 이 명
제의 부정 '모든 실수 x에 대하여 $x^2-b^2 \geq a^2-4$'는 참이다.

$x^2-b^2 \geq a^2-4$에서 $x^2 \geq a^2+b^2-4$

이때 모든 실수 x에 대하여 $x^2 \geq a^2+b^2-4$가 성립하려면
$a^2+b^2-4 \leq 0$이어야 한다.

$\therefore a^2+b^2 \leq 4$ ...... ㉡

3단계 $2a^2-3b^2$의 최댓값과 최솟값 구하기

$|a|=X$, $|b|=Y$로 놓으면 $X \geq 0$, $Y \geq 0$이고

㉠, ㉡에서

$X+Y=2$, $X^2 \leq Y^2$, $X^2+Y^2 \leq 4$

이때 $Y=2-X$이므로

$X^2 \leq Y^2$에서 $X^2 \leq (2-X)^2$

$4X \leq 4$ $\therefore X \leq 1$ ...... ㉢

$X^2+Y^2 \leq 4$에서 $X^2+(2-X)^2 \leq 4$

$2X^2-4X \leq 0$, $2X(X-2) \leq 0$

$\therefore 0 \leq X \leq 2$ ...... ㉣

㉢, ㉣에서 $0 \leq X \leq 1$

$\therefore 2a^2-3b^2 = 2X^2-3Y^2 = 2X^2-3(2-X)^2$
$= -X^2+12X-12 = -(X-6)^2+24$

따라서 $X=1$일 때 최댓값 -1을 갖고, $X=0$일 때 최솟값 -12를 갖
는다.

4단계 $M-m$의 값 구하기

따라서 $M=-1$, $m=-12$이므로
$M-m=-1-(-12)=11$

05 답 26

1단계 두 함수 $y=f(x)$, $y=g(x)$의 그래프의 성질 파악하기

$f(x)=x^2-2x+6=(x-1)^2+5$이므로 이차함수 $y=f(x)$의 그래프는
직선 $x=1$에 대하여 대칭이다.

한편 $g(x)=-|x-t|+11 = \begin{cases} x-t+11 & (x<t) \\ -x+t+11 & (x \geq t) \end{cases}$ 이므로 함수

$y=g(x)$의 그래프는 직선 $x=t$에 대하여 대칭이다.

2단계 함수 $y=h(x)$의 그래프의 개형 그리기

따라서 함수 $h(x) = \begin{cases} f(x) & (f(x)<g(x)) \\ g(x) & (f(x) \geq g(x)) \end{cases}$ 의 그래프의 개형은 다음과

같이 세 가지로 나타난다.

(i) 두 함수 $y=f(x)$, $y=g(x)$의 그래프가 만나지 않거나 한 점에서만
만날 때, 모든 x의 값에 대하여 $f(x) \geq g(x)$이므로 $h(x)=g(x)$
이다.

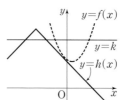 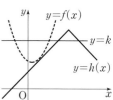

따라서 그림에서 함수 $y=h(x)$의 그래프와 직선 $y=k$가 서로 다른
세 점에서 만나도록 하는 실수 k는 존재하지 않는다.

(ii) 두 함수 $y=f(x)$, $y=g(x)$의 그래프의 두 교점의 x좌표가
α, β ($\alpha<\beta \leq 1$ 또는 $1 \leq \alpha<\beta$)일 때,

$h(x) = \begin{cases} g(x) & (x<\alpha) \\ f(x) & (\alpha \leq x<\beta) \\ g(x) & (x \geq \beta) \end{cases}$

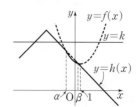 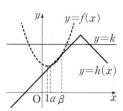

따라서 그림에서 함수 $y=h(x)$의 그래프와 직선 $y=k$가 서로 다른
세 점에서 만나도록 하는 실수 k는 존재하지 않는다.

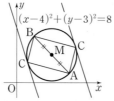

(iii) 두 함수 $y=f(x)$, $y=g(x)$의 그래프의 두 교점의 x좌표가
α, β $(\alpha<1<\beta)$일 때

① $f(\alpha)=f(\beta)$, 즉 $t=1$일 때,
$x^2-2x+6=-x+12$에서
$x^2-x-6=0$, $(x+2)(x-3)=0$
$\therefore x=-2$ 또는 $x=3$
이때 $\beta>1$이므로 $\beta=3$
$g(3)=-|3-1|+11=9$
따라서 함수 $y=h(x)$의 그래프와
직선 $y=k$가 서로 다른 세 점에서 만나도록 하는 실수 k의 값은
5뿐이다.

② $f(\alpha)>f(\beta)$일 때,
함수 $y=h(x)$의 그래프와 직선
$y=k$가 서로 다른 세 점에서 만나
도록 하는 실수 k의 값은 5와
$f(\beta)$ $(5<f(\beta)<9)$이다.

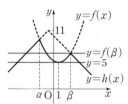

③ $f(\alpha)<f(\beta)$일 때,
함수 $y=h(x)$의 그래프와 직선
$y=k$가 서로 다른 세 점에서 만나
도록 하는 실수 k의 값은 5와
$f(\alpha)$ $(5<f(\alpha)<9)$이다.

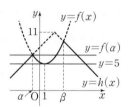

3단계 명제가 참이 되도록 하는 k의 값의 범위 구하기

(i), (ii), (iii)에서 명제 '어떤 실수 t에 대하여 함수 $y=h(x)$의 그래프와
직선 $y=k$는 서로 다른 세 점에서 만난다.'가 참이 되도록 하는 실수 k
의 값의 범위는 $5\le k<9$

4단계 모든 자연수 k의 값의 합 구하기

따라서 자연수 k의 값은 5, 6, 7, 8이므로 그 합은
$5+6+7+8=26$

06 답 ③

1단계 두 조건 p, q 파악하기

p: $(x+2a)^2+(y-a)^2=0$에서 $x=-2a$, $y=a$

q: $x^2+kxy+ky^2=0$에서

$$\left(x+\frac{k}{2}y\right)^2+ky^2-\frac{k^2}{4}y^2=0, \left(x+\frac{k}{2}y\right)^2+\left(k-\frac{k^2}{4}\right)y^2=0$$

이때 $k-\dfrac{k^2}{4}>0$에서 $k^2-4k<0$, $k(k-4)<0$

$\therefore 0<k<4$

따라서 $0<k<4$이면 $x+\dfrac{k}{2}y=0$, $y^2=0$이므로 $x=0$, $y=0$

2단계 ㄱ이 옳은지 확인하기

두 조건 p, q의 진리집합을 각각 P, Q라 하자.

ㄱ. $a=0$이면 $P=\{(x, y)|(0, 0)\}$
$k=2$이면 $Q=\{(x, y)|(0, 0)\}$
즉, $P=Q$이므로 p는 q이기 위한 필요충분조건이다.

3단계 ㄴ이 옳은지 확인하기

ㄴ. $a\ne0$이면 $P=\{(x, y)|(-2a, a)(a\ne0)\}$
$0<k<4$이면 $Q=\{(x, y)|(0, 0)\}$
즉, $P\not\subset Q$이므로 p는 q이기 위한 충분조건이 아니다.

4단계 ㄷ이 옳은지 확인하기

ㄷ. $a\ne0$이면 $P=\{(x, y)|(-2a, a)(a\ne0)\}$이고 p가 q이기 위한 충
분조건이면 $P\subset Q$이므로 $(-2a, a)\in Q$이어야 한다.
따라서 $x^2+kxy+ky^2=0$에 $x=-2a$, $y=a$를 대입하면
$4a^2-2ka^2+ka^2=0$, $a^2(4-k)=0$
$\therefore k=4$ $(\because a\ne0)$

5단계 옳은 것 구하기

따라서 보기에서 옳은 것은 ㄱ, ㄷ이다.

07 답 ②

1단계 주어진 조건 이해하기

$x+y+z=2$에서 $y+z=2-x$ ...... ㉠
$x^2+y^2+z^2=12$에서 $y^2+z^2=12-x^2$ ...... ㉡
이때 $y^2+z^2\ge0$이므로 $12-x^2\ge0$, $x^2\le12$
$\therefore -2\sqrt{3}\le x\le2\sqrt{3}$ ...... ㉢

2단계 x의 값의 범위 구하기

y, z가 실수이므로 코시-슈바르츠의 부등식에 의하여
$(1^2+1^2)(y^2+z^2)\ge(y+z)^2$ (단, 등호는 $y=z$일 때 성립)
㉠, ㉡을 대입하면
$2(12-x^2)\ge(2-x)^2$
$3x^2-4x-20\le0$, $(x+2)(3x-10)\le0$
$\therefore -2\le x\le\dfrac{10}{3}$ ...... ㉣

㉢, ㉣에서 실수 x의 값의 범위는
$-2\le x\le\dfrac{10}{3}$

3단계 x의 최댓값과 최솟값의 합 구하기

따라서 x의 최댓값은 $\dfrac{10}{3}$, 최솟값은 -2이므로 구하는 합은
$$\dfrac{10}{3}+(-2)=\dfrac{4}{3}$$

다른 풀이

$x+y+z=2$에서 $y+z=2-x$ ...... ㉠
$x^2+y^2+z^2=12$에서 $y^2+z^2=12-x^2$ ...... ㉡
이때 $y^2+z^2\ge0$이므로 $12-x^2\ge0$, $x^2\le12$
$\therefore -2\sqrt{3}\le x\le2\sqrt{3}$ ...... ㉢
$y^2+z^2=(y+z)^2-2yz$이므로 ㉠, ㉡을 대입하면
$12-x^2=(2-x)^2-2yz$
$\therefore yz=x^2-2x-4$ ...... ㉣
이때 두 실수 y, z를 근으로 하는 t에 대한 이차방정식
$t^2-(y+z)t+yz=0$의 판별식을 D라 하면
$D=(y+z)^2-4yz\ge0$
㉠, ㉣을 대입하면
$(2-x)^2-4(x^2-2x-4)\ge0$
$3x^2-4x-20\le0$, $(x+2)(3x-10)\le0$
$\therefore -2\le x\le\dfrac{10}{3}$ ...... ㉤

㉢, ㉤에서 실수 x의 값의 범위는
$-2\le x\le\dfrac{10}{3}$

따라서 x의 최댓값은 $\dfrac{10}{3}$, 최솟값은 -2이므로 구하는 합은
$$\dfrac{10}{3}+(-2)=\dfrac{4}{3}$$

idea

08 답 ③

1단계 $a+\dfrac{1}{a}=X$, $2b+\dfrac{1}{2b}=Y$로 놓고 $X+Y$ 구하기

$a+\dfrac{1}{a}=X$, $2b+\dfrac{1}{2b}=Y$ $(X>0, Y>0)$로 놓으면

$$X+Y=a+\dfrac{1}{a}+2b+\dfrac{1}{2b}$$
$$=(a+2b)+\dfrac{a+2b}{2ab}$$
$$=1+\dfrac{1}{2ab} \qquad \cdots\cdots \ㄱ$$

2단계 $X+Y$의 최솟값 구하기

이때 $a>0$, $b>0$이므로 산술평균과 기하평균의 관계에 의하여

$a+2b\geq 2\sqrt{2ab}$ (단, 등호는 $a=2b$일 때 성립)

$1\geq 2\sqrt{2ab}$, $2ab\leq \dfrac{1}{4}$

$\therefore \dfrac{1}{2ab}\geq 4$

㉠에서 $X+Y=1+\dfrac{1}{2ab}\geq 1+4=5 \qquad \cdots\cdots \ㄴ$

3단계 $\left(a+\dfrac{1}{a}\right)^2+\left(2b+\dfrac{1}{2b}\right)^2$의 최솟값 구하기

X, Y가 실수이므로 코시-슈바르츠의 부등식에 의하여

$(1^2+1^2)(X^2+Y^2)\geq (X+Y)^2$ (단, 등호는 $X=Y$일 때 성립)

$X^2+Y^2\geq \dfrac{1}{2}(X+Y)^2$

㉡에서 $\left(a+\dfrac{1}{a}\right)^2+\left(2b+\dfrac{1}{2b}\right)^2\geq \dfrac{1}{2}\times 5^2=\dfrac{25}{2}$

따라서 $\left(a+\dfrac{1}{a}\right)^2+\left(2b+\dfrac{1}{2b}\right)^2$의 최솟값은 $\dfrac{25}{2}$이다.

09 답 39

1단계 $S(A)\times S(B)$의 값 구하기

$A\cup B=\{1,2,3,4,5,6,7\}$, $A\cap B=\{5,7\}$이므로

$$S(A)\times S(B)=S(A\cup B)\times S(A\cap B)$$
$$=(1\times 2\times 3\times 4\times 5\times 6\times 7)\times (5\times 7)$$
$$=2^2\times 5^2\times 6^2\times 7^2$$
$$=420^2$$

2단계 $S(A)+S(B)$의 최솟값 구하기

이때 $S(A)>0$, $S(B)>0$이므로 산술평균과 기하평균의 관계에 의하여

$$S(A)+S(B)\geq 2\sqrt{S(A)\times S(B)}$$
$$=2\sqrt{420^2}=2\times 420$$
$$=840 \text{ (단, 등호는 } S(A)=S(B) \text{일 때 성립)}$$

3단계 $S(A)+S(B)$의 값이 최소일 때, 두 집합 A, B 구하기

$S(A)+S(B)$의 값이 최소일 때, $S(A)=S(B)=420$이고

$S(A\cap B)=35$이므로

$S(A-B)=S(B-A)=12$

이때 $n(A)<n(B)$를 만족시켜야 하므로 두 집합 A, B는

$A=\{2,5,6,7\}$, $B=\{1,3,4,5,7\}$

또는 $A=\{3,4,5,7\}$, $B=\{1,2,5,6,7\}$

4단계 $p+q$의 값 구하기

따라서 집합 A의 모든 원소의 합은 19 또는 20이므로

$p+q=19+20=39$

10 답 10

1단계 두 직선 l, m의 방정식 구하기

두 직선 l, m이 원 $(x-1)^2+(y-3)^2=1$의 넓이를 4등분 하므로

두 직선 l, m은 원의 중심 $(1,3)$을 지나고 서로 수직인 직선이다.

직선 l의 기울기가 a $(0<a<3)$이므로 직선 m의 기울기는

$b=-\dfrac{1}{a}$

따라서 두 직선 l, m의 방정식은

$l: y=a(x-1)+3$, $m: y=-\dfrac{1}{a}(x-1)+3$

2단계 S_1, S_2 구하기

직선 l의 x절편과 y절편은 각각 $1-\dfrac{3}{a}$, $3-a$이므로 직선 l과 x축, y축으로 둘러싸인 삼각형의 넓이 S_1은

$S_1=\dfrac{1}{2}\left(\dfrac{3}{a}-1\right)(3-a)=\dfrac{1}{2}\left(a+\dfrac{9}{a}-6\right)$ $(\because 0<a<3)$

직선 m의 x절편과 y절편은 각각 $1+3a$, $3+\dfrac{1}{a}$이므로 직선 m과 x축, y축으로 둘러싸인 삼각형의 넓이 S_2는

$S_2=\dfrac{1}{2}(1+3a)\left(3+\dfrac{1}{a}\right)=\dfrac{1}{2}\left(9a+\dfrac{1}{a}+6\right)$ $(\because 0<a<3)$

3단계 S_1+S_2의 최솟값 구하기

$\therefore S_1+S_2=\dfrac{1}{2}\left\{\left(a+\dfrac{9}{a}-6\right)+\left(9a+\dfrac{1}{a}+6\right)\right\}=\dfrac{1}{2}\left(10a+\dfrac{10}{a}\right)$

이때 $10a>0$, $\dfrac{10}{a}>0$이므로 산술평균과 기하평균의 관계에 의하여

$$\dfrac{1}{2}\left(10a+\dfrac{10}{a}\right)\geq \dfrac{1}{2}\times 2\sqrt{10a\times \dfrac{10}{a}}$$
$$=10 \text{ (단, 등호는 } 10a=\dfrac{10}{a} \text{일 때 성립)}$$

따라서 S_1+S_2의 최솟값은 10이다.

11 답 28

1단계 $\overline{PM}=x$, $\overline{PN}=y$로 놓고 x, y 사이의 관계식 구하기

$\overline{PM}=x$, $\overline{PN}=y$로 놓으면

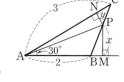

$\triangle ABC=\triangle ABP+\triangle APC$에서

$\dfrac{1}{2}\times 2\times 3\times \sin 30^\circ=\dfrac{1}{2}\times 2\times x+\dfrac{1}{2}\times 3\times y$

$\dfrac{3}{2}=x+\dfrac{3}{2}y$ $\quad\therefore 2x+3y=3 \qquad \cdots\cdots \ㄱ$

2단계 $\dfrac{\overline{AB}}{\overline{PM}}+\dfrac{\overline{AC}}{\overline{PN}}$의 최솟값 구하기

$\dfrac{\overline{AB}}{\overline{PM}}+\dfrac{\overline{AC}}{\overline{PN}}=\dfrac{2}{x}+\dfrac{3}{y}$이고

$3\left(\dfrac{2}{x}+\dfrac{3}{y}\right)=(2x+3y)\left(\dfrac{2}{x}+\dfrac{3}{y}\right)$ $(\because \ㄱ)$

$$=13+\dfrac{6x}{y}+\dfrac{6y}{x}$$

이때 $\dfrac{6x}{y}>0$, $\dfrac{6y}{x}>0$이므로 산술평균과 기하평균의 관계에 의하여

$$13+\dfrac{6x}{y}+\dfrac{6y}{x}\geq 13+2\sqrt{\dfrac{6x}{y}\times \dfrac{6y}{x}}$$
$$=25 \text{ (단, 등호는 } \dfrac{6x}{y}=\dfrac{6y}{x} \text{일 때 성립)}$$

즉, $\dfrac{2}{x}+\dfrac{3}{y}\geq \dfrac{25}{3}$이므로 $\dfrac{2}{x}+\dfrac{3}{y}$의 최솟값은 $\dfrac{25}{3}$이다.

3단계 $p+q$의 값 구하기

따라서 $p=3$, $q=25$이므로 $p+q=28$

01 ㄱ, ㄷ	02 ②	03 64	04 ④	05 5	06 21
07 ③	08 ⑤	09 ②	10 ⑤	11 ⑤	12 ⑤
13 ①	14 8	15 ①			

01 답 ㄱ, ㄷ

ㄱ. $n(A \cap B) = 3$에서 $A \cap B = \{2, 3, 5\}$이므로
$2 \in A, 3 \in A, 5 \in A$
2, 3, 5가 k의 약수이므로 k는 30의 배수이다.
이때 k는 40 이하의 자연수이므로 $k = 30$

ㄴ. $n(A \cap B) = 2$에서
$A \cap B = \{2, 3\}$ 또는 $A \cap B = \{2, 5\}$ 또는 $A \cap B = \{3, 5\}$
(ⅰ) $A \cap B = \{2, 3\}$일 때, $2 \in A, 3 \in A, 5 \notin A$
　따라서 k는 6의 배수이고 5의 배수는 아니다.
　이때 k는 40 이하의 자연수이므로 가능한 k의 값은 6, 12, 18,
　24, 36이다.
(ⅱ) $A \cap B = \{2, 5\}$일 때, $2 \in A, 5 \in A, 3 \notin A$
　따라서 k는 10의 배수이고 3의 배수는 아니다.
　이때 k는 40 이하의 자연수이므로 가능한 k의 값은 10, 20, 40
　이다.
(ⅲ) $A \cap B = \{3, 5\}$일 때, $3 \in A, 5 \in A, 2 \notin A$
　따라서 k는 15의 배수이고 2의 배수는 아니다.
　이때 k는 40 이하의 자연수이므로 가능한 k의 값은 15이다.
(ⅰ), (ⅱ), (ⅲ)에서 k는 6, 10, 12, 15, 18, 20, 24, 36, 40의 9개이다.

ㄷ. $n(A \cap B) = 1$에서
$A \cap B = \{2\}$ 또는 $A \cap B = \{3\}$ 또는 $A \cap B = \{5\}$
이때 $n(A)$의 값, 즉 k의 약수의 개수가 홀수이려면 k는 어떤 자연
수의 제곱이어야 한다.
(ⅰ) $A \cap B = \{2\}$일 때, $2 \in A, 3 \notin A, 5 \notin A$
　따라서 k는 2의 배수이고, 3과 5의 배수는 아니다.
　이때 k는 40 이하의 자연수이므로 가능한 k의 값은 4, 16이다.
(ⅱ) $A \cap B = \{3\}$일 때, $3 \in A, 2 \notin A, 5 \notin A$
　따라서 k는 3의 배수이고, 2와 5의 배수는 아니다.
　이때 k는 40 이하의 자연수이므로 가능한 k의 값은 9이다.
(ⅲ) $A \cap B = \{5\}$일 때, $5 \in A, 2 \notin A, 3 \notin A$
　따라서 k는 5의 배수이고, 2와 3의 배수는 아니다.
　이때 k는 40 이하의 자연수이므로 가능한 k의 값은 25이다.
(ⅰ), (ⅱ), (ⅲ)에서 $n(A)$의 값이 홀수가 되도록 하는 k는 4, 9, 16, 25
의 4개이다.

따라서 보기에서 옳은 것은 ㄱ, ㄷ이다.

02 답 ②

(개)에서
$(A \cup B^c) \cup B = A \cup U$
$\qquad\qquad\quad = U = \{1, 2, 3, 4, 5, 6\}$
$B \cap (A \cup B^c) = (B \cap A) \cup (B \cap B^c)$
$\qquad\qquad\quad\ = (B \cap A) \cup \varnothing$
$\qquad\qquad\quad\ = A \cap B = \{5, 6\}$
$\therefore B - A = \{1, 2\}$

(내)에서
$B - (A \cap X) = B \cap (A \cap X)^c$
$\qquad\qquad\quad\ = B \cap (A^c \cup X^c)$
$\qquad\qquad\quad\ = (B \cap A^c) \cup (B \cap X^c)$
$\qquad\qquad\quad\ = \underbrace{\{1, 2\}}_{B-A} \cup (B - X)$
이때 집합 $B - (A \cap X)$의 원소의 개수가 2이므로
$B - X \subset \{1, 2\}$
$\therefore 5 \in X, 6 \in X$
따라서 $\{5, 6\} \subset X \subset U$이므로 집합 X의 모든 원소의 합의 최댓값은
$X = \{1, 2, 3, 4, 5, 6\}$일 때이고 최솟값은 $X = \{5, 6\}$일 때이다.
$\therefore M = 1 + 2 + 3 + 4 + 5 + 6 = 21, m = 5 + 6 = 11$
$\therefore M + m = 32$

03 답 64

$(X - A^c)^c \cup (A - X) = (X \cap A)^c \cup (A \cap X^c)$
$\qquad\qquad\qquad\qquad\quad = (X^c \cup A^c) \cup (A \cap X^c)$
$\qquad\qquad\qquad\qquad\quad = \{(X^c \cup A^c) \cup A\} \cap \{(X^c \cup A^c) \cup X^c\}$
$\qquad\qquad\qquad\qquad\quad = \{X^c \cup (A^c \cup A)\} \cap \{(X^c \cup X^c) \cup A^c\}$
$\qquad\qquad\qquad\qquad\quad = (X^c \cup U) \cap (X^c \cup A^c)$
$\qquad\qquad\qquad\qquad\quad = U \cap (X^c \cup A^c)$
$\qquad\qquad\qquad\qquad\quad = X^c \cup A^c$
$\qquad\qquad\qquad\qquad\quad = (X \cap A)^c$
즉, $(X \cap A)^c = A^c$이므로
$X \cap A = A$　$\therefore A \subset X$
이때 $A = \{1, 2, 5, 10\}$이므로 집합 X는 1, 2, 5, 10을 모두 원소로 갖
는 전체집합 U의 부분집합이다.
따라서 구하는 부분집합 X의 개수는
$2^{10-4} = 2^6 = 64$

04 답 ④

$A^c = \{3, 4, 5, 6\}$이고 $A^c \cap B = \{3, 4\}$이므로 다음과 같이 집합
$A^c \cap B$의 원소가 집합 X에 포함되는 경우와 그렇지 않은 경우로 나눌
수 있다.
(ⅰ) $3 \in X$ 또는 $4 \in X$인 경우
　3을 원소로 갖는 집합 X의 개수는
　$2^{6-1} = 2^5 = 32$
　4를 원소로 갖는 집합 X의 개수는
　$2^{6-1} = 2^5 = 32$
　3, 4를 모두 원소로 갖는 집합 X의 개수는
　$2^{6-2} = 2^4 = 16$
　따라서 3 또는 4를 원소로 갖는 집합 X의 개수는
　$32 + 32 - 16 = 48$
(ⅱ) $3 \notin X$이고 $4 \notin X$인 경우
　3, 4를 제외한 집합 A^c의 원소는 5, 6이고 3, 4를 제외한 집합 B의
　원소는 2이므로 집합 X는 3, 4를 원소로 갖지 않고 2, 5 또는 2, 6
　을 원소로 가져야 한다.
　따라서 집합 X는 $\{2, 5\}, \{2, 6\}, \{2, 5, 6\}, \{1, 2, 5\}, \{1, 2, 6\},$
　$\{1, 2, 5, 6\}$의 6개이다.
(ⅰ), (ⅱ)에서 구하는 부분집합 X의 개수는
$48 + 6 = 54$

05 답 5

모바일 앱 A와 모바일 앱 B를 이용하는 사람의 집합을 각각 A, B라 하면

$n(A \cup B) = 90$

(개)에서 $n(A) + n(B) = 105$이므로

$n(A \cap B) = n(A) + n(B) - n(A \cup B) = 105 - 90 = 15$

따라서 두 모바일 앱 A, B 중 한 가지만 이용하는 사람의 수는

$n(A \cup B) - n(A \cap B) = 90 - 15 = 75$

(내)에서 두 모바일 앱 A, B 중 한 가지만 이용하는 남자의 수는 40, 두 모바일 앱 A, B 중 한 가지만 이용하는 여자의 수는 35이다.

따라서 모바일 앱 A 또는 B를 이용하는 여자의 수는 40이고 두 모바일 앱 A, B 중 한 가지만 이용하는 여자의 수는 35이므로 두 모바일 앱 A, B를 모두 이용하는 여자의 수는

$40 - 35 = 5$

다른 풀이

(내)에서 두 모바일 앱 A, B 중 한 가지만 이용하는 여자의 수를 x라 하면 두 모바일 앱 A, B 중 한 가지만 이용하는 남자의 수는 $x+5$이다.

또 두 모바일 앱 A, B를 모두 이용하는 여자의 수는 $40-x$이고, 두 모바일 앱 A, B를 모두 이용하는 남자의 수는 $50-(x+5) = 45-x$이다.

(개)에서

$\{(x+5) + 2(45-x)\} + \{x + 2(40-x)\} = 105$

$(-x+95) + (-x+80) = 105$

$2x = 70$ ∴ $x = 35$

따라서 두 모바일 앱 A, B를 모두 이용하는 여자의 수는

$40 - 35 = 5$

06 답 21

$3 \in X$이므로 (내)에서 $\dfrac{3+p}{2} \in X$

(i) $\dfrac{3+p}{2}$가 홀수일 때,

(내)에서 $\dfrac{\frac{3+p}{2} + p}{2} \in X$이므로 $\dfrac{3+3p}{4} \in X$

이때 $n(X) = 2$이므로

$\dfrac{3+3p}{4} = 3$ 또는 $\dfrac{3+3p}{4} = \dfrac{3+p}{2}$

$\dfrac{3+3p}{4} = 3$에서 $p = 3$, $\dfrac{3+3p}{4} = \dfrac{3+p}{2}$에서 $p = 3$

따라서 $p = 3$일 때, 집합 X는 3을 원소로 갖는다.

이때 집합 X의 나머지 한 원소를 a라 하면 $\underline{a는\ 짝수이므로}$

$\dfrac{a}{2} = 3$에서 $a = 6$

└→ 홀수인 경우는 $p = 3$인 경우에 모두 포함된다.

따라서 $p = 3$일 때, $X = \{3, 6\}$

(ii) $\dfrac{3+p}{2}$가 짝수일 때,

(내)에서 $\dfrac{\frac{3+p}{2}}{2} \in X$이므로 $\dfrac{3+p}{4} \in X$

이때 $n(X) = 2$이므로

$\dfrac{3+p}{4} = 3$ 또는 $\dfrac{3+p}{4} = \dfrac{3+p}{2}$

$\dfrac{3+p}{4} = 3$에서 $p = 9$, $\dfrac{3+p}{4} = \dfrac{3+p}{2}$에서 $p = -3$

이때 p는 자연수이므로 $p = 9$

$p = 9$일 때, (개)에서 $\dfrac{3+9}{2} = 6 \in X$, $\dfrac{6}{2} = 3 \in X$이므로 조건을 만족시킨다.

따라서 $p = 9$일 때, $X = \{3, 6\}$

(i), (ii)에서 조건을 만족시키는 자연수 p의 값은 3, 9이고 $X = \{3, 6\}$

∴ $m = 3 + 9 = 12$, $n = 3 + 6 = 9$ ∴ $m + n = 21$

07 답 ③

집합 A_k는 전체집합 U의 부분집합이므로 x는 30 이하의 자연수이고 $y - k$는 48의 약수이다.

이때 $y \in U$에서 $y - k < 30$이므로 $x \neq 1$

또 $x \in U$에서 $x \neq 48$이므로 $y - k \neq 1$

따라서 $y - k$의 값에 따른 x의 값은 다음 표와 같다.

$y-k$	2	3	4	6	8	12	16	24
x	24	16	12	8	6	4	3	2

∴ $A_k \subset \{2, 3, 4, 6, 8, 12, 16, 24\}$

$\dfrac{48-x}{6} \in U$에서 $48 - x$는 6의 배수이므로

$B = \{6, 12, 18, 24, 30\}$ ∴ $A_k \cap B^c \subset \{2, 3, 4, 8, 16\}$

(i) $2 \in A_k \cap B^c$, 즉 $2 \in A_k$일 때,

$x = 2$, $y - k = 24$에서 $y = 24 + k \leq 30$이므로

$k \leq 6$

(ii) $3 \in A_k \cap B^c$, 즉 $3 \in A_k$일 때,

$x = 3$, $y - k = 16$에서 $y = 16 + k \leq 30$이므로

$k \leq 14$

(iii) $4 \in A_k \cap B^c$, 즉 $4 \in A_k$일 때,

$x = 4$, $y - k = 12$에서 $y = 12 + k \leq 30$이므로

$k \leq 18$

(iv) $8 \in A_k \cap B^c$, 즉 $8 \in A_k$일 때,

$x = 8$, $y - k = 6$에서 $y = 6 + k \leq 30$이므로

$k \leq 24$

(v) $16 \in A_k \cap B^c$, 즉 $16 \in A_k$일 때,

$x = 16$, $y - k = 3$에서 $y = 3 + k \leq 30$이므로

$k \leq 27$

(i)~(v)에서

$k \leq 6$일 때, $A_k \cap B^c = \{2, 3, 4, 8, 16\}$

$6 < k \leq 14$일 때, $A_k \cap B^c = \{3, 4, 8, 16\}$

$14 < k \leq 18$일 때, $A_k \cap B^c = \{4, 8, 16\}$

$18 < k \leq 24$일 때, $A_k \cap B^c = \{8, 16\}$

$24 < k \leq 27$일 때, $A_k \cap B^c = \{16\}$

따라서 $n(A_k \cap B^c) = 2$가 되도록 하는 자연수 k는 19, 20, 21, 22, 23, 24의 6개이다.

08 답 ⑤

ㄱ. $a = 2$일 때,

$A_1 \cup A_2 \cup A_3 = \{x | 1 \leq x \leq 3\} \cup \{x | 2 \leq x \leq 4\} \cup \{x | 3 \leq x \leq 5\}$
$= \{x | 1 \leq x \leq 5\}$

따라서 집합 $A_1 \cup A_2 \cup A_3$의 원소 중 자연수는 1, 2, 3, 4, 5의 5개이다.

ㄴ. 두 자연수 l, $m (l < m)$에 대하여 두 집합 A_l, A_m이 서로소이면 $A_l \cap A_m = \varnothing$, 즉 $\{x | l \leq x \leq l+a\} \cap \{x | m \leq x \leq m+a\} = \varnothing$이므로 $l + a < m$, 즉 $m - l > a$이다.

ㄷ. $a=3$이면 $A_k=\{x\,|\,k\le x\le k+3,\ x$는 실수$\}$

$A_k\cap A_{k+1}\cap A_{k+2}\cap A_{k+3}\cap A_{k+4}=\varnothing\,(k=1,\ 2,\ 3,\ \cdots,\ 12)$이고,

$A_1\cap A_2\cap A_3\cap A_4=\{4\}$, $A_5\cap A_6\cap A_7\cap A_8=\{8\}$,

$A_9\cap A_{10}\cap A_{11}\cap A_{12}=\{12\}$, $A_{13}\cap A_{14}\cap A_{15}\cap A_{16}=\{16\}$이므로

$k\le16$인 모든 자연수 k에 대하여 모든 집합 A_k와 서로소가 아닌 유한집합 중 원소의 개수가 최소인 집합은 $\{4,\ 8,\ 12,\ 16\}$이고, 이 집합의 모든 원소의 합은

$4+8+12+16=40$

따라서 보기에서 옳은 것은 ㄱ, ㄴ, ㄷ이다.

09 답 ②

$f(x)=x^2-6x+n+4=(x-3)^2+n-5$라 할 때, $0\le x\le n$인 모든 실수 x에 대하여 $f(x)\ge0$이려면 $0\le x\le n$에서 함수 $f(x)$의 최솟값이 0 이상이어야 한다.

(ⅰ) $n<3$일 때,

$0\le x\le n$에서 함수 $f(x)$는 $x=n$일 때 최소이므로 $f(n)\ge0$이어야 한다.

즉, $n^2-5n+4\ge0$이므로 $(n-1)(n-4)\ge0$

$\therefore n\le1$ 또는 $n\ge4$

그런데 $n<3$이므로 $n\le1$

(ⅱ) $n\ge3$일 때,

$0\le x\le n$에서 함수 $f(x)$는 $x=3$일 때 최소이므로 $f(3)\ge0$이어야 한다.

즉, $n-5\ge0$이므로 $n\ge5$

(ⅰ), (ⅱ)에서 $n\le1$ 또는 $n\ge5$

따라서 조건을 만족시키는 10 이하의 자연수 n은 1, 5, 6, 7, 8, 9, 10의 7개이다.

10 답 ⑤

네 조건 p, q, r, s를 다음과 같이 정하자.

p: 가격이 비싸다. q: 선호도가 높다.

r: 가성비가 높다. s: 판매량이 많다.

이때 시장 조사의 결과 ㈎, ㈏, ㈐를 다음과 같이 나타낼 수 있다.

㈎ $p\longrightarrow\sim q$

㈏ $q\longrightarrow r$

㈐ $r\longrightarrow s$

각각의 보기를 네 조건 p, q, r, s로 표현하면 다음과 같다.

① $p\longrightarrow\sim r$

참, 거짓을 알 수 없다.

② $r\longrightarrow q$

참, 거짓을 알 수 없다.

③ $s\longrightarrow q$

참, 거짓을 알 수 없다.

④ $\sim r\longrightarrow\sim s$

참, 거짓을 알 수 없다.

⑤ $q\longrightarrow(s$이고 $\sim p)$

두 명제 $q\longrightarrow r$, $r\longrightarrow s$가 모두 참이므로 명제 $q\longrightarrow s$도 참이다.

또 명제 $p\longrightarrow\sim q$가 참이므로 대우 $q\longrightarrow\sim p$도 참이다.

따라서 명제 $q\longrightarrow(s$이고 $\sim p)$는 참이다.

따라서 항상 옳은 것은 ⑤이다.

11 답 ⑤

p: $a^3b^2+ab^4=0$에서 $ab^2(a^2+b^2)=0$ $\therefore a=0$ 또는 $b=0$

q: $a^2+ab+b^2\le0$에서 $\left(a+\dfrac{b}{2}\right)^2+\dfrac{3}{4}b^2\le0$

즉, $a=-\dfrac{b}{2}$, $b=0$이므로 $a=b=0$

r: $|a+b|=|a|+|b|$에서

$a=0$ 또는 $b=0$ 또는 $a>0$, $b>0$ 또는 $a<0$, $b<0$

ㄱ. $q\Longrightarrow r$이므로 q는 r이기 위한 충분조건이다.

ㄴ. $p\Longrightarrow r$이므로 r는 p이기 위한 필요조건이다.

ㄷ. p이고 r이면 $a=0$ 또는 $b=0$

즉, $q\Longrightarrow(p$이고 $r)$이므로 $(p$이고 $r)$는 q이기 위한 필요조건이다.

따라서 보기에서 옳은 것은 ㄱ, ㄴ, ㄷ이다.

12 답 ⑤

직선 PQ의 기울기는 $\dfrac{\dfrac{4}{a}+\dfrac{4}{b}}{a+b}=\dfrac{4}{ab}$이므로 두 점 P, Q를 지나는 직선과 평행하고 점 R$(-a,\ b)$를 지나는 직선의 방정식은

$y=\dfrac{4}{ab}(x+a)+b$ $\therefore$ S$\left(0,\ b+\dfrac{4}{b}\right)$

또 H$_1(a,\ 0)$, H$_2\left(0,\ \dfrac{4}{a}\right)$이므로

$\overline{\rm OS}+\overline{\rm OH_1}+\overline{\rm OH_2}=b+\dfrac{4}{b}+a+\dfrac{4}{a}=\left(a+\dfrac{4}{a}\right)+\left(b+\dfrac{4}{b}\right)$

이때 $a>0$, $b>0$이므로 산술평균과 기하평균의 관계에 의하여

$a+\dfrac{4}{a}\ge2\sqrt{a\times\dfrac{4}{a}}=4$ (단, 등호는 $a=\dfrac{4}{a}$일 때 성립)

$b+\dfrac{4}{b}\ge2\sqrt{b\times\dfrac{4}{b}}=4$ (단, 등호는 $b=\dfrac{4}{b}$일 때 성립)

$\therefore \overline{\rm OS}+\overline{\rm OH_1}+\overline{\rm OH_2}\ge4+4=8$

따라서 $\overline{\rm OS}+\overline{\rm OH_1}+\overline{\rm OH_2}$의 최솟값은 8이다.

13 답 ①

$f(x)=-4x^2+\dfrac{5}{2}$이므로 이차함수 $y=f(x)$의 그래프는 y축에 대하여 대칭이다.

한편 $g(x)=|x-t|+1=\begin{cases}-x+t+1\ (x<t)\\x-t+1\ \ (x\ge t)\end{cases}$이므로 함수 $y=g(x)$의 그래프는 직선 $x=t$에 대하여 대칭이다.

따라서 함수 $h(x)=\begin{cases}f(x)\ (g(x)<f(x))\\g(x)\ (g(x)\ge f(x))\end{cases}$의 그래프의 개형은 다음과 같이 세 가지로 나타난다.

(ⅰ) 두 함수 $y=f(x)$, $y=g(x)$의 그래프가 만나지 않거나 한 점에서만 만날 때,

모든 x의 값에 대하여 $f(x)\le g(x)$이므로 $h(x)=g(x)$이다.

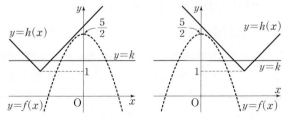

따라서 그림에서 함수 $y=h(x)$의 그래프와 직선 $y=k$의 교점의 개수가 3 이상이 되도록 하는 실수 k는 존재하지 않는다.

(ii) 두 함수 $y=f(x)$, $y=g(x)$의 그래프의 두 교점의 x좌표가
α, β $(\alpha<\beta\le0$ 또는 $0\le\alpha<\beta)$일 때,

$$h(x)=\begin{cases} g(x) & (x<\alpha) \\ f(x) & (\alpha\le x<\beta) \\ g(x) & (x\ge\beta) \end{cases}$$

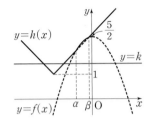 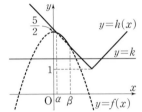

따라서 그림에서 함수 $y=h(x)$의 그래프와 직선 $y=k$의 교점의 개수가 3 이상이 되도록 하는 실수 k는 존재하지 않는다.

(iii) 두 함수 $y=f(x)$, $y=g(x)$의 그래프의 두 교점의 x좌표가 α, β $(\alpha<0<\beta)$일 때

① $f(\alpha)=f(\beta)$, 즉 $t=0$일 때,

$-4x^2+\dfrac{5}{2}=x+1$에서

$8x^2+2x-3=0$

$(4x+3)(2x-1)=0$

$\therefore x=-\dfrac{3}{4}$ 또는 $x=\dfrac{1}{2}$

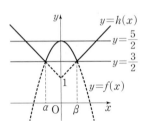

이때 $\beta>0$이므로

$\beta=\dfrac{1}{2}$

따라서 함수 $y=h(x)$의 그래프와 직선 $y=k$의 교점의 개수가 3 이상이 되도록 하는 실수 k의 값의 범위는

$f\left(\dfrac{1}{2}\right)<k\le f(0)$

$\therefore \dfrac{3}{2}<k\le\dfrac{5}{2}$

② $f(\alpha)>f(\beta)$ 또는 $f(\alpha)<f(\beta)$일 때,

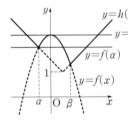 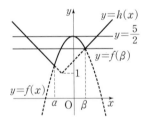

함수 $y=h(x)$의 그래프와 직선 $y=k$의 교점의 개수가 3 이상이 되도록 하는 실수 k의 값의 범위는

$f(\alpha)>f(\beta)$일 때, $f(\alpha)\le k\le f(0)$

$\therefore f(\alpha)\le k\le\dfrac{5}{2}$

$f(\alpha)<f(\beta)$일 때, $f(\beta)\le k\le f(0)$

$\therefore f(\beta)\le k\le\dfrac{5}{2}$

(i), (ii), (iii)에서 명제 '어떤 실수 t에 대하여 함수 $y=h(x)$의 그래프와 직선 $y=k$의 교점의 개수는 3 이상이다.'가 참이 되도록 하는 실수 k의 값의 범위는

$\dfrac{3}{2}<k\le\dfrac{5}{2}\left(\because f(\alpha)>\dfrac{3}{2},\ f(\beta)>\dfrac{3}{2}\right)$

따라서 자연수 k의 값은 2이다.

14 답 8

두 직선 l, m이 원 $(x-2)^2+(y-4)^2=4$의 넓이를 4등분 하므로 두 직선 l, m은 원의 중심 $(2, 4)$를 지나고 서로 수직인 직선이다.

직선 l의 기울기가 t $(t>0)$이므로 직선 m의 기울기는 $-\dfrac{1}{t}$

따라서 직선 m의 방정식은

$y=-\dfrac{1}{t}(x-2)+4$

직선 m의 x절편과 y절편이 각각 $2+4t$, $4+\dfrac{2}{t}$이므로 직선 m과 x축, y축으로 둘러싸인 삼각형의 넓이 $f(t)$는

$f(t)=\dfrac{1}{2}\times(2+4t)\times\left(4+\dfrac{2}{t}\right)$

$\quad\quad=2\left(4t+\dfrac{1}{t}+4\right)$ $(\because t>0)$

이때 $t>0$이므로 산술평균과 기하평균의 관계에 의하여

$4t+\dfrac{1}{t}\ge2\sqrt{4t\times\dfrac{1}{t}}=4$ $\left(\text{단, 등호는 } 4t=\dfrac{1}{t}\text{일 때 성립}\right)$

이때 $4t+\dfrac{1}{t}$의 값이 최소인 경우는 $4t=\dfrac{1}{t}$, 즉 $t=\dfrac{1}{2}$일 때이므로 $f(t)$의 최솟값은

$2\left(4t+\dfrac{1}{t}+4\right)=2\times8=16$

따라서 $a=\dfrac{1}{2}$, $k=16$이므로

$ak=8$

15 답 ①

삼각형 ABC의 넓이를 S라 하고 $\overline{DE}=x$, $\overline{DF}=y$로 놓으면

$\triangle ABC=\triangle ABD+\triangle ADC$이므로

$S=\dfrac{1}{2}\times\overline{AB}\times\overline{DE}+\dfrac{1}{2}\times\overline{AC}\times\overline{DF}$

$\quad=\dfrac{1}{2}\times8\times x+\dfrac{1}{2}\times6\times y$

$\therefore S=4x+3y$ ...... ㉠

$(4x+3y)\left(\dfrac{4}{x}+\dfrac{3}{y}\right)=25+12\left(\dfrac{x}{y}+\dfrac{y}{x}\right)$

이때 $\dfrac{x}{y}>0$, $\dfrac{y}{x}>0$이므로 산술평균과 기하평균의 관계에 의하여

$25+12\left(\dfrac{x}{y}+\dfrac{y}{x}\right)\ge25+24\sqrt{\dfrac{x}{y}\times\dfrac{y}{x}}$

$\quad\quad\quad\quad\quad\quad=49$ $\left(\text{단, 등호는 } \dfrac{x}{y}=\dfrac{y}{x}\text{일 때 성립}\right)$

$\therefore (4x+3y)\left(\dfrac{4}{x}+\dfrac{3}{y}\right)\ge49$

위의 식에 ㉠을 대입하면

$S\left(\dfrac{4}{x}+\dfrac{3}{y}\right)\ge49$ $\therefore \dfrac{4}{x}+\dfrac{3}{y}\ge\dfrac{49}{S}$

따라서 $\dfrac{4}{x}+\dfrac{3}{y}$의 최솟값은 $\dfrac{49}{S}$이다.

이때 $\dfrac{4}{\overline{DE}}+\dfrac{3}{\overline{DF}}$, 즉 $\dfrac{4}{x}+\dfrac{3}{y}$의 최솟값이 $\dfrac{7}{3}$이므로

$\dfrac{49}{S}=\dfrac{7}{3}$ $\therefore S=21$

03 함수

step ① 핵심 문제 | 40~41쪽

01 ①	02 $\dfrac{5}{6}$	03 ③	04 9	05 5	06 ②
07 ①	08 -1	09 ④	10 ③		
11 $k<-2$ 또는 $k>2$		12 4			

01 답 ①

집합 X의 임의의 원소 x에 대하여 $f(x)=g(x)$이어야 하므로
$2x^2-x=2x-1$, $2x^2-3x+1=0$
$(2x-1)(x-1)=0$ ∴ $x=\dfrac{1}{2}$ 또는 $x=1$
따라서 집합 X는 집합 $\left\{\dfrac{1}{2}, 1\right\}$의 공집합이 아닌 부분집합이므로
구하는 집합 X의 개수는 └ $\left\{\dfrac{1}{2}\right\}$, $\{1\}$, $\left\{\dfrac{1}{2}, 1\right\}$
$2^2-1=3$

02 답 $\dfrac{5}{6}$

$f(x+y)=f(x)+f(y)$ …… ㉠
㉠의 양변에 $x=1$, $y=1$을 대입하면
$f(1+1)=f(1)+f(1)$
∴ $f(2)=2f(1)$
㉠의 양변에 $x=1$, $y=2$를 대입하면
$f(1+2)=f(1)+f(2)$
∴ $f(3)=f(1)+f(2)=f(1)+2f(1)=3f(1)$
$f(1)+f(2)+f(3)=10$이므로
$f(1)+2f(1)+3f(1)=10$, $6f(1)=10$
∴ $f(1)=\dfrac{5}{3}$
㉠의 양변에 $x=\dfrac{1}{2}$, $y=\dfrac{1}{2}$을 대입하면
$f\left(\dfrac{1}{2}+\dfrac{1}{2}\right)=f\left(\dfrac{1}{2}\right)+f\left(\dfrac{1}{2}\right)$, $f(1)=2f\left(\dfrac{1}{2}\right)$
∴ $f\left(\dfrac{1}{2}\right)=\dfrac{1}{2}f(1)=\dfrac{1}{2}\times\dfrac{5}{3}=\dfrac{5}{6}$

03 답 ③

$x\geq2$일 때, $f(x)=-x^2-4x+k=-(x+2)^2+4+k$이므로 함수 $f(x)$는 $x=2$에서 최댓값 $f(2)$를 갖는다.
따라서 집합 $X=\{x|x\geq2\}$에서 집합 $Y=\{y|y\leq8\}$로의 함수 $f(x)$가 일대일대응이려면 $f(2)=8$이어야 하므로
$-(2+2)^2+4+k=8$
∴ $k=20$

04 답 9

함수 $f(x)$가 항등함수이므로 $f(x)=x$
(i) $x<0$일 때, $x=-1$
(ii) $0\leq x<4$일 때,
$-x+4=x$에서 $2x=4$ ∴ $x=2$

(iii) $x\geq4$일 때,
$x^2-5x-16=x$에서 $x^2-6x-16=0$
$(x+2)(x-8)=0$ ∴ $x=8$ (∵ $x\geq4$)
(i), (ii), (iii)에서 $X=\{-1, 2, 8\}$이므로
$a+b+c=-1+2+8=9$

05 답 5

함수 h는 항등함수이므로 $h(3)=3$
∴ $f(0)=g(1)=h(3)=3$
함수 f는 상수함수이므로 $f(1)=f(2)=f(3)=f(0)=3$
$g(0)g(1)+g(2)g(3)=f(3)$에서
$3g(0)+g(2)g(3)=3$ …… ㉠
이때 함수 g는 일대일대응이고 $g(1)=3$이므로
$\{g(0), g(2), g(3)\}=\{0, 1, 2\}$
따라서 ㉠을 만족시키려면
$g(0)=1$, $g(2)=2$, $g(3)=0$ 또는 $g(0)=1$, $g(2)=0$, $g(3)=2$
∴ $f(1)+g(2)+g(3)=5$

06 답 ②

$f(a)=b$라 하면 $(f\circ f)(a)=4$에서
$f(f(a))=f(b)=4$
주어진 그래프에서 $f(b)=4$를 만족시키는 b의 값은
$b=2$ 또는 $b=4$
∴ $f(a)=2$ 또는 $f(a)=4$
(i) $f(a)=2$일 때, $a=3$
(ii) $f(a)=4$일 때, $a=2$ 또는 $a=4$
(i), (ii)에서 $a=2$ 또는 $a=3$ 또는 $a=4$
따라서 모든 실수 a의 값의 합은
$2+3+4=9$

07 답 ①

$f^1(x)=f(x)=-x+2$
$f^2(x)=(f\circ f)(x)=f(f(x))=-(-x+2)+2=x$
$\vdots$
∴ $f^n(x)=\begin{cases}-x+2 & (n\text{은 홀수})\\ x & (n\text{은 짝수})\end{cases}$
∴ $f^{10}(2)+f^{11}(2)=2+(-2+2)=2$

08 답 -1

$f(2)=-1$
$f^2(2)=(f\circ f)(2)=f(f(2))=f(-1)=1$
$f^3(2)=(f\circ f^2)(2)=f(f^2(2))=f(1)=0$
$f^4(2)=(f\circ f^3)(2)=f(f^3(2))=f(0)=-2$
$f^5(2)=(f\circ f^4)(2)=f(f^4(2))=f(-2)=2$
$f^6(2)=(f\circ f^5)(2)=f(f^5(2))=f(2)=-1$
$\vdots$
즉, $f^n(2)$의 값은 -1, 1, 0, -2, 2가 이 순서대로 반복된다.
∴ $f(2)+f^2(2)+f^3(2)+\cdots+f^{16}(2)$
$=3\times\{-1+1+0+(-2)+2\}+(-1)$
$=-1$

09 답 ④

함수 $f(x)$의 함숫값을 구하면
$f(0)=0$, $f(1)=2$, $f(2)=4$, $f(3)=1$, $f(4)=3$
함수 $g:X \longrightarrow X$는 집합 X의 모든 원소 x에 대하여
$(f \circ g)(x)=(g \circ f)(x)$를 만족시키므로
$(f \circ g)(0)=(g \circ f)(0)$에서 $f(g(0))=g(f(0))$
$f(0)=0$이므로 $f(g(0))=g(0)$ ∴ $g(0)=0$
$(f \circ g)(3)=(g \circ f)(3)$에서 $f(g(3))=g(f(3))$
$f(3)=1$이고 $g(1)=3$이므로 $f(g(3))=3$
이때 $f(4)=3$이므로 $g(3)=4$
∴ $g(0)+g(3)=0+4=4$

10 답 ③

$(f \circ f)(x)=f(f(x))=x$에서 $f(f(4))=4$
이때 $f(4)=5$이므로 $f(5)=4$
$(f \circ f)(x)=x$이려면 집합 X의 임의의 두 원소
a, b $(a=1, 2, 3$, $b=1, 2, 3)$에 대하여 $a=b$이면 $f(a)=a$, $a \neq b$이면
$f(a)=b$, $f(b)=a$이어야 한다.
(ⅰ) $f(a)=a$인 경우
  $f(1)=1$, $f(2)=2$, $f(3)=3$이므로 함수 f의 개수는 1
(ⅱ) $f(a)=b$, $f(b)=a$ $(a \neq b)$인 경우
  a, b가 될 수 있는 수는 $(1, 2)$, $(1, 3)$, $(2, 3)$의 3가지이고, 이 각
  각에 대하여 나머지 1개의 원소는 자기 자신에 대응하면 된다. 즉,
  $f(1)=2$, $f(2)=1$, $f(3)=3$
  또는 $f(1)=3$, $f(2)=2$, $f(3)=1$
  또는 $f(1)=1$, $f(2)=3$, $f(3)=2$
  이므로 함수 f의 개수는 3
(ⅰ), (ⅱ)에서 구하는 함수 f의 개수는
$1+3=4$

11 답 $k<-2$ 또는 $k>2$

$f(x)=|2x+1|+kx-3$에서
(ⅰ) $2x+1<0$, 즉 $x<-\dfrac{1}{2}$일 때,
  $f(x)=-(2x+1)+kx-3=(k-2)x-4$
(ⅱ) $2x+1 \geq 0$, 즉 $x \geq -\dfrac{1}{2}$일 때,
  $f(x)=(2x+1)+kx-3=(k+2)x-2$
(ⅰ), (ⅱ)에서

$f(x)=\begin{cases} (k-2)x-4 & \left(x<-\dfrac{1}{2}\right) \\ (k+2)x-2 & \left(x \geq -\dfrac{1}{2}\right) \end{cases}$ ······ 배점 30%

함수 $f(x)$의 역함수가 존재하려면 $f(x)$는 일대일대응이어야 한다.
······ 배점 20%

따라서 두 직선 $y=(k-2)x-4$, $y=(k+2)x-2$의 기울기의 부호가
서로 같아야 하므로
$(k-2)(k+2)>0$
∴ $k<-2$ 또는 $k>2$ ······ 배점 50%

개념 NOTE
함수 $f(x)$의 역함수가 존재한다. $\Longleftrightarrow$ 함수 $f(x)$는 일대일대응이다.

12 답 4

$(f \circ f)^{-1}(10)=(f^{-1} \circ f^{-1})(10)=f^{-1}(f^{-1}(10))$
$f^{-1}(10)=a$라 하면 $f(a)=10$
$x>4$일 때, $f(x)=x+3>7$이므로
$a+3=10$ ∴ $a=7$
$f^{-1}(7)=b$라 하면 $f(b)=7$
$x \leq 4$일 때, $f(x)=2x-1 \leq 7$이므로
$2b-1=7$ ∴ $b=4$
∴ $(f \circ f)^{-1}(10)=(f^{-1} \circ f^{-1})(10)$
  $=f^{-1}(f^{-1}(10))$
  $=f^{-1}(7)=4$

다른 풀이

$y=2x-1 \ (x \leq 4)$이라 하면
$x=\dfrac{1}{2}y+\dfrac{1}{2} \ (y \leq 7)$
x와 y를 서로 바꾸면
$y=\dfrac{1}{2}x+\dfrac{1}{2} \ (x \leq 7)$
$y=x+3 \ (x>4)$이라 하면
$x=y-3 \ (y>7)$
x와 y를 서로 바꾸면
$y=x-3 \ (x>7)$
∴ $f^{-1}(x)=\begin{cases} \dfrac{1}{2}x+\dfrac{1}{2} & (x \leq 7) \\ x-3 & (x>7) \end{cases}$
∴ $(f \circ f)^{-1}(10)=(f^{-1} \circ f^{-1})(10)$
  $=f^{-1}(f^{-1}(10))$
  $=f^{-1}(7)=4$

step ❷ 고난도 문제 | 42~46쪽

01 5	02 ㄱ, ㄴ, ㄷ		03 ④	04 29	05 ①
06 8	07 34	08 ④	09 ⑤	10 ③
11 $-4<k<0$ 또는 $k>1$		12 $1 \leq m \leq 2$		13 11
14 ③	15 ①	16 6	17 3	18 12	19 ④
20 24	21 ①	22 ⑤	23 ③	24 70	25 $-\dfrac{98}{3}$
26 $\dfrac{49}{8}$	27 1			

01 답 5

$f(x)=g(x)$에서
x가 유리수일 때,
$x^2=kx$, $x(x-k)=0$
∴ $x=0$ 또는 $x=k$
x가 무리수일 때,
$-x^2=kx$, $x(x+k)=0$
∴ $x=-k$ $(\because x$는 무리수$)$

(i) $k=0$인 경우

x가 유리수일 때, $x=0$

x가 무리수일 때, 조건을 만족시키지 않는다.

즉, 방정식 $f(x)=g(x)$의 서로 다른 실근의 개수는 1이므로

$A_0=1$

(ii) $k=1$인 경우

x가 유리수일 때, $x=0$ 또는 $x=1$

x가 무리수일 때, 조건을 만족시키지 않는다.

즉, 방정식 $f(x)=g(x)$의 서로 다른 실근의 개수는 2이므로

$A_1=2$

(iii) $k=\sqrt{3}$인 경우

x가 유리수일 때, $x=0$

x가 무리수일 때, $x=-\sqrt{3}$

즉, 방정식 $f(x)=g(x)$의 서로 다른 실근의 개수는 2이므로

$A_{\sqrt{3}}=2$

(i), (ii), (iii)에서

$A_0+A_1+A_{\sqrt{3}}=1+2+2=5$

02 답 ㄱ, ㄴ, ㄷ

α, β가 삼차방정식 $x^3+1=0$의 두 근이므로

$\alpha^3=-1$, $\beta^3=-1$

$x^3+1=0$, 즉 $(x+1)(x^2-x+1)=0$에서 $\alpha\neq-1$, $\beta\neq-1$이므로 α, β는 이차방정식 $x^2-x+1=0$의 서로 다른 두 근이다.

따라서 이차방정식의 근과 계수의 관계에 의하여

$\alpha+\beta=1$, $\alpha\beta=1$

ㄱ. $f(1)=\alpha+\beta=1$

$f(2)=\alpha^2+\beta^2=(\alpha+\beta)^2-2\alpha\beta=1-2=-1$

$\therefore f(1)+f(2)=0$

ㄴ. $f(n+3)=\alpha^{n+3}+\beta^{n+3}$

$\qquad =\alpha^n\times\alpha^3+\beta^n\times\beta^3$

$\qquad =-(\alpha^n+\beta^n)$ $(\because \alpha^3=\beta^3=-1)$

$\qquad =-f(n)$

$\therefore f(n+3)+f(n)=0$

ㄷ. ㄱ에서 $f(1)=1$, $f(2)=-1$이고

$f(3)=\alpha^3+\beta^3=-1+(-1)=-2$

이때 ㄴ에서 $f(n+3)=-f(n)$이므로

$f(4)=-f(1)=-1$, $f(5)=-f(2)=1$,

$f(6)=-f(3)=2$, $f(7)=-f(4)=1$,

$f(8)=-f(5)=-1$, $f(9)=-f(6)=-2$, $\cdots$

따라서 함수 $f(n)$의 치역은 $\{-2, -1, 1, 2\}$

$x^4-5x^2+4=0$에서 $(x^2-1)(x^2-4)=0$

$(x+1)(x-1)(x+2)(x-2)=0$

$\therefore x=-2$ 또는 $x=-1$ 또는 $x=1$ 또는 $x=2$

$\therefore \{x|x^4-5x^2+4=0\}=\{-2, -1, 1, 2\}$

따라서 함수 $f(n)$의 치역은 집합 $\{x|x^4-5x^2+4=0\}$과 같다.

따라서 보기에서 옳은 것은 ㄱ, ㄴ, ㄷ이다.

개념 NOTE

· 이차방정식 $ax^2+bx+c=0$의 두 근을 α, β라 하면

$$\alpha+\beta=-\frac{b}{a}, \ \alpha\beta=\frac{c}{a}$$

· $x^2+y^2=(x+y)^2-2xy$, $x^3+y^3=(x+y)^3-3xy(x+y)$

---

03 답 ④

1은 집합 X의 원소 중 가장 작은 수이므로

$f(2)\geq1$, $f(3)\geq1$, $f(4)\geq1$

(i) $f(2)\geq1$이므로 $f(2)\geq f(1)$

$f(1)=3$에서 $f(1)\geq2$이므로 $f(1)\geq f(2)$

$\therefore f(2)=f(1)=3$

(ii) $f(3)\geq1$이므로 $f(3)\geq f(1)$

$f(1)=3$에서 $f(1)\geq3$이므로 $f(1)\geq f(3)$

$\therefore f(3)=f(1)=3$

(iii) $f(4)\geq1$이므로 $f(4)\geq f(1)=3$

$\therefore f(4)=3$ 또는 $f(4)=4$

(i), (ii), (iii)에서 $f(2)+f(4)$의 최솟값은

$3+3=6$

04 답 29

$x<1$일 때, $f(x)=x^2+ax+5=\left(x+\dfrac{a}{2}\right)^2+5-\dfrac{a^2}{4}$

함수 $f(x)$가 일대일대응이므로 그림과 같이 함수 $y=f(x)$의 그래프의 꼭짓점의 x좌표인 $-\dfrac{a}{2}$가 1보다 크거나 같아야 한다.

즉, $-\dfrac{a}{2}\geq1$이어야 하므로 $a\leq-2$

함수 $f(x)$의 치역이 실수 전체의 집합이려면 $x=1$일 때 $y=x^2+ax+5$, $y=-x+b$의 값이 같아야 하므로

$1+a+5=-1+b$ $\quad \therefore b=a+7$ $\quad\cdots\cdots$ ㉠

$a^2+ab=15$에 ㉠을 대입하면

$a^2+a(a+7)=15$, $2a^2+7a-15=0$

$(a+5)(2a-3)=0$

$\therefore a=-5$ 또는 $a=\dfrac{3}{2}$

그런데 $a\leq-2$이므로 $a=-5$

이를 ㉠에 대입하면 $b=2$

$\therefore a^2+b^2=(-5)^2+2^2=29$

⭐idea 05 답 ①

함수 f가 항등함수이므로

$f(x)=x$

함수 g가 상수함수이므로

$g(x)=m$ $(1\leq m\leq n$, m은 자연수)

$\therefore f(n)\times\{g(1)+g(2)+g(3)+\cdots+g(n)\}$

$\quad =n\times(m+m+m+\cdots+m)$

$\quad =n\times mn$

$\quad =mn^2$

이때 $mn^2=768=3\times16^2$이므로

$m=3$, $n=16$ $(\because m\leq n)$

$\therefore g(n)\times\{f(1)-f(2)+f(3)-f(4)+\cdots+(-1)^{n+1}f(n)\}$

$\quad =g(16)\times\{f(1)-f(2)+f(3)-f(4)+\cdots+f(15)-f(16)\}$

$\quad =3\times(1-2+3-4+\cdots+15-16)$

$\quad =3\times\{(1-2)+(3-4)+\cdots+(15-16)\}$

$\quad =3\times(-1)\times8$

$\quad =-24$

06 답 8

㉮에서 함수 f는 일대일대응이므로 $f(1)$, $f(2)$, $f(3)$의 값이 될 수 있는 경우를 순서쌍 $(f(1),\ f(2),\ f(3))$으로 나타내면

$(3,\ 4,\ 5),\ (3,\ 5,\ 4),\ (4,\ 3,\ 5),\ (5,\ 3,\ 4),\ (5,\ 4,\ 3),\ (5,\ 4,\ 3)$

(i) $(3,\ 4,\ 5)$ 또는 $(5,\ 4,\ 3)$인 경우

순서쌍 $(x,\ f(x))\ (x=1,\ 2,\ 3)$를 좌표평면 위에 나타내면 세 점은 한 직선 위에 있다.

그런데 이차함수의 그래프는 직선과 최대 2개의 점에서 만날 수 있으므로 ㉯를 만족시키지 않는다.

(ii) $(3,\ 5,\ 4)$ 또는 $(4,\ 5,\ 3)$인 경우

$f(x)=ax^2-bx+10\ (a>0)$에서 $f(2)$의 값이 가장 크므로 ㉯를 만족시키지 않는다.

(iii) $(4,\ 3,\ 5)$인 경우

$f(1)=4$, $f(2)=3$, $f(3)=5$에서

$a-b=-6$, $4a-2b=-7$, $9a-3b=-5$

이를 만족시키는 a, b는 존재하지 않는다.

(iv) $(5,\ 3,\ 4)$인 경우

$f(1)=5$, $f(2)=3$, $f(3)=4$에서

$a-b=-5$, $4a-2b=-7$, $3a-b=-2$

연립하여 풀면 $a=\dfrac{3}{2}$, $b=\dfrac{13}{2}$

(i)~(iv)에서 $a=\dfrac{3}{2}$, $b=\dfrac{13}{2}$

$\therefore a+b=8$

07 답 34

$X=\{1,\ 2,\ 3,\ 4,\ 5\}$, $Y=\{1,\ 3,\ 5,\ 7,\ 9\}$

㉮에서 함수 f는 일대일대응이고, ㉯에서 $f(1)=5$이므로 ㉰를 만족시키는 $f(3)$, $f(4)$의 값을 순서쌍 $(f(3),\ f(4))$로 나타내면

$(1,\ 3)$ 또는 $(3,\ 1)$ 또는 $(7,\ 9)$ 또는 $(9,\ 7)$ ·········· 배점 30%

(i) $(1,\ 3)$인 경우 → $f(3)=1$, $f(4)=3$

$f(2)=7$, $f(5)=9$ 또는 $f(2)=9$, $f(5)=7$이므로

$f(4)f(5)=3\times9=27$ 또는 $f(4)f(5)=3\times7=21$

(ii) $(3,\ 1)$인 경우 → $f(3)=3$, $f(4)=1$

$f(2)=7$, $f(5)=9$ 또는 $f(2)=9$, $f(5)=7$이므로

$f(4)f(5)=1\times9=9$ 또는 $f(4)f(5)=1\times7=7$

(iii) $(7,\ 9)$인 경우 → $f(3)=7$, $f(4)=9$

$f(2)=1$, $f(5)=3$ 또는 $f(2)=3$, $f(5)=1$이므로

$f(4)f(5)=9\times3=27$ 또는 $f(4)f(5)=9\times1=9$

(iv) $(9,\ 7)$인 경우 → $f(3)=9$, $f(4)=7$

$f(2)=1$, $f(5)=3$ 또는 $f(2)=3$, $f(5)=1$이므로

$f(4)f(5)=7\times3=21$ 또는 $f(4)f(5)=7\times1=7$ ·········· 배점 60%

(i)~(iv)에서 $f(4)f(5)$의 최댓값은 27, 최솟값은 7이므로

$M=27$, $m=7$

$\therefore M+m=34$ ·········· 배점 10%

08 답 ④

$X=\{2,\ 4,\ 6,\ 8,\ 10\}$

㉮에서 $f(2)<4$이므로 $f(2)=2$

㉯에서 함수 f는 일대일함수이므로 $f(4)=a$라 하면

㉮에서 $f(4)<8$ $\therefore a=4$ 또는 $a=6$

이때 ㉰에서 $(f\circ f)(4)=f(a)=8$이고 ㉮에서 $f(a)<2a$이므로

$8<2a$ $\therefore a>4$

$\therefore a=6$

즉, $f(2)=2$, $f(4)=6$, $f(6)=8$이므로

$f(8)=4$, $f(10)=10$ 또는 $f(8)=10$, $f(10)=4$

$\therefore f(8)+f(10)=14$

09 답 ⑤

(i) 함수 f의 치역의 원소가 1개인 경우 → $f(0)=f(1)$

$f(0)$의 값이 될 수 있는 것은 1, 2, 3 중 하나이므로 3개

$f(1)=f(0)$이어야 하므로 $f(1)$의 값이 될 수 있는 것은 1개

즉, 함수 f의 개수는 $3\times1=3$

집합 Y의 세 원소 a, b, c에 대하여 $f(0)=f(1)=a$라 하면 $g(a)$의 값이 될 수 있는 것은 3, 4, 5, 6 중 하나이므로 4개

$g(b)$, $g(c)$의 값이 될 수 있는 것은 3, 4, 5, 6 중 하나이므로 각각 4개

즉, 각각의 함수 f에 대하여 함수 g의 개수는 $4\times4\times4=64$

따라서 순서쌍 $(f,\ g)$의 개수는 $3\times64=192$

(ii) 함수 f의 치역의 원소가 2개인 경우 → $f(0)\neq f(1)$

$f(0)$의 값이 될 수 있는 것은 1, 2, 3 중 하나이므로 3개

$f(1)$의 값이 될 수 있는 것은 $f(0)$의 값을 제외한 2개

즉, 함수 f의 개수는 $3\times2=6$

집합 Y의 세 원소 a, b, c에 대하여 $f(0)=a$, $f(1)=b$라 하면 $g(a)$의 값이 될 수 있는 것은 3, 4, 5, 6 중 하나이므로 4개

이때 $g\circ f$가 상수함수이려면 $g(b)=g(a)$이어야 하므로 $g(b)$의 값이 될 수 있는 것은 1개

$g(c)$의 값이 될 수 있는 것은 3, 4, 5, 6 중 하나이므로 4개

즉, 각각의 함수 f에 대하여 함수 g의 개수는 $4\times1\times4=16$

따라서 순서쌍 $(f,\ g)$의 개수는 $6\times16=96$

(i), (ii)에서 구하는 순서쌍 $(f,\ g)$의 개수는

$192+96=288$

10 답 ③

ㄱ. $f(100)=f(10\times10+0)=f(10)+0$

$=f(10\times1+0)=f(1)+0$

$=f(10\times0+1)=f(0)+1=1$

ㄴ. $f(999)=f(10\times99+9)=f(99)+9$

$=f(10\times9+9)+9=f(9)+9+9$

$=f(10\times0+9)+9+9=f(0)+9+9+9$

$=9+9+9=27$

$(f\circ f)(999)=f(f(999))=f(27)$

$=f(10\times2+7)=f(2)+7$

$=f(10\times0+2)+7=f(0)+2+7$

$=2+7=9$

ㄷ. [반례] $n=15$일 때,

$f(15)=f(10\times1+5)=f(1)+5$

$=f(10\times0+1)+5=f(0)+1+5$

$=1+5=6$

$f(15)=6$은 6의 배수이지만 15는 6의 배수가 아니다.

따라서 보기에서 옳은 것은 ㄱ, ㄴ이다.

음이 아닌 정수 n에 대하여

$n=a_m\times10^m+\cdots+a_2\times10^2+a_1\times10+a_0$ (a_0, a_1, $\cdots$, a_m은 0 또는 한 자리의 자연수)일 때,

$f(a_m\times10^m+\cdots+a_2\times10^2+a_1\times10+a_0)$

$=f(a_m\times10^{m-1}+\cdots+a_2\times10+a_1)+a_0$

$=f(a_m\times10^{m-2}+\cdots+a_2)+a_1+a_0$

$\quad\vdots$

$=a_m+\cdots+a_2+a_1+a_0$

$\therefore f(n)=a_m+\cdots+a_2+a_1+a_0$

즉, $f(n)$은 n의 각 자리의 숫자를 모두 더한 값을 함숫값으로 갖는 함수이다.

ㄱ. $f(100)=1+0+0=1$

ㄴ. $f(999)=9+9+9=27$이므로

$\quad(f\circ f)(999)=f(f(999))=f(27)$

$\qquad\qquad\qquad\quad=2+7=9$

ㄷ. [반례] $f(15)=1+5=6$은 6의 배수이지만 15는 6의 배수가 아니다.

따라서 보기에서 옳은 것은 ㄱ, ㄴ이다.

11 답 $-4<k<0$ 또는 $k>1$

$g(x)=x^2-x-6=(x+2)(x-3)>0$에서 $x<-2$ 또는 $x>3$이므로

$(g\circ f)(x)=g(f(x))>0$이 되려면 모든 실수 x에 대하여

$f(x)<-2$ 또는 $f(x)>3$이어야 한다. ⋯⋯⋯⋯⋯⋯ 배점 **30%**

이때

$f(x)=kx^2-2k^2x+k^3+k^2+4k-2$

$\quad\ =k(x^2-2kx+k^2)+k^2+4k-2$

$\quad\ =k(x-k)^2+k^2+4k-2$

이므로 k의 값의 범위에 따라 나누면 다음과 같다.

(i) $k=0$일 때,

$\quad f(x)=-2$이므로 조건을 만족시키지 않는다.

$\quad\therefore k\neq0$ ⋯⋯⋯⋯⋯⋯⋯⋯⋯⋯⋯⋯ 배점 **20%**

(ii) $k>0$일 때,

$\quad$함수 $y=f(x)$의 그래프는 아래로 볼록한 모양으로 모든 실수 x에 대하여 $f(x)<-2$를 만족시키지 않으므로 모든 실수 x에 대하여 $f(x)>3$이어야 한다.

$\quad$이때 $f(x)$는 $x=k$일 때 최솟값 k^2+4k-2를 가지므로

$\quad k^2+4k-2>3$

$\quad k^2+4k-5>0$, $(k+5)(k-1)>0$

$\quad\therefore k<-5$ 또는 $k>1$

$\quad$그런데 $k>0$이므로 $k>1$ ⋯⋯⋯⋯⋯⋯⋯ 배점 **20%**

(iii) $k<0$일 때,

$\quad$함수 $y=f(x)$의 그래프는 위로 볼록한 모양으로 모든 실수 x에 대하여 $f(x)>3$을 만족시키지 않으므로 모든 실수 x에 대하여 $f(x)<-2$이어야 한다.

$\quad$이때 $f(x)$는 $x=k$일 때 최댓값 k^2+4k-2를 가지므로

$\quad k^2+4k-2<-2$

$\quad k^2+4k<0$, $k(k+4)<0$

$\quad\therefore -4<k<0$ ⋯⋯⋯⋯⋯⋯⋯⋯⋯⋯ 배점 **20%**

(i), (ii), (iii)에서 구하는 실수 k의 값의 범위는

$-4<k<0$ 또는 $k>1$ ⋯⋯⋯⋯⋯⋯⋯⋯⋯ 배점 **10%**

12 답 $1\leq m\leq2$

주어진 함수 $y=f(x)$의 그래프에서 $f(x)=\begin{cases}2 & (x<2)\\3 & (x=2)\\-1 & (2<x\leq4)\\1 & (x>4)\end{cases}$

(i) $x<2$일 때,

$\quad(f\circ f)(x)=f(f(x))=f(2)=3$

(ii) $x=2$일 때,

$\quad(f\circ f)(x)=f(f(x))=f(3)=-1$

(iii) $2<x\leq4$일 때,

$\quad(f\circ f)(x)=f(f(x))=f(-1)=2$

(iv) $x>4$일 때,

$\quad(f\circ f)(x)=f(f(x))=f(1)=2$

(i)~(iv)에서 $(f\circ f)(x)=\begin{cases}3 & (x<2)\\-1 & (x=2)\\2 & (x>2)\end{cases}$

한편 $mx-y-m+1=0$에서 $y=m(x-1)+1$이므로 이 직선은 m의 값에 관계없이 항상 점 $(1,\ 1)$을 지난다.

$m>0$일 때, 직선 $mx-y-m+1=0$이 함수 $y=(f\circ f)(x)$의 그래프와 만나지 않으려면 그림과 같이 직선 CP 또는 직선 CQ이거나 두 직선 CP, CQ 사이에 존재하면 된다.

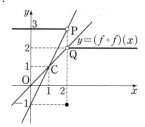

이때 직선 CP의 기울기는 $\dfrac{3-1}{2-1}=2$,

직선 CQ의 기울기는 $\dfrac{2-1}{2-1}=1$이므로 구하는 양수 m의 값의 범위는

$1\leq m\leq2$

13 답 11

$f(x)=\begin{cases}-2x & (x<-2)\\4 & (-2\leq x\leq2)\\2x & (x>2)\end{cases}$이므로 두 함수 $y=f(x)$, $y=g(x)$의 그래프는 그림과 같다.

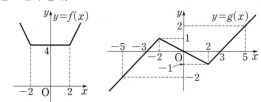

$(f\circ g)(k)=f(g(k))=4$가 되려면 $-2\leq g(k)\leq2$이어야 한다.

함수 $y=g(x)$의 그래프에서

(i) $k\leq-2$일 때, $k+3=-2$에서 $k=-5$

(ii) $k\geq2$일 때, $k-3=2$에서 $k=5$

(i), (ii)에서 k의 값의 범위는 $-5\leq k\leq5$

따라서 구하는 정수 k는 -5, -4, -3, $\cdots$, 3, 4, 5의 11개이다.

함수 $f(x)=|x-a|+|x-b|+|x-c|$ ($a<b<c$)의 그래프는 그림과 같이 $x=a$, $x=b$, $x=c$에서 y의 값을 구하여 두 점 사이를 선분으로 연결하여 그린다.

14 답 ③

$$(f \circ f)(x) = \begin{cases} 2f(x) & (0 \le f(x) < 1) \\ -f(x)+3 & (1 \le f(x) \le 2) \end{cases}$$

$x=1$일 때를 기준으로 함수식이 바뀌고, $f\left(\frac{1}{2}\right)=1$이므로 x의 값의 범위를 $0 \le x < \frac{1}{2}$, $\frac{1}{2} \le x < 1$, $1 \le x \le 2$일 때로 나눈다.

(i) $0 \le x < \frac{1}{2}$일 때,

$0 \le f(x) < 1$이므로 $(f \circ f)(x) = 2 \times 2x = 4x$

(ii) $\frac{1}{2} \le x < 1$일 때,

$1 \le f(x) < 2$이므로 $(f \circ f)(x) = -2x+3$

(iii) $1 \le x \le 2$일 때,

$1 \le f(x) \le 2$이므로

$(f \circ f)(x) = -(-x+3)+3 = x$

(i), (ii), (iii)에서 $(f \circ f)(x) = \begin{cases} 4x & \left(0 \le x < \frac{1}{2}\right) \\ -2x+3 & \left(\frac{1}{2} \le x < 1\right) \\ x & (1 \le x \le 2) \end{cases}$

따라서 함수 $y=(f \circ f)(x)$의 그래프는 그림과 같으므로 함수 $y=(f \circ f)(x)$의 그래프와 직선 $y=\frac{1}{2}x+1$의 교점의 개수는 3이다.

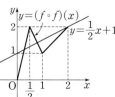

15 답 ①

㈎에서 $f(x)=ax(x-2)$ (a는 상수)로 놓으면 ㈏에서

$ax(x-2)-6(x-2)=0$이므로

$(ax-6)(x-2)=0$

이때 이차방정식의 실근의 개수가 1이려면 방정식 $ax-6=0$의 근도

$x=2$이어야 하므로

$\frac{6}{a}=2$ $\therefore a=3$

$\therefore f(x)=3x(x-2)$

$(f \circ f)(x)=f(f(x))=-3$에서 $f(x)=t$로 놓으면 $f(t)=-3$이므로

$3t(t-2)=-3$, $t^2-2t+1=0$

$(t-1)^2=0$ $\therefore t=1$

즉, $f(x)=1$이므로

$3x(x-2)=1$ $\therefore 3x^2-6x-1=0$

따라서 서로 다른 두 실근의 곱은 이차방정식의 근과 계수의 관계에 의하여 $-\frac{1}{3}$이다.

16 답 6

㈎에서 함수 $y=f(x)$의 그래프는 직선 $x=3$에 대하여 대칭이고, ㈏에서 $f(x)$의 최댓값이 4이므로 함수 $y=f(x)$의 그래프의 꼭짓점의 좌표는 $(3, 4)$이다.

즉, $f(3)=4$이므로 방정식 $(f \circ f)(x)=4$에서

$f(f(x))=4$ $\therefore f(x)=3$

최고차항의 계수가 음수이므로 이차함수 $y=f(x)$의 그래프는 그림과 같다.

함수 $y=f(x)$의 그래프와 직선 $y=3$은 서로 다른 두 점에서 만나므로 방정식 $f(x)=3$은 서로 다른 두 실근을 갖는다.

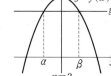

두 실근을 α, β라 하면 함수 $y=f(x)$의 그래프는 직선 $x=3$에 대하여 대칭이므로

$\frac{\alpha+\beta}{2}=3$ $\therefore \alpha+\beta=6$

비법 NOTE

함수 $y=f(x)$의 그래프가

(1) x축에 대하여 대칭: $f(x)=f(-x)$

(2) y축에 대하여 대칭: $f(x)=-f(x)$

(3) 원점에 대하여 대칭: $f(x)=-f(-x)$

(4) 직선 $x=\frac{a}{2}$에 대하여 대칭: $f\left(\frac{a}{2}+x\right)=f\left(\frac{a}{2}-x\right)$ 또는 $f(x)=f(a-x)$

(5) 직선 $x=a$에 대하여 대칭: $f(a+x)=f(a-x)$ 또는 $f(x)=f(2a-x)$

17 답 3

함수 f의 역함수가 존재하면 f는 일대일대응이다.

$(f \circ f)(2)=1$에서

$f(2)=1$ 또는 $f(2)=2$ 또는 $f(2)=3$ 또는 $f(2)=4$

(i) $f(2)=1$인 경우

$(f \circ f)(2)=f(f(2))=f(1)=1$

$f(1)=f(2)=1$이므로 함수 f가 일대일대응이라는 조건을 만족시키지 않는다.

(ii) $f(2)=2$인 경우

$(f \circ f)(2)=f(f(2))=f(2)=1$

이는 $f(2)=2$라는 가정을 만족시키지 않는다.

(iii) $f(2)=3$인 경우

$(f \circ f)(2)=f(f(2))=f(3)=1$

$f(2)=3$에서 $f^{-1}(3)=2$

$f(3) \ne f^{-1}(3)$이므로 조건을 만족시키지 않는다.

(iv) $f(2)=4$인 경우

$(f \circ f)(2)=f(f(2))=f(4)=1$이므로

$f(3)=2$ 또는 $f(3)=3$

$f(3)=2$이면 $f^{-1}(3)=2$에서 $f(2)=3$이 되어 $f(2)=4$라는 가정을 만족시키지 않는다.

따라서 $f(3)=3$이므로 $f(1)=2$

(i)~(iv)에서

$f(1)=2$, $f(2)=4$, $f(3)=3$, $f(4)=1$

$\therefore f(1)-2f(2)+3f(3)=2-2 \times 4+3 \times 3=3$

18 답 12

㈐에서 $a \in X$, $a \in Y$이므로

$a \in X \cap Y$ $\therefore a \in \{2, 4\}$

이때 a의 개수가 2이므로

$a=2$ 또는 $a=4$

㈐의 $\frac{1}{2}f(a)=(f \circ f^{-1})(a)$에서

$\frac{1}{2}f(a)=a$ $\therefore f(a)=2a$

$\therefore f(2)=4$, $f(4)=8$

㈏에서 $f(1) \ne 2$이고 ㈎에서 함수 f는 일대일대응이므로

$f(1)=6$, $f(3)=2$ $\therefore f^{-1}(2)=3$

$\therefore f(2) \times f^{-1}(2)=4 \times 3=12$

정답과 해설

19 답 ④

집합 $S=\{1, 2, 3, 4\}$의 공집합이 아닌 두 부분집합 X, Y에 대하여 함수 $f: X \longrightarrow Y$의 역함수가 존재하려면 일대일대응이어야 하고, $X \cap Y = \varnothing$이므로

$n(X)=n(Y)=1$ 또는 $n(X)=n(Y)=2$

(i) $n(X)=n(Y)=1$인 경우

    $X=\{1\}$일 때 $Y=\{2\}$, $X=\{1\}$일 때 $Y=\{3\}$,

    $X=\{1\}$일 때 $Y=\{4\}$

    즉, 함수 f의 개수는 3

    같은 방법으로 하면 $X=\{2\}$, $X=\{3\}$, $X=\{4\}$일 때, 함수 f의 개수는 각각 3

    따라서 함수 f의 개수는 $3 \times 4 = 12$

(ii) $n(X)=n(Y)=2$인 경우

    $X=\{1, 2\}$일 때 $Y=\{3, 4\}$, $X=\{1, 3\}$일 때 $Y=\{2, 4\}$,

        $\llcorner$ $f(1)=3$, $f(2)=4$ 또는 $f(1)=4$, $f(2)=3$

    $X=\{1, 4\}$일 때 $Y=\{2, 3\}$, $X=\{2, 3\}$일 때 $Y=\{1, 4\}$,

    $X=\{2, 4\}$일 때 $Y=\{1, 3\}$, $X=\{3, 4\}$일 때 $Y=\{1, 2\}$

    함수 f의 개수는 각각 2

    따라서 함수 f의 개수는 $2 \times 6 = 12$

(i), (ii)에서 구하는 함수 f의 개수는

$12 + 12 = 24$

20 답 24

$S=\{11, 22, 33, 44, 55, 66, 77, 88, 99\}$

집합 S의 원소를 순서대로 4로 나누었을 때의 나머지를 나열하면

$3, 2, 1, 0, 3, 2, 1, 0, 3$

이므로 $f(11)=f(55)=f(99)=3$, $f(22)=f(66)=2$,

$f(33)=f(77)=1$, $f(44)=f(88)=0$

함수 $f(n)$의 역함수가 존재하려면 일대일대응이어야 하므로

$f^{-1}(0)=44$ 또는 $f^{-1}(0)=88$ $\longrightarrow$ 44와 88 중 하나만 원소로 가져야 하므로 2가지이다.

$f^{-1}(1)=33$ 또는 $f^{-1}(1)=77$

$f^{-1}(2)=22$ 또는 $f^{-1}(2)=66$

$f^{-1}(3)=11$ 또는 $f^{-1}(3)=55$ 또는 $f^{-1}(3)=99$

따라서 집합 X의 개수는

$2 \times 2 \times 2 \times 3 = 24$

21 답 ①

ㄱ. 집합 $X \cap Y = \{2, 3, 4\}$의 모든 원소 x에 대하여 $g(x)-f(x)=1$

    이므로 $f(x)=5$인 x가 존재하면 $g(x)=6 \notin Z$

    즉, 집합 $X \cap Y = \{2, 3, 4\}$의 모든 원소 x에 대하여 $f(x) \leq 4$이고

    함수 f는 일대일대응이므로

    $\{f(2), f(3), f(4)\} = \{2, 3, 4\}$

    $g(x)=f(x)+1$에서

    $\{g(2), g(3), g(4)\} = \{3, 4, 5\}$

    따라서 함수 $g \circ f$의 치역은 Z이다.

ㄴ. ㄱ에서 $\{f(2), f(3), f(4)\} = \{2, 3, 4\}$이고 함수 f는 일대일대응

    이므로 $f(1)=5$

    $\therefore f^{-1}(5)=1<2$

ㄷ. ㄴ에서 $f(1)=5$이므로 $f(3)<g(2)<f(1)$에서

    $f(3)<g(2)<5$ …… ㉠

(i) $g(2)=3$인 경우

    $f(2)=g(2)-1=2$

    함수 f는 일대일대응이므로

    $f(3)=3$ 또는 $f(3)=4$

    이는 ㉠을 만족시키지 않는다.

(ii) $g(2)=4$인 경우

    $f(2)=g(2)-1=3$

    함수 f는 일대일대응이므로

    $f(3)=2$ 또는 $f(3)=4$

    이때 ㉠에서 $f(3)<g(2)=4$이므로

    $f(3)=2$ $\therefore f(4)=4$

(i), (ii)에서 $g(2)=4$, $f(4)=4$

$\therefore f(4)+g(2)=4+4=8$

따라서 보기에서 옳은 것은 ㄱ이다.

22 답 ⑤

$f^{-1}(a)=g(b)$에서 $f(g(b))=a$

a가 자연수이므로 가능한 $g(b)$의 값은

$\dfrac{1}{2}$, 1, 3, 5, $\dfrac{11}{2}$, 6

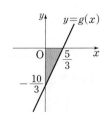

$g(b)=\dfrac{1}{2}$에서 $b=5$, $a=f(g(b))=1$

$g(b)=1$에서 $b=4$, $a=f(g(b))=2$

$g(b)=3$에서 $b=3$, $a=f(g(b))=3$

$g(b)=5$에서 $b=2$, $a=f(g(b))=4$

$g(b)=\dfrac{11}{2}$에서 $b=1$, $a=f(g(b))=5$

$g(b)=6$에서 $b=0$, $a=f(g(b))=6$

따라서 $f^{-1}(a)=g(b)$를 만족시키는 두 자연수 a, b의 순서쌍 (a, b)는

$(1, 5)$, $(2, 4)$, $(3, 3)$, $(4, 2)$, $(5, 1)$의 5개이다. $\longrightarrow$ $a=6$, $b=0$인 경우는 b가 자연수가 아니다.

23 답 ③

$f(x)=3x-2$에서 $y=3x-2$라 하면

$3x=y+2$ $\therefore x=\dfrac{1}{3}y+\dfrac{2}{3}$

x와 y를 서로 바꾸면 $y=\dfrac{1}{3}x+\dfrac{2}{3}$

즉, $f^{-1}(x)=\dfrac{1}{3}x+\dfrac{2}{3}$이므로

$g\left(\dfrac{1}{6}x+2\right)=\dfrac{1}{3}x+\dfrac{2}{3}$

이때 $\dfrac{1}{6}x+2=t$로 놓으면 $x=6(t-2)$이므로

$g(t)=2(t-2)+\dfrac{2}{3}=2t-\dfrac{10}{3}$

$\therefore g(x)=2x-\dfrac{10}{3}$

따라서 함수 $y=g(x)$의 그래프는 그림과 같으므로 구하는 도형의 넓이는

$\dfrac{1}{2} \times \dfrac{5}{3} \times \dfrac{10}{3} = \dfrac{25}{9}$

idea
24 답 70

두 함수 $y=f(x)$, $y=f^{-1}(x)$의 그래프는 직선 $y=x$에 대하여 대칭이므로 점 A는 함수 $y=f(x)$의 그래프와 직선 $y=x$가 만나는 점과 같다.

$-x^2+12=x$에서 $x^2+x-12=0$, $(x+4)(x-3)=0$

$\therefore x=-4$ $(\because x\leq0)$ $\therefore A(-4, -4)$

이때 $f(-2)=8$에서 $f^{-1}(8)=-2$

따라서 점 $B(8, -2)$는 함수 $y=f^{-1}(x)$의 그래프 위의 점이므로 점 B를 지나고 기울기가 -1인 직선과 함수 $y=f(x)$의 그래프의 교점 C는 점 B를 직선 $y=x$에 대하여 대칭이동한 점이다.

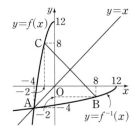

$\therefore C(-2, 8)$

$\therefore \overline{BC}=\sqrt{(-2-8)^2+(8+2)^2}=10\sqrt{2}$

직선 BC의 방정식은

$y-8=-(x+2)$ $\therefore x+y-6=0$

점 $A(-4, -4)$와 직선 BC 사이의 거리는

$\dfrac{|-4-4-6|}{\sqrt{1^2+1^2}}=\dfrac{14}{\sqrt{2}}=7\sqrt{2}$

따라서 삼각형 ABC의 넓이는 $\dfrac{1}{2}\times10\sqrt{2}\times7\sqrt{2}=70$

개념 NOTE

• 좌표평면 위의 두 점 (x_1, y_1), (x_2, y_2) 사이의 거리는

$\sqrt{(x_2-x_1)^2+(y_2-y_1)^2}$

• 점 (x_1, y_1)과 직선 $ax+by+c=0$ 사이의 거리는

$\dfrac{|ax_1+by_1+c|}{\sqrt{a^2+b^2}}$

25 답 $-\dfrac{98}{3}$

함수 $f(x)$의 역함수가 존재하므로 함수 $f(x)$는 일대일대응이다.

함수 $f(x)$의 치역이 실수 전체의 집합이려면 $x=2$일 때 $y=\dfrac{1}{2}x-2$, $y=kx-7$의 값이 같아야 하므로

$1-2=2k-7$ $\therefore k=3$

$\therefore f(x)=\begin{cases}\dfrac{1}{2}x-2 & (x<2)\\3x-7 & (x\geq2)\end{cases}$ ──────── 배점 20%

$\{f(x)\}^2=f(x)f^{-1}(x)$에서

$f(x)\{f(x)-f^{-1}(x)\}=0$

$\therefore f(x)=0$ 또는 $f(x)=f^{-1}(x)$ ──────── 배점 20%

(i) $f(x)=0$인 경우

$3x-7=0$에서 $x=\dfrac{7}{3}$ → $\dfrac{1}{2}x-2=0$이면 $x=4$이므로 $x<2$를 만족시키지 않는다.

(ii) $f(x)=f^{-1}(x)$인 경우

두 함수 $y=f(x)$, $y=f^{-1}(x)$의 그래프가 만나는 점은 함수 $y=f(x)$의 그래프와 직선 $y=x$가 만나는 점과 같다.

$x<2$일 때, $\dfrac{1}{2}x-2=x$에서 $x=-4$

$x\geq2$일 때, $3x-7=x$에서 $x=\dfrac{7}{2}$ ──────── 배점 40%

(i), (ii)에서 $\{x|(f(x))^2=f(x)f^{-1}(x)\}=\left\{-4, \dfrac{7}{3}, \dfrac{7}{2}\right\}$

따라서 모든 원소의 곱은

$-4\times\dfrac{7}{3}\times\dfrac{7}{2}=-\dfrac{98}{3}$ ──────── 배점 20%

26 답 $\dfrac{49}{8}$

$f(x)=\begin{cases}-2(x-2)^2+k-1 & (x<2)\\(x-2)^2+k-1 & (x\geq2)\end{cases}$ 이므로 함수 $y=f(x)$의 그래프의 개형은 그림과 같다.

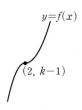

집합 $\{x|f(x)=g(x)\}$의 원소의 개수가 3이 되려면 두 함수 $y=f(x)$, $y=g(x)$의 그래프가 서로 다른 세 점에서 만나야 한다.

이때 함수 $g(x)$는 함수 $f(x)$의 역함수이므로 두 함수 $y=f(x)$, $y=g(x)$의 그래프가 만나는 점은 함수 $y=f(x)$의 그래프와 직선 $y=x$가 만나는 점과 같다.

따라서 함수 $y=f(x)$의 그래프와 직선 $y=x$가 서로 다른 세 점에서 만나야 한다.

(i) $x<2$에서 함수 $y=f(x)$의 그래프가 직선 $y=x$와 접하는 경우

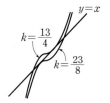

이차방정식 $-2x^2+8x+k-9=x$, 즉 $2x^2-7x-k+9=0$의 판별식을 D_1이라 하면

$D_1=49-8(-k+9)=0$

$8k-23=0$ $\therefore k=\dfrac{23}{8}$

(ii) $x\geq2$에서 함수 $y=f(x)$의 그래프가 직선 $y=x$와 접하는 경우

이차방정식 $x^2-4x+3+k=x$, 즉 $x^2-5x+3+k=0$의 판별식을 D_2라 하면

$D_2=25-4(3+k)=0$

$13-4k=0$ $\therefore k=\dfrac{13}{4}$

(i), (ii)에서 함수 $y=f(x)$의 그래프와 직선 $y=x$가 서로 다른 세 점에서 만나도록 하는 실수 k의 값의 범위는

$\dfrac{23}{8}<k<\dfrac{13}{4}$

따라서 $p=\dfrac{23}{8}$, $q=\dfrac{13}{4}$이므로 $p+q=\dfrac{49}{8}$

idea
27 답 1

함수 $f(x)=mx+n$에 대하여 $f(a)=a$ $(a>0)$, $0<m<1$이므로 함수 $y=f^{-1}(x)$의 그래프는 점 (a, a)를 지나고 기울기가 1보다 큰 직선이다.

따라서 함수 $g(x)=\begin{cases}f^{-1}(x) & (x<a)\\f(x) & (x\geq a)\end{cases}$의 그래프는 그림과 같다.

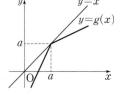

방정식 $(g\circ h)(x)=(h\circ g)(x)$에서

$(g\circ h)(x)=g(h(x))=g(x+a)$

$(h\circ g)(x)=h(g(x))=g(x)+a$

이때 함수 $y=g(x+a)$의 그래프는 함수 $y=g(x)$의 그래프를 x축의 방향으로 $-a$만큼 평행이동한 것이고, 함수 $y=g(x)+a$의 그래프는 함수 $y=g(x)$의 그래프를 y축의 방향으로 a만큼 평행이동한 것이므로 그림과 같이 두 함수 $y=(g\circ h)(x)$, $y=(h\circ g)(x)$의 그래프는 한 점에서 만난다.

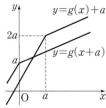

따라서 방정식 $(g\circ h)(x)=(h\circ g)(x)$의 서로 다른 실근의 개수는 1이다.

01 ④	02 36	03 ②	04 ④	05 40	06 ⑤
07 ①	08 ④	09 27	10 ⑤		

01 답 ④

1단계 ㄱ이 옳은지 확인하기

ㄱ. [반례] $f(x)=c$라 하면

$\{f(xy)\}^2=c^2$, $f(x^2)f(y^2)=c\times c=c^2$

$\therefore \{f(xy)\}^2=f(x^2)f(y^2)$

그런데 $c\neq0$이면 $f(0)=c\neq0$이다.

2단계 ㄴ이 옳은지 확인하기

ㄴ. $f(x)=ax+b\,(a\neq0)$라 하면

$\begin{aligned}\{f(xy)\}^2&=(axy+b)^2\\&=a^2x^2y^2+2abxy+b^2\end{aligned}$

$\begin{aligned}f(x^2)f(y^2)&=(ax^2+b)(ay^2+b)\\&=a^2x^2y^2+abx^2+aby^2+b^2\end{aligned}$

$\{f(xy)\}^2=f(x^2)f(y^2)$에서

$a^2x^2y^2+2abxy+b^2=a^2x^2y^2+abx^2+aby^2+b^2$

$ab(x^2+y^2-2xy)=0$

$ab(x-y)^2=0$

그런데 $a\neq0$이므로 $b=0$

즉, $f(x)=ax\,(a\neq0)$이므로 이 함수의 그래프는 원점을 지난다.

3단계 ㄷ이 옳은지 확인하기

ㄷ. 임의의 실수 y에 대하여

$\{f(0)\}^2=f(0)f(y^2)$, $f(0)\{f(0)-f(y^2)\}=0$

$\therefore f(0)=0$ 또는 $f(0)=f(y^2)$

$f(0)\neq0$이면 $f(0)=f(y^2)$

그런데 $f(1)=10^2$, $f(10)=10^5$에서 함수 $f(x)$는 상수함수가 아니므로 $f(0)=0$

└ 상수함수이면 모든 함숫값이 같아야 한다.

$f(x)$를 k차 다항함수라 하면 $f(0)=0$이므로 $(k-1)$차 다항함수 $g(x)$에 대하여 $f(x)=xg(x)$로 나타낼 수 있다.

임의의 두 실수 x, y에 대하여 $\{f(xy)\}^2=f(x^2)f(y^2)$이므로

$\begin{aligned}(xy)^2\{g(xy)\}^2&=x^2g(x^2)y^2g(y^2)\\&=(xy)^2g(x^2)g(y^2)\end{aligned}$

따라서 $\{g(xy)\}^2=g(x^2)g(y^2)$이므로 $(k-1)$차 다항함수 $g(x)$도 주어진 조건을 만족시킨다.

이때 $g(x)$도 상수함수가 아니므로 $g(0)=0$이고 $g(x)$도 x를 인수로 갖는다. └ $(k-2)$차 다항함수 $h(x)$에 대하여 $g(x)=xh(x)$

이와 같은 과정을 반복하면

$f(x)=ax^k$ (단, $a\neq0$) └ 임의의 x, y에 대하여 $\{f(xy)\}^2=f(x^2)f(y^2)$이 성립한다.

이때 $f(1)=10^2$에서 $a=100$

$f(x)=100x^k$이므로 $f(10)=10^5$에서

$100\times10^k=10^5$, $10^k=10^3$

$\therefore k=3$

따라서 $f(x)=100x^3$이므로

$f(100)=100\times100^3=10^8$

4단계 옳은 것 구하기

따라서 보기에서 옳은 것은 ㄴ, ㄷ이다.

02 답 36

1단계 $k=1$일 때 $f(12)=18$을 만족시키는지 확인하기

(i) $k=1$일 때,

$$f(x)=\begin{cases}f(f(x+2)) & (x<20)\\ x-1 & (x\geq20)\end{cases}$$에서

$f(12)=f(f(14))$, $f(14)=f(f(16))$,

$f(16)=f(f(18))$, $f(18)=f(f(20))=f(19)$,

$f(19)=f(f(21))=f(20)=19$이므로

$f(19)=f(18)=f(16)=f(14)=f(12)=19$

즉, $k=1$일 때 성립하지 않는다.

2단계 $k=2$일 때 $f(12)=18$을 만족시키는지 확인하기

(ii) $k=2$일 때,

$$f(x)=\begin{cases}f(f(x+4)) & (x<20)\\ x-2 & (x\geq20)\end{cases}$$에서

$f(12)=f(f(16))$, $f(16)=f(f(20))=f(18)$,

$f(18)=f(f(22))=f(20)=18$이므로

$f(18)=f(16)=f(12)=18$

즉, $k=2$일 때 성립한다.

3단계 $k=3$일 때 $f(12)=18$을 만족시키는지 확인하기

(iii) $k=3$일 때,

$$f(x)=\begin{cases}f(f(x+6)) & (x<20)\\ x-3 & (x\geq20)\end{cases}$$에서

$f(12)=f(f(18))$, $f(18)=f(f(24))=f(21)=18$이므로

$f(18)=f(12)=18$

즉, $k=3$일 때 성립한다.

4단계 $4\leq k<8$일 때 $f(12)=18$을 만족시키는지 확인하기

(iv) $4\leq k<8$일 때,

$$f(x)=\begin{cases}f(f(x+2k)) & (x<20)\\ x-k & (x\geq20)\end{cases}$$에서

$f(12)=f(\underset{12+2k\geq20}{f(12+2k)})=f(\underset{12+k<20}{12+k})$

$=f(\underset{12+3k>20}{f(12+3k)})=f(\underset{12+2k\geq20}{12+2k})$

$=12+k$

$k=6$이면 $f(12)=18$

즉, $k=6$일 때 성립한다.

5단계 $k\geq8$일 때 $f(12)=18$을 만족시키는지 확인하기

(v) $k\geq8$일 때,

$$f(x)=\begin{cases}f(f(x+2k)) & (x<20)\\ x-k & (x\geq20)\end{cases}$$에서

$f(12)=f(\underset{12+2k>20}{f(12+2k)})=f(\underset{12+k\geq20}{12+k})$

$=12$

즉, $k\geq8$일 때 성립하지 않는다.

6단계 $f(12)=18$을 만족시키는 모든 자연수 k의 값의 곱 구하기

(i)~(v)에서 $f(12)=18$을 만족시키는 자연수 k의 값은 2, 3, 6이므로 모든 자연수 k의 값의 곱은

$2\times3\times6=36$

V. 함수

03 답 ②

1단계 두 함수 f, g가 일대일대응임을 확인하기

함수 $f : X \longrightarrow X$가 일대일대응이 아니라고 가정하면 합성함수 $g \circ f : X \longrightarrow X$는 일대일대응도 아니고 항등함수도 아니므로 ㈏를 만족시키지 않는다.

따라서 함수 f는 일대일대응이다.

같은 방법으로 함수 g도 일대일대응이다.

2단계 $f(x)+g(x)$의 값 구하기

$f(1)+f(2)+\cdots+f(9)=45$, $g(1)+g(2)+\cdots+g(9)=45$이므로
$\{f(1)+g(1)\}+\{f(2)+g(2)\}+\cdots+\{f(9)+g(9)\}=90$ ······ ㉠

㈐에서 $f(x)+g(x)$의 값은 일정하므로

$f(x)+g(x)=k\,(k$는 상수$)$라 하면 ㉠에서

$9k=90$ ∴ $k=10$

∴ $f(x)+g(x)=10$ ······ ㉡

3단계 조건을 만족시키는 함숫값 구하기

㈏에서 $(g \circ f)(x)=x$이므로 집합 X의 임의의 원소 a, b에 대하여

$f(a)=b$이면 $g(b)=a$이다.

$f(1)=8$이므로 $g(8)=1$

$g(8)=1$이므로 ㉡에서 $f(8)=9$

$f(8)=9$이므로 $g(9)=8$

$g(9)=8$이므로 ㉡에서 $f(9)=2$

$f(9)=2$이므로 $g(2)=9$

$g(2)=9$이므로 ㉡에서 $f(2)=1$

$f(2)=1$이므로 $g(1)=2$

한편 $f(5)=k$라 하면 $g(k)=5$

$g(k)=5$이면 ㉡에서 $f(k)=5$

$f(k)=5$이면 $g(5)=k$

㉡에서 $f(5)+g(5)=10$이므로

$k+k=10$, $2k=10$

∴ $k=5$

∴ $f(5)=5$, $g(5)=5$

㈎에서 $f(3)\neq 6$이므로

$f(3)=3$ 또는 $f(3)=4$ 또는 $f(3)=7$

(ⅰ) $f(3)=3$인 경우

$g(3)=3$이지만 $f(3)+g(3)=6$이므로 ㉡을 만족시키지 않는다.

(ⅱ) $f(3)=4$인 경우

$g(4)=3$이므로 ㉡에서 $f(4)=7$

$f(4)=7$이므로 $g(7)=4$

$g(7)=4$이므로 ㉡에서 $f(7)=6$

$f(7)=6$이므로 $g(6)=7$

$g(6)=7$이므로 ㉡에서 $f(6)=3$

$f(6)=3$이므로 $g(3)=6$

(ⅲ) $f(3)=7$인 경우

$g(7)=3$이므로 ㉡에서 $f(7)=7$

그런데 $f(3)=7$이므로 f는 일대일대응이 아니다.

4단계 $(f \circ f \circ f)(7)$의 값 구하기

(ⅰ), (ⅱ), (ⅲ)에서

$(f \circ f \circ f)(7)=f(f(f(7)))$
$\qquad\qquad\qquad = f(f(6))$
$\qquad\qquad\qquad = f(3)=4$

---

idea
✦ 04 답 ④

1단계 조건 $B \subset A$ 해석하기

이차방정식 $g(x)=0$의 두 근을 α, β라 하면

$B \subset A$이므로 $\alpha \in A$, $\beta \in A$

즉, $(g \circ f)(\alpha)=g(f(\alpha))=0$이므로

$f(\alpha)=\alpha$ 또는 $f(\alpha)=\beta$

2단계 경우에 따라 $p+q$의 값 구하기

이때 이차방정식 $x^2+2x-2=0$의 두 근이 α, β이므로

$\alpha^2+2\alpha-2=0$, $\beta^2+2\beta-2=0$ ······ ㉠

이차방정식의 근과 계수의 관계에 의하여

$\alpha+\beta=-2$

(ⅰ) $f(\alpha)=\alpha$인 경우

$\alpha^3+3\alpha^2+p\alpha+q=\alpha(\alpha^2+2\alpha-2)+\alpha^2+2\alpha+p\alpha+q$
$\qquad\qquad\qquad\quad =\alpha^2+2\alpha+p\alpha+q\,(\because ㉠)$
$\qquad\qquad\qquad\quad =\alpha^2+2\alpha-2+p\alpha+q+2$
$\qquad\qquad\qquad\quad =p\alpha+q+2\,(\because ㉠)$

$f(\alpha)=\alpha$에서 $p\alpha+q+2=\alpha$

이 식은 α에 대한 항등식이므로

$p=1$, $q+2=0$

∴ $p=1$, $q=-2$

∴ $p+q=-1$

(ⅱ) $f(\alpha)=\beta$인 경우

$\alpha^3+3\alpha^2+p\alpha+q=p\alpha+q+2$

$f(\alpha)=\beta$이고 $\alpha+\beta=-2$에서 $\beta=-\alpha-2$이므로

$p\alpha+q+2=-\alpha-2$

이 식은 α에 대한 항등식이므로

$p=-1$, $q+2=-2$

∴ $p=-1$, $q=-4$

∴ $p+q=-5$

3단계 $p+q$의 최댓값 구하기

(ⅰ), (ⅱ)에서 $p+q$의 최댓값은 -1이다.

---

05 답 40

1단계 함수 $y=f^3(x)$의 그래프 그리기

함수 $f(x)=|x-1|-2$의 그래프는 함수 $y=x$의 그래프를 y축의 방향으로 -1만큼 평행이동한 다음 $y \geq 0$인 부분은 그대로 두고 $y < 0$인 부분은 x축에 대하여 대칭이동한 후 다시 y축의 방향으로 -2만큼 평행이동한 그래프이므로 그림과 같다.

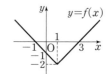

이때 함수 $y=(f \circ f)(x)=|f(x)-1|-2$의 그래프는 함수 $y=f(x)$의 그래프를 y축의 방향으로 -1만큼 평행이동한 다음 $y \geq 0$인 부분은 그대로 두고 $y < 0$인 부분은 x축에 대하여 대칭이동한 후 다시 y축의 방향으로 -2만큼 평행이동한 그래프이므로 그림과 같다.

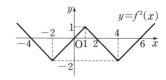

같은 방법으로 하면 함수 $y=f^3(x)$의 그래프는 그림과 같다.

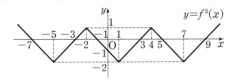

2단계 $S(n)$ 구하기

따라서 $y=f(x)$, $y=f^2(x)$, $y=f^3(x)$, $\cdots$, $y=f^n(x)$의 그래프와 x축으로 둘러싸인 도형의 넓이는 차례대로

$\dfrac{1}{2}\times4\times2=4$

$2\times\left(\dfrac{1}{2}\times4\times2\right)+\dfrac{1}{2}\times2\times1=9$

$3\times\left(\dfrac{1}{2}\times4\times2\right)+2\times\left(\dfrac{1}{2}\times2\times1\right)=14$

$4\times\left(\dfrac{1}{2}\times4\times2\right)+3\times\left(\dfrac{1}{2}\times2\times1\right)=19$

$\vdots$

$n\times\left(\dfrac{1}{2}\times4\times2\right)+(n-1)\times\left(\dfrac{1}{2}\times2\times1\right)=5n-1$

$\therefore S(n)=5n-1$

3단계 n의 값 구하기

$S(n)=199$에서 $5n-1=199$

$5n=200$ $\quad\therefore n=40$

06 답 ⑤

1단계 함수 $y=f(x)$의 그래프의 개형 그리기

$f(x)=|x+1|-|x-4|+2|x-6|-k$

$=\begin{cases} -2x+7-k & (x<-1) \\ 9-k & (-1\le x<4) \\ -2x+17-k & (4\le x<6) \\ 2x-7-k & (x\ge6) \end{cases}$

따라서 함수 $y=f(x)$의 그래프의 개형은 그림과 같다.

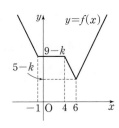

2단계 k의 값의 범위 구하기

두 함수 $y=f(x)$, $y=(f\circ f)(x)$의 그래프가 만나는 점의 x좌표는 방정식 $f(x)=(f\circ f)(x)$의 해와 같다.

방정식 $f(f(x))=f(x)$에서 $f(x)=t$로 놓으면 $f(t)=t$

방정식 $f(t)=t$의 실근을 α라 하면 $\alpha=t=f(t)$이므로 함수 $y=f(x)$의 그래프와 직선 $y=t$가 만나는 점의 x좌표가 α이다.

즉, 방정식 $f(x)=\alpha$의 서로 다른 실근의 개수는 방정식 $(f\circ f)(x)=f(x)$의 서로 다른 실근의 개수와 같다.

방정식 $f(x)=9-k$의 서로 다른 실근의 개수가 무수히 많으므로 방정식 $f(f(x))=f(x)$의 서로 다른 실근의 개수도 무수히 많다.

따라서 $-1\le9-k\le4$에서 $-4\le k-9\le1$

$\therefore 5\le k\le10$

3단계 모든 자연수 k의 값의 합 구하기

따라서 구하는 모든 자연수 k의 값의 합은

$5+6+7+8+9+10=45$

07 답 ①

1단계 함수 $y=f(x)$의 그래프 파악하기

(나)에서 모든 실수 x에 대하여 $f(-x)=f(x)$이므로 $-4\le x\le0$에서 함수 $y=f(x)$의 그래프는 $0\le x\le4$에서 함수 $y=f(x)$의 그래프를 y축에 대하여 대칭이동한 것과 같다.

또 모든 실수 x에 대하여 $f(x)=f(x-8)$이므로 $4\le x\le12$에서 함수 $y=f(x)$의 그래프는 $-4\le x\le4$에서 함수 $y=f(x)$의 그래프를 x축의 방향으로 8만큼 평행이동한 것과 같다.

같은 방법으로 정수 k에 대하여 $-4+8k\le x\le4+8k$에서 함수 $y=f(x)$의 그래프는 $-4\le x\le4$에서 함수 $y=f(x)$의 그래프를 x축의 방향으로 $8k$만큼 평행이동한 것과 같다.

2단계 $(f\circ g)(x)$가 상수함수가 되기 위한 조건 찾기

$x>0$에서 $\dfrac{|x|}{x}=1$

$x<0$에서 $\dfrac{|x|}{x}=-1$

$\therefore g(x)=\begin{cases} n-1 & (x<0) \\ n & (x=0) \\ n+1 & (x>0) \end{cases}$

즉, 함수 $g(x)$의 치역은 $\{n-1,\ n,\ n+1\}$

실수 전체의 집합에서 함수 $(f\circ g)(x)$가 상수함수이려면

$f(n-1)=f(n)=f(n+1)$

즉, 연속인 세 정수에 대하여 $f(x)$의 값이 같아야 한다.

3단계 자연수 n의 개수 구하기

연속인 세 정수에 대하여 $f(x)$의 값이 같은 경우는

$n=1$일 때, $f(0)=f(1)=f(2)=2$

$n=4$일 때, $f(3)=f(4)=f(5)=0$

$n=7$일 때, $f(6)=f(7)=f(8)=2$

$n=8$일 때, $f(7)=f(8)=f(9)=2$

$n=9$일 때, $f(8)=f(9)=f(10)=2$

함수 $y=f(x)$의 그래프는 $-4\le x\le4$에서 함수 $y=f(x)$의 그래프가 반복되므로 60 이하의 자연수 n의 값은

$n=1+8\times k$ $(k=0,\ 1,\ 2,\ 3,\ 4,\ 5,\ 6,\ 7)$

$n=4+8\times k$ $(k=0,\ 1,\ 2,\ 3,\ 4,\ 5,\ 6,\ 7)$

$n=7+8\times k$ $(k=0,\ 1,\ 2,\ 3,\ 4,\ 5,\ 6)$

$n=8+8\times k$ $(k=0,\ 1,\ 2,\ 3,\ 4,\ 5,\ 6)$

따라서 구하는 60 이하의 자연수 n의 개수는

$8+8+7+7=30$

08 답 ④

1단계 $f(3)$, $g(3)$이 될 수 있는 값 찾기

(가)에서

$f(3)=g(3)$

$f(3)\in Y$, $g(3)\in Z$, $Y\cap Z=\{5,\ 6\}$이므로

$f(3)=g(3)=5$ 또는 $f(3)=g(3)=6$

2단계 $f(3)$, $g(3)$의 값에 따라 $f(4)$, $g(6)$의 값 구하기

(i) $f(3)=g(3)=5$인 경우

두 함수 f, g는 일대일대응이고 $g(3)=5$이므로

(나)의 $g(f(2))=5$에서

$f(2)=3$

그런데 (다)에서 $f(2)\ne3$이므로 조건을 만족시키지 않는다.

(ii) $f(3)=g(3)=6$인 경우

　　$f(4)=3$ 또는 $f(4)=4$ 또는 $f(4)=5$

　　ⓘ $f(4)=3$일 때,

　　　ⓔ에서 $g(3)-2=3$

　　　$\therefore g(3)=5$

　　　그런데 $g(3)=6$이므로 조건을 만족시키지 않는다.

　　ⓘⓘ $f(4)=4$일 때,

　　　ⓔ에서 $g(4)-2=4$

　　　$\therefore g(4)=6$

　　　그런데 $g(3)=6$이므로 g는 일대일대응이 아니다.

　　ⓘⓘⓘ $f(4)=5$일 때,

　　　ⓔ에서 $g(5)-2=5$

　　　$\therefore g(5)=7$

　　　ⓓ에서 $f(2)\neq3$이므로

　　　$f(2)=4$

　　　ⓑ에서 $g(4)=5$

　　　두 함수 f, g는 일대일대응이므로

　　　$f(1)=3$, $g(6)=8$

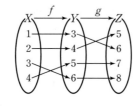

(i), (ii)에서 $f(4)=5$, $g(6)=8$

【3단계】 $f(4)+g(6)$의 값 구하기

$\therefore f(4)+g(6)=5+8=13$

★idea
09 답 27

【1단계】 주어진 조건의 의미 파악하기

함수 $y=g(x)$의 그래프와 x축의 교점의 개수는 방정식

$f^{-1}(x)-kx=0$, 즉 $f^{-1}(x)=kx$의 서로 다른 실근의 개수와 같다.

두 함수 $y=f(x)$, $y=f^{-1}(x)$의 그래프는 직선 $y=x$에 대하여 서로 대

칭이고, 직선 $y=kx$를 직선 $y=x$에 대하여 대칭이동하면 직선 $y=\dfrac{x}{k}$이

므로 방정식 $f^{-1}(x)=kx$의 서로 다른 실근의 개수는 방정식 $f(x)=\dfrac{x}{k}$

의 서로 다른 실근의 개수와 같다.

【2단계】 k의 값 구하기

$f(x)=\dfrac{x}{k}$에서 $x^3-x^2+6x=\dfrac{x}{k}$

$kx^3-kx^2+6kx=x$, $x(kx^2-kx+6k-1)=0$

$\therefore x=0$ 또는 $kx^2-kx+6k-1=0$

방정식 $f(x)=\dfrac{x}{k}$의 실근의 개수가 2이어야 하므로 이차방정식

$kx^2-kx+6k-1=0$은 0이 아닌 중근을 가져야 한다.

(i) 이차방정식 $kx^2-kx+6k-1=0$이 $x=0$을 근으로 갖지 않으므로

　　$6k-1\neq0$　　$\therefore k\neq\dfrac{1}{6}$

(ii) 이차방정식 $kx^2-kx+6k-1=0$이 중근을 가지므로 이 이차방정식

　　의 판별식을 D라 하면

　　$D=k^2-4k(6k-1)=0$, $k^2-24k^2+4k=0$

　　$23k^2-4k=0$, $k(23k-4)=0$

　　$\therefore k=0$ 또는 $k=\dfrac{4}{23}$

　　그런데 $k\neq0$이므로 $k=\dfrac{4}{23}$

(i), (ii)에서 $k=\dfrac{4}{23}$

【3단계】 $a+b$의 값 구하기

따라서 $a=23$, $b=4$이므로

$a+b=27$

---

10 답 ⑤

【1단계】 ㄱ이 옳은지 확인하기

ㄱ. 함수 $g(x)$의 정의역과 치역이 모두 실수 전체의 집합이고 함수

　　$g(x)$의 역함수가 존재하므로 함수 $g(x)$는 일대일대응이다.

　　즉, 함수 $y=g(x)$의 그래프의 개형은 그림과 같다.

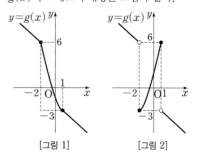

[그림 1]　　　　[그림 2]

　　$\therefore f(-2)+f(1)=3$

【2단계】 ㄴ이 옳은지 확인하기

ㄴ. $g(0)=f(0)=-1$이므로 $f(x)=ax^2+bx-1\,(a>0)$로 놓을 수

　　있다.

　　$g(1)=f(1)=-3$이면 ㄱ의 [그림 1]에서 $f(-2)=6$이므로

　　$a+b-1=-3$, $4a-2b-1=6$

　　$\therefore a+b=-2$, $4a-2b=7$

　　두 식을 연립하여 풀면

　　$a=\dfrac{1}{2}$, $b=-\dfrac{5}{2}$

　　$\therefore f(x)=\dfrac{1}{2}x^2-\dfrac{5}{2}x-1$

　　　　$=\dfrac{1}{2}\left(x-\dfrac{5}{2}\right)^2-\dfrac{33}{8}$

　　따라서 곡선 $y=f(x)$의 꼭짓점의 x좌표는 $\dfrac{5}{2}$이다.

【3단계】 ㄷ이 옳은지 확인하기

ㄷ. 곡선 $y=f(x)$의 꼭짓점의 x좌표가 -2이므로

　　$f(x)=a(x+2)^2+p\,(a>0)$로 놓을 수 있다.

　　ㄱ의 [그림 2]에서 $f(-2)=-3$, $f(1)=6$이므로

　　$p=-3$, $9a+p=6$

　　$\therefore a=1$

　　$\therefore f(x)=(x+2)^2-3$

　　즉, $g(0)=f(0)=1$이므로

　　$g^{-1}(1)=0$

【4단계】 옳은 것 구하기

따라서 보기에서 옳은 것은 ㄱ, ㄴ, ㄷ이다.

04 유리함수

step ❶ 핵심 문제 | 50~51쪽

01 ④	02 151	03 ①	04 ⑤	05 $a \geq 6$	06 ④
07 $-20 < m \leq 0$	08 ③	09 ②	10 ㄱ, ㄴ, ㄷ		
11 ①	12 3				

01 답 ④

$$\cfrac{1}{2-\cfrac{1}{2-\cfrac{1}{x}}} = \cfrac{1}{2-\cfrac{1}{\frac{2x-1}{x}}} = \cfrac{1}{2-\cfrac{x}{2x-1}} = \cfrac{1}{\frac{3x-2}{2x-1}} = \frac{2x-1}{3x-2}$$

$$= \frac{\frac{2}{3}(3x-2)+\frac{1}{3}}{3x-2} = \frac{1}{9x-6} + \frac{2}{3}$$

따라서 $a=9$, $b=-6$, $c=\frac{2}{3}$이므로

$$a+b+c = \frac{11}{3}$$

02 답 151

$$f(n) = \frac{1}{4n^2-1} = \frac{1}{(2n-1)(2n+1)}$$

$$= \frac{1}{(2n+1)-(2n-1)}\left(\frac{1}{2n-1} - \frac{1}{2n+1}\right)$$

$$= \frac{1}{2}\left(\frac{1}{2n-1} - \frac{1}{2n+1}\right)$$

$\therefore f(1)+f(2)+f(3)+\cdots+f(50)$

$$= \frac{1}{2}\left\{\left(\frac{1}{1}-\frac{1}{3}\right)+\left(\frac{1}{3}-\frac{1}{5}\right)+\left(\frac{1}{5}-\frac{1}{7}\right)+\cdots+\left(\frac{1}{99}-\frac{1}{101}\right)\right\}$$

$$= \frac{1}{2}\left(1-\frac{1}{101}\right) = \frac{50}{101}$$

따라서 $p=101$, $q=50$이므로

$p+q=151$

03 답 ①

함수 $y=\dfrac{4}{x-p}-3$의 그래프는 함수 $y=\dfrac{4}{x}$의 그래프를 x축의 방향으로 p만큼, y축의 방향으로 -3만큼 평행이동한 것이므로 두 점근선의 방정식은

$x=p$, $y=-3$

$p \geq 0$이면 함수 $y=\dfrac{4}{x-p}-3$의 그래프는 제1사분면을 지나므로

$p < 0$

$p < 0$일 때, 함수 $y=\dfrac{4}{x-p}-3$의 그래프는

$x < p$에서 제3사분면만을 지나고, $x > p$에서 제1사분면을 지나지 않아야 한다.

즉, $x=0$일 때 y의 값이 0 이하가 되어야 하므로

$$\frac{4}{-p}-3 \leq 0 \qquad \therefore p \leq -\frac{4}{3} \ (\because p < 0)$$

따라서 정수 p의 최댓값은 -2이다.

04 답 ⑤

함수 $y=f(x)$의 그래프를 x축의 방향으로 -2만큼, y축의 방향으로 3만큼 평행이동한 곡선이 $y=g(x)$이므로

$$g(x) = \frac{3(x+2)+k}{(x+2)+4} + 3 = \frac{3(x+6)+k-12}{x+6} + 3 = \frac{k-12}{x+6} + 6$$

곡선 $y=g(x)$의 두 점근선의 방정식은 $x=-6$, $y=6$이므로 두 점근선의 교점의 좌표는 $(-6, 6)$

점 $(-6, 6)$이 곡선 $y=f(x)$ 위의 점이므로 $f(-6)=6$에서

$$\frac{-18+k}{-6+4} = 6, \ k-18=-12$$

$\therefore k=6$

다른 풀이

$$f(x) = \frac{3x+k}{x+4} = \frac{3(x+4)+k-12}{x+4} = \frac{k-12}{x+4} + 3$$

함수 $y=f(x)$의 그래프의 두 점근선의 방정식은 $x=-4$, $y=3$이므로 두 점근선의 교점의 좌표는 $(-4, 3)$

곡선 $y=g(x)$는 곡선 $y=f(x)$를 x축의 방향으로 -2만큼, y축의 방향으로 3만큼 평행이동한 것이므로 곡선 $y=g(x)$의 두 점근선의 교점은 점 $(-4, 3)$을 x축의 방향으로 -2만큼, y축의 방향으로 3만큼 평행이동한 점 $(-6, 6)$과 같다.

점 $(-6, 6)$이 곡선 $y=f(x)$ 위의 점이므로 $f(-6)=6$에서

$$\frac{-18+k}{-6+4} = 6, \ k-18=-12$$

$\therefore k=6$

05 답 $a \geq 6$

$y=\dfrac{-ax+2}{x-3} = \dfrac{-a(x-3)-3a+2}{x-3} = \dfrac{-3a+2}{x-3} - a$이므로 유리함수

$y=\dfrac{-ax+2}{x-3}$의 그래프의 두 점근선의 방정식은

$x=3$, $y=-a$

$y=\dfrac{x-3}{x-a} = \dfrac{(x-a)+a-3}{x-a} = \dfrac{a-3}{x-a} + 1$이므로 유리함수 $y=\dfrac{x-3}{x-a}$의 그래프의 두 점근선의 방정식은

$x=a$, $y=1$

점근선으로 둘러싸인 도형의 넓이가 21 이상이고 $a > 0$이므로

$|a-3|(a+1) \geq 21$

(ⅰ) $0 < a < 3$일 때,

$-(a-3)(a+1) \geq 21$, $a^2-2a+18 \leq 0$

$(a-1)^2+17 \leq 0$

이 부등식을 만족시키는 a의 값은 존재하지 않는다.

(ⅱ) $a \geq 3$일 때,

$(a-3)(a+1) \geq 21$, $a^2-2a-24 \geq 0$

$(a+4)(a-6) \geq 0 \qquad \therefore a \geq 6 \ (\because a \geq 3)$

(ⅰ), (ⅱ)에서 구하는 양수 a의 값의 범위는

$a \geq 6$

비법 NOTE

$$y=\frac{ax+b}{cx+d} = \frac{\frac{a}{c}\left(x+\frac{d}{c}\right)-\frac{ad}{c^2}+\frac{b}{c}}{x+\frac{d}{c}} = \frac{-\frac{ad}{c^2}+\frac{b}{c}}{x+\frac{d}{c}} + \frac{a}{c}$$이므로

유리함수 $y=\dfrac{ax+b}{cx+d} \ (c \neq 0, \ ad-bc \neq 0)$의 그래프의 두 점근선의 방정식은

$x=-\dfrac{d}{c}$, $y=\dfrac{a}{c}$이다.

06 답 ④

$x+9=-x-1$에서 $x=-5$

이를 $y=x+9$에 대입하면 $y=4$

따라서 두 직선 $y=x+9$, $y=-x-1$의 교점의 좌표는 $(-5, 4)$

유리함수 $y=\dfrac{ax+b}{x+c}$의 그래프가 두 직선 $y=x+9$, $y=-x-1$에 대하

여 대칭이므로 유리함수 $y=\dfrac{ax+b}{x+c}$의 그래프의 두 점근선의 방정식은

$x=-5$, $y=4$

$y=\dfrac{ax+b}{x+c}=\dfrac{a(x+c)+b-ac}{x+c}=\dfrac{b-ac}{x+c}+a$이므로 유리함수

$y=\dfrac{ax+b}{x+c}$의 그래프의 두 점근선의 방정식은 $x=-c$, $y=a$

$\therefore c=5$, $a=4$

따라서 유리함수 $y=\dfrac{4x+b}{x+5}$의 그래프가 점 $(-1, 1)$을 지나므로

$1=\dfrac{-4+b}{-1+5}$ $\therefore b=8$

$\therefore a-b+c=4-8+5=1$

다른 풀이

$x+9=-x-1$에서 $x=-5$

이를 $y=x+9$에 대입하면 $y=4$

따라서 두 직선 $y=x+9$, $y=-x-1$의 교점의 좌표는 $(-5, 4)$

유리함수 $y=\dfrac{ax+b}{x+c}$의 그래프가 두 직선 $y=x+9$, $y=-x-1$에 대하

여 대칭이므로 유리함수 $y=\dfrac{ax+b}{x+c}$의 그래프의 두 점근선의 방정식은

$x=-5$, $y=4$

따라서 $y=\dfrac{k}{x+5}+4 \, (k\neq0)$로 놓으면 이 유리함수의 그래프가 점

$(-1, 1)$을 지나므로 $1=\dfrac{k}{-1+5}+4$ $\therefore k=-12$

즉, $y=\dfrac{-12}{x+5}+4=\dfrac{4x+8}{x+5}$이므로

$a=4$, $b=8$, $c=5$ $\therefore a-b+c=1$

07 답 $-20<m\leq0$

$y=\dfrac{2x+3}{x-1}=\dfrac{2(x-1)+5}{x-1}=\dfrac{5}{x-1}+2$이므로 함수 $y=\dfrac{2x+3}{x-1}$의 그래

프의 두 점근선의 방정식은 $x=1$, $y=2$

직선 $y=mx+2$는 m의 값에 관계없이 항상

점 $(0, 2)$를 지나므로 함수 $y=\dfrac{2x+3}{x-1}$의 그

래프와 직선 $y=mx+2$가 만나지 않으려면

그림과 같아야 한다. ·················· 배점 20%

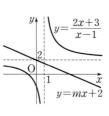

(i) $m=0$일 때,

직선 $y=2$는 함수 $y=\dfrac{2x+3}{x-1}$의 그래프의 한 점근선이므로 만나지

않는다. ·················· 배점 30%

(ii) $m\neq0$일 때,

$\dfrac{2x+3}{x-1}=mx+2$에서 $2x+3=mx^2+(2-m)x-2$

$\therefore mx^2-mx-5=0$

이 이차방정식의 판별식을 D라 하면

$D=m^2+20m<0$, $m(m+20)<0$

$\therefore -20<m<0$ ·················· 배점 30%

(i), (ii)에서 구하는 상수 m의 값의 범위는 $-20<m\leq0$ ······· 배점 20%

08 답 ③

$\dfrac{3x-4}{x+2}=-x+k$에서 $3x-4=-x^2+(k-2)x+2k$

$\therefore x^2-(k-5)x-2k-4=0$

이 이차방정식의 서로 다른 두 실근을 α, β라 하면 이차방정식의 근과

계수의 관계에 의하여

$\alpha+\beta=k-5$, $\alpha\beta=-2k-4$

$\therefore (\alpha-\beta)^2=(\alpha+\beta)^2-4\alpha\beta=(k-5)^2-4(-2k-4)$

$\qquad\qquad\;\; =k^2-2k+41$ ······ ㉠

한편 서로 다른 두 실근 α, β는 두 교점 A, B의 x좌표이고 두 교점 A,

B는 모두 직선 $y=-x+k$ 위의 점이다.

따라서 A$(\alpha, -\alpha+k)$, B$(\beta, -\beta+k)$라 하면 $\overline{AB}=4\sqrt{6}$에서

$\sqrt{(\alpha-\beta)^2+(-\alpha+k+\beta-k)^2}=4\sqrt{6}$, $\sqrt{2(\alpha-\beta)^2}=4\sqrt{6}$

$\therefore (\alpha-\beta)^2=48$ ······ ㉡

㉠, ㉡에서 $k^2-2k+41=48$ $\therefore k^2-2k-7=0$

따라서 이차방정식의 근과 계수의 관계에 의하여 모든 상수 k의 값의

곱은 -7이다.

09 답 ②

$f(x)=\dfrac{2x-4}{7x+4}$이므로

$f(-1)=2$

$f^2(-1)=(f\circ f)(-1)=f(f(-1))=f(2)=0$

$f^3(-1)=(f\circ f^2)(-1)=f(f^2(-1))=f(0)=-1$

$f^4(-1)=(f\circ f^3)(-1)=f(f^3(-1))=f(-1)=2$

$\qquad\qquad\qquad\vdots$

즉, $f^n(-1)$의 값은 2, 0, -1이 이 순서대로 반복된다.

따라서 $999=3\times333$, $1000=3\times333+1$이므로

$f^{999}(-1)-f^{1000}(-1)=-1-2=-3$

10 답 ㄱ, ㄴ, ㄷ

$f(x)=\dfrac{x-1}{x}$

$f^2(x)=(f\circ f)(x)=f(f(x))=\dfrac{\dfrac{x-1}{x}-1}{\dfrac{x-1}{x}}=\dfrac{\dfrac{-1}{x}}{\dfrac{x-1}{x}}=-\dfrac{1}{x-1}$

$f^3(x)=(f\circ f^2)(x)=f(f^2(x))=\dfrac{\dfrac{-1}{x-1}-1}{\dfrac{-1}{x-1}}=\dfrac{\dfrac{-x}{x-1}}{\dfrac{-1}{x-1}}=x$

$f^4(x)=(f\circ f^3)(x)=f(f^3(x))=f(x)=\dfrac{x-1}{x}$

$\qquad\qquad\qquad\vdots$

$\therefore f^{3k+1}(x)=\dfrac{x-1}{x}$, $f^{3k+2}(x)=-\dfrac{1}{x-1}$, $f^{3k+3}(x)=x$

$\qquad\qquad\qquad\qquad\qquad (k=0, 1, 2, \cdots)$

ㄱ. $f^2(x)=-\dfrac{1}{x-1}$에서 $f^2(0)=1$이므로 함수 $y=f^2(x)$의 그래프는

점 $(0, 1)$을 지난다.

ㄴ. $11=3\times3+2$이므로 $f^{11}(x)=f^2(x)=-\dfrac{1}{x-1}$

$\therefore p=0$, $q=-1$, $r=1$ $\therefore p+q+r=0$

ㄷ. $24=3\times8$이므로 $f^{24}(x)=x$

따라서 함수 $f^{24}(x)$는 항등함수이다.

따라서 보기에서 옳은 것은 ㄱ, ㄴ, ㄷ이다.

11 답 ①

$y = \dfrac{2x+k}{-3x-1}$라 하면

$2x+k = -3xy-y$, $(3y+2)x = -y-k$

$\therefore x = \dfrac{-y-k}{3y+2}$

x와 y를 서로 바꾸면 $y = \dfrac{-x-k}{3x+2}$

$\therefore f^{-1}(x) = \dfrac{-x-k}{3x+2}$

$(f \circ f)(x) = f(f(x)) = \dfrac{2 \times \dfrac{2x+k}{-3x-1}+k}{-3 \times \dfrac{2x+k}{-3x-1}-1}$

$\qquad = \dfrac{(4-3k)x+k}{-3x-3k+1} = \dfrac{(3k-4)x-k}{3x+3k-1}$

$f^{-1}(x) = (f \circ f)(x)$이므로 $\dfrac{-x-k}{3x+2} = \dfrac{(3k-4)x-k}{3x+3k-1}$에서

$3k-4 = -1$, $3k-1 = 2$

$\therefore k = 1$

12 답 3

㈎에서 함수 $f(x)$가 $x \neq -2$인 모든 실수 x에 대하여 $f(f(x)) = x$이므로

$f^{-1}(x) = f(x) \, (x \neq -2)$ ...... ㉠

㈏에서 $f(-3) = -7$이므로

$\dfrac{-3p+q}{-3+2} = -7$

$\therefore -3p+q = 7$ ...... ㉡

㉠에서 $f^{-1}(-3) = f(-3)$이므로

$f^{-1}(-3) = -7$ $\therefore f(-7) = -3$

$\dfrac{-7p+q}{-7+2} = -3$

$\therefore -7p+q = 15$ ...... ㉢

㉡, ㉢을 연립하여 풀면

$p = -2$, $q = 1$

$\therefore f(x) = \dfrac{-2x+1}{x+2}$

따라서 ㉠에서

$f^{-1}(-1) = f(-1) = \dfrac{2+1}{-1+2} = 3$

step ② 고난도 문제

| 52~56쪽

01 ①	02 ②	03 10	04 −52, 80	05 16
06 ④	07 ①	08 ②	09 ①	10 ㄱ, ㄴ, ㄷ
11 ③	12 18	13 ⑤	14 21	15 ④	16 $\dfrac{8}{5}$
17 −9	18 ⑤	19 ⑤	20 1	21 7	22 ①
23 8	24 ①			

01 답 ①

$\dfrac{a+2b}{3c} = \dfrac{2b+3c}{a} = \dfrac{3c+a}{2b} = k \, (k \neq 0)$라 하면

$a+2b = 3ck$, $2b+3c = ak$, $3c+a = 2bk$ ...... ㉠

세 식을 모두 더하면

$2(a+2b+3c) = k(a+2b+3c)$

$a+2b+3c \neq 0$이므로 $k = 2$

이를 ㉠에 대입하면

$a+2b = 6c$ ...... ㉡

$2b+3c = 2a$ ...... ㉢

$3c+a = 4b$ ...... ㉣

㉡−㉢을 하면

$a-3c = 6c-2a$ $\therefore a = 3c$

이를 ㉣에 대입하면

$3c+3c = 4b$ $\therefore b = \dfrac{3}{2}c$

$\therefore \dfrac{a^3+8b^3+27c^3}{abc} = \dfrac{(3c)^3+8\left(\dfrac{3}{2}c\right)^3+27c^3}{3c \times \dfrac{3}{2}c \times c} = \dfrac{81c^3}{\dfrac{9}{2}c^3} = 18$

02 답 ②

$\dfrac{12m+36}{2m^2+3m} - \dfrac{12m+24}{2m^2+11m+15} + \dfrac{24}{4m^2+16m+15}$

$= \dfrac{12m+36}{m(2m+3)} - \dfrac{12m+24}{(m+3)(2m+5)} + \dfrac{24}{(2m+3)(2m+5)}$

$= \dfrac{12m+36}{(2m+3)-m}\left(\dfrac{1}{m} - \dfrac{1}{2m+3}\right)$

$\qquad - \dfrac{12m+24}{(2m+5)-(m+3)}\left(\dfrac{1}{m+3} - \dfrac{1}{2m+5}\right)$

$\qquad + \dfrac{24}{(2m+5)-(2m+3)}\left(\dfrac{1}{2m+3} - \dfrac{1}{2m+5}\right)$

$= 12\left\{\left(\dfrac{1}{m} - \dfrac{1}{2m+3}\right) - \left(\dfrac{1}{m+3} - \dfrac{1}{2m+5}\right) + \left(\dfrac{1}{2m+3} - \dfrac{1}{2m+5}\right)\right\}$

$= 12\left(\dfrac{1}{m} - \dfrac{1}{m+3}\right) = 12 \times \dfrac{(m+3)-m}{m(m+3)}$

$= \dfrac{36}{m(m+3)}$

즉, 주어진 식의 값이 자연수가 되려면 m, $m+3$의 값이 모두 36의 약수이어야 하고, $m(m+3)$의 값은 36보다 작거나 같아야 한다.

따라서 자연수 m의 값은 1, 3이므로 그 합은 4이다.

03 답 10

$f(x) = \dfrac{bx+c}{x-a} = \dfrac{b(x-a)+ab+c}{x-a} = \dfrac{ab+c}{x-a}+b$

유리함수 $y = f(x)$의 그래프의 두 점근선의 방정식은

$x = a$, $y = b$

따라서 유리함수 $y = f(x)$의 그래프는 점 (a, b)에 대하여 대칭이다.

㈎에서 유리함수 $y = f(x)$의 그래프는 점 $(1, 2)$에 대하여 대칭이므로

$a = 1$, $b = 2$

$\therefore f(x) = \dfrac{2x+c}{x-1}$

㈏에서 $f(0) = 1$이므로

$\dfrac{c}{-1} = 1$ $\therefore c = -1$

따라서 유리함수 $f(x)=\dfrac{1}{x-1}+2$의 그래프
는 그림과 같으므로

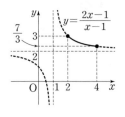

$x=2$일 때 최댓값 $M=\dfrac{1}{2-1}+2=3$,

$x=4$일 때 최솟값 $m=\dfrac{1}{4-1}+2=\dfrac{7}{3}$을 갖
는다.

$\therefore M+3m=3+3\times\dfrac{7}{3}=10$

04 답 -52, 80

$f(x)=\dfrac{ax-b}{3x-1}=\dfrac{\dfrac{a}{3}(3x-1)+\dfrac{a}{3}-b}{3x-1}=\dfrac{a-3b}{9\left(x-\dfrac{1}{3}\right)}+\dfrac{a}{3}$

역함수 $f^{-1}(x)$의 정의역은 함수 $f(x)$의 치역과 같으므로 유리함수
$y=f(x)$의 치역은 $\{y\,|\,2\le y\le 5\}$

(i) $a-3b>0$, 즉 $a>3b$일 때,

유리함수 $y=f(x)$의 그래프는 그림과 같
으므로 $x=2$일 때 최댓값 5, $x=3$일 때
최솟값 2를 갖는다.

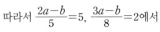

따라서 $\dfrac{2a-b}{5}=5$, $\dfrac{3a-b}{8}=2$에서

$2a-b=25$, $3a-b=16$

두 식을 연립하여 풀면

$a=-9$, $b=-43$

$\therefore a+b=-52$

(ii) $a-3b<0$, 즉 $a<3b$일 때,

유리함수 $y=f(x)$의 그래프는 그림과 같
으므로 $x=2$일 때 최솟값 2, $x=3$일 때
최댓값 5를 갖는다.

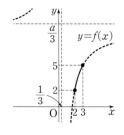

따라서 $\dfrac{2a-b}{5}=2$, $\dfrac{3a-b}{8}=5$에서

$2a-b=10$, $3a-b=40$

두 식을 연립하여 풀면

$a=30$, $b=50$

$\therefore a+b=80$

(i), (ii)에서 $a+b$의 값은 -52, 80이다.

05 답 16

$f(x)=\dfrac{4x+k}{x+1}=\dfrac{4(x+1)-4+k}{x+1}=\dfrac{k-4}{x+1}+4$ ················· 배점 20%

함수 $y=f(x)$에 대하여

(i) $k-4=0$, 즉 $k=4$일 때,

$f(x)=4$이므로 $X=\{4\}$

따라서 함수 $f(x)$의 치역의 원소 중 정수의 개수는 1이므로 주어진
조건을 만족시키지 않는다. ················· 배점 20%

(ii) $k-4>0$, 즉 $k>4$일 때,

$X=\left\{y\,\Big|\,4<y\le\dfrac{k+4}{2}\right\}$이므로 X의 원소 중
정수의 개수가 8이려면

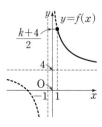

$12\le\dfrac{k+4}{2}<13$

$24\le k+4<26$

$\therefore 20\le k<22$ ················· 배점 20%

(iii) $k-4<0$, 즉 $k<4$일 때,

$X=\left\{y\,\Big|\,\dfrac{k+4}{2}\le y<4\right\}$이므로 X의 원소
중 정수의 개수가 8이려면

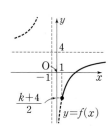

$-5<\dfrac{k+4}{2}\le-4$

$-10<k+4\le-8$

$\therefore -14<k\le-12$ ················· 배점 20%

(i), (ii), (iii)에서 정수 k의 값은 -13, -12, 20, 21이므로 모든 정수 k
의 값의 합은

$-13+(-12)+20+21=16$ ················· 배점 20%

06 답 ④

함수 $y=\left|f(x+a)+\dfrac{a}{2}\right|$의 그래프는 함수 $y=f(x+a)+\dfrac{a}{2}$의 그래프
에서 $y\ge 0$인 부분은 그대로 두고 $y<0$인 부분은 x축에 대하여 대칭이
동한 것이고, 이 그래프가 y축에 대하여 대칭이려면 함수
$y=f(x+a)+\dfrac{a}{2}$의 그래프의 두 점근선의 방정식은 그림과 같이 $x=0$,
$y=0$이어야 한다.

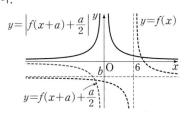

$f(x)=\dfrac{a}{x-6}+b$에서 $f(x+a)+\dfrac{a}{2}=\dfrac{a}{x+a-6}+b+\dfrac{a}{2}$

함수 $y=f(x+a)+\dfrac{a}{2}$의 그래프의 두 점근선의 방정식은

$x=6-a$, $y=b+\dfrac{a}{2}$

이 점근선의 방정식이 $x=0$, $y=0$이어야 하므로

$6-a=0$, $b+\dfrac{a}{2}=0$ $\therefore a=6$, $b=-3$

따라서 $f(x)=\dfrac{6}{x-6}-3$이므로

$f(b)=f(-3)=\dfrac{6}{-3-6}-3=-\dfrac{11}{3}$

07 답 ①

$f(x)=\dfrac{cx+d}{ax+b}=\dfrac{c\left(x+\dfrac{b}{a}\right)-\dfrac{bc}{a}+d}{a\left(x+\dfrac{b}{a}\right)}=\dfrac{-\dfrac{bc}{a^2}+\dfrac{d}{a}}{x+\dfrac{b}{a}}+\dfrac{c}{a}$이므로 유리

함수 $y=f(x)$의 그래프의 두 점근선의 방정식은

$x=-\dfrac{b}{a}$, $y=\dfrac{c}{a}$

㈎에서 두 점근선의 방정식이 $x=1$, $y=-3$이므로

$-\dfrac{b}{a}=1$, $\dfrac{c}{a}=-3$ $\therefore b=-a$, $c=-3a$ ······ ㉠

유리함수 $y=f(x)$의 그래프가 제1, 2, 3, 4사
분면을 모두 지나려면 유리함수 $y=f(x)$의 그
래프의 개형은 그림과 같아야 하므로

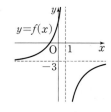

$f(0)=\dfrac{d}{b}>0$이어야 한다.

$\bigcirc$과 $\dfrac{d}{b}>0$에서

$a<0,\ b>0,\ c>0,\ d>0$ 또는 $a>0,\ b<0,\ c<0,\ d<0$

(i) $a<0,\ b>0,\ c>0,\ d>0$일 때,

　$a,\ b,\ c$는 -20 이상 20 이하의 정수이므로 $\bigcirc$에서 순서쌍 $(a,\ b,\ c)$

　는 $(-1,\ 1,\ 3),\ (-2,\ 2,\ 6),\ (-3,\ 3,\ 9),\ (-4,\ 4,\ 12),$

　$(-5,\ 5,\ 15),\ (-6,\ 6,\ 18)$

　이때 d는 $0<d\le20$인 정수이다.

　즉, $a+b+c+d$의 최솟값은 $a=-1,\ b=1,\ c=3,\ d=1$일 때 4이다.

(ii) $a>0,\ b<0,\ c<0,\ d<0$일 때,

　$a,\ b,\ c$는 -20 이상 20 이하의 정수이므로 $\bigcirc$에서 순서쌍 $(a,\ b,\ c)$

　는 $(1,\ -1,\ -3),\ (2,\ -2,\ -6),\ (3,\ -3,\ -9),\ (4,\ -4,\ -12),$

　$(5,\ -5,\ -15),\ (6,\ -6,\ -18)$

　이때 d는 $-20\le d<0$인 정수이다.

　즉, $a+b+c+d$의 최솟값은 $a=6,\ b=-6,\ c=-18,\ d=-20$일

　때 -38이다.

(i), (ii)에서 $a+b+c+d$의 최솟값은 -38이다.

08 답 ②

두 집합 $A,\ B$에 대하여 $n(A\cap B)=3$이 되려면 함수

$y=\left|\dfrac{x+k}{x-5}\right|\ (k>-5)$의 그래프와 직선 $y=x+1$이 서로 다른 세 점에

서 만나야 한다.

함수 $y=\left|\dfrac{x+k}{x-5}\right|\ (k>-5)$의 그래프는 함수 $y=\dfrac{x+k}{x-5}$의 그래프에서

$y\ge0$인 부분은 그대로 두고 $y<0$인 부분은 x축에 대하여 대칭이동한 것이

다.

이때 함수 $y=\dfrac{x+k}{x-5}=\dfrac{k+5}{x-5}+1\ (k+5>0)$의 그래프의 두 점근선의

방정식은 $x=5,\ y=1$이고 점 $(-k,\ 0)$을 지난다.

함수 $y=\left|\dfrac{x+k}{x-5}\right|$의 그래프와 직선

$y=x+1$은 그림과 같고, $x>5$일 때 한

점에서 만난다.

따라서 함수 $y=\left|\dfrac{x+k}{x-5}\right|$의 그래프와

직선 $y=x+1$이 서로 다른 세 점에서

만나려면 $x<5$일 때 서로 다른 두 점

에서 만나야 한다.

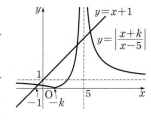

$x<5$일 때 함수 $y=\left|\dfrac{x+k}{x-5}\right|=\dfrac{-x-k}{x-5}$의 그래프와 직선 $y=x+1$이

접하는 경우는

$\dfrac{-x-k}{x-5}=x+1$에서 $-x-k=x^2-4x-5$

$\therefore\ x^2-3x+k-5=0$

이 이차방정식의 판별식을 D라 하면

$D=9-4k+20=0$　　$\therefore\ k=\dfrac{29}{4}$

이때 $k>-5$이므로 $x<5$일 때 함수 $y=\left|\dfrac{x+k}{x-5}\right|$의 그래프와 직선

$y=x+1$이 서로 다른 두 점에서 만나도록 하는 k의 값의 범위는

$-5<k<\dfrac{29}{4}$

따라서 $n(A\cap B)=3$이 되도록 하는 정수 k는 $-4,\ -3,\ \cdots,\ 6,\ 7$의

12개이다.

09 답 ①

삼각형 AFD와 삼각형 EFC는 닮음이므로

$\overline{AD}:\overline{EC}=\overline{DF}:\overline{CF}$

$3:x=\{f(x)+2\}:f(x)$

$xf(x)+2x=3f(x),\ (x-3)f(x)=-2x$

$0\le x\le2$에서 $x-3\ne0$이므로

$f(x)=\dfrac{-2x}{x-3}=\dfrac{-2(x-3)-6}{x-3}$

　　　$=-\dfrac{6}{x-3}-2\ (0\le x\le2)$

따라서 함수 $y=f(x)$의 그래프는 그림과 같으

므로 그래프의 개형으로 알맞은 것은 ①이다.

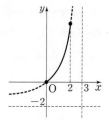

10 답 ㄱ, ㄴ, ㄷ

$P\left(t,\ \dfrac{3}{t}\right)(t>0)$이라 하면 점 Q는 선분 OP를 $2:1$로 외분하는 점이므

로 $Q\left(2t,\ \dfrac{6}{t}\right)$

$\therefore\ B\left(0,\ \dfrac{6}{t}\right),\ D(2t,\ 0)$

점 A의 y좌표는 $\dfrac{6}{t}$이므로 $\dfrac{6}{t}=\dfrac{3}{x}$에서 $x=\dfrac{t}{2}$

$\therefore\ A\left(\dfrac{t}{2},\ \dfrac{6}{t}\right)$

점 C의 x좌표는 $2t$이므로 $y=\dfrac{3}{2t}$　　$\therefore\ C\left(2t,\ \dfrac{3}{2t}\right)$

ㄱ. $\overline{AB}=\dfrac{t}{2},\ \overline{AQ}=2t-\dfrac{t}{2}=\dfrac{3}{2}t$이므로

　　$\overline{AB}:\overline{AQ}=1:3$

　　따라서 점 A는 선분 BQ를 $1:3$으로 내분한다.

ㄴ. 직선 AC의 기울기는 $\dfrac{\dfrac{3}{2t}-\dfrac{6}{t}}{2t-\dfrac{t}{2}}=-\dfrac{3}{t^2}$

　　직선 BD의 기울기는 $\dfrac{0-\dfrac{6}{t}}{2t-0}=-\dfrac{3}{t^2}$

　　따라서 직선 AC의 기울기와 직선 BD의 기울기는 같다.

ㄷ. 점 P는 직사각형 ODQB의 대각선 OQ의 중점이므로 대각선 BD의

　　중점이다. 즉, 점 P는 직선 BD 위의 점이다.

　　직선 BD의 방정식은

　　$\dfrac{x}{2t}+\dfrac{y}{\dfrac{6}{t}}=1$　　$\therefore\ \dfrac{x}{2t}+\dfrac{ty}{6}=1$

　　$\dfrac{x}{2t}+\dfrac{ty}{6}=1$에 $y=\dfrac{3}{x}$을 대입하면 → 함수 $y=\dfrac{3}{x}$의 그래프와 직선 BD의 교점의 x좌표를 구한다.

　　$\dfrac{x}{2t}+\dfrac{t\times\dfrac{3}{x}}{6}=1,\ \dfrac{x}{2t}+\dfrac{t}{2x}=1$

　　$x^2-2tx+t^2=0$　　$\therefore\ (x-t)^2=0$

　　방정식 $x^2-2tx+t^2=0$은 중근을 가지므로 직선 BD는 함수 $y=\dfrac{3}{x}$

　　의 그래프와 점 P에서 접한다.

따라서 보기에서 옳은 것은 ㄱ, ㄴ, ㄷ이다.

11 답 ③

$P\left(k, -\dfrac{4}{k}\right)(k<0)$라 하자.

점 P에서 접하는 직선의 방정식의 기울기를 m이라 하면

$$y=m(x-k)-\dfrac{4}{k}$$

이 직선이 함수 $y=-\dfrac{4}{x}$의 그래프와 한 점에서 만나야 하므로 방정식

$m(x-k)-\dfrac{4}{k}=-\dfrac{4}{x}$, 즉 $mkx^2-(mk^2+4)x+4k=0$이 중근을 가져야 한다.

이 이차방정식의 판별식을 D라 하면

$D=(mk^2+4)^2-16mk^2=0$, $m^2k^4-8mk^2+16=0$

$(mk^2-4)^2=0$, $mk^2=4$ $\quad\therefore m=\dfrac{4}{k^2}$

함수 $y=-\dfrac{4}{x}$의 그래프 위의 점 P에서의 접선의 방정식은

$y=\dfrac{4}{k^2}(x-k)-\dfrac{4}{k}$ $\quad\therefore y=\dfrac{4}{k^2}x-\dfrac{8}{k}$

$\therefore A(2k, 0)$, $B\left(0, -\dfrac{8}{k}\right)$

ㄱ. $\overline{PA}=\overline{PB}=\sqrt{k^2+\dfrac{16}{k^2}}$

ㄴ. 삼각형 OAB의 넓이는 $\dfrac{1}{2}\times(-2k)\times\left(-\dfrac{8}{k}\right)=8$

ㄷ. $\overline{AB}^2=4k^2+\dfrac{64}{k^2}$

이때 $k^2>0$이므로

$4k^2+\dfrac{64}{k^2}\geq2\sqrt{4k^2\times\dfrac{64}{k^2}}=32$ (단, 등호는 $4k^2=\dfrac{64}{k^2}$일 때 성립)

즉, $4k^2=\dfrac{64}{k^2}$일 때 $\overline{AB}^2$이 최솟값을 가지므로 $k^4=16$

$(k+2)(k-2)(k^2+4)=0$ $\quad\therefore k=-2$ ($\because k<0$)

따라서 $k=-2$, 즉 점 P의 x좌표가 -2일 때 선분 AB의 길이의 최솟값은 $\sqrt{32}=4\sqrt{2}$이다.

따라서 보기에서 옳은 것은 ㄱ, ㄷ이다.

개념 NOTE

$a>0$, $b>0$일 때,

$a+b\geq2\sqrt{ab}$ (단, 등호는 $a=b$일 때 성립)

---

12 답 18

점 P는 함수 $f(x)=\dfrac{2x}{6x-9}$의 그래프 위의 점이므로 $P\left(a, \dfrac{2a}{6a-9}\right)$라 하면 $A(a, 0)$

$\overline{OA}=\overline{AP}$이므로 $a=\dfrac{2a}{6a-9}$, $2a=6a^2-9a$

$6a^2-11a=0$, $a(6a-11)=0$

$\therefore a=\dfrac{11}{6}$ ($\because a>0$) $\quad\therefore P\left(\dfrac{11}{6}, \dfrac{11}{6}\right)$

점 Q는 함수 $f(x)=\dfrac{2x}{6x-9}$의 그래프 위의 점이므로 $Q\left(b, \dfrac{2b}{6b-9}\right)$라 하면 $C(b, 0)$

$\overline{OC}=\overline{CQ}$이므로 $b=-\dfrac{2b}{6b-9}$, $2b=-6b^2+9b$

$6b^2-7b=0$, $b(6b-7)=0$

$\therefore b=\dfrac{7}{6}$ ($\because b>0$) $\quad\therefore Q\left(\dfrac{7}{6}, -\dfrac{7}{6}\right)$

$\overline{OP}:\overline{OQ}=\overline{OA}:\overline{OC}=11:7$이므로

$m=11$, $n=7$ $\quad\therefore m+n=18$

---

13 답 ⑤

두 점 $A(-1, -1)$, $B\left(a, \dfrac{1}{a}\right)(a>1)$을 지나는 직선의 방정식은

$$y-(-1)=\dfrac{\dfrac{1}{a}-(-1)}{a-(-1)}\{x-(-1)\}$$

$\therefore y=\dfrac{1}{a}x+\dfrac{1}{a}-1$

따라서 $P(a-1, 0)$, $Q\left(0, \dfrac{1}{a}-1\right)$이므로

$\overline{OP}=a-1$, $\overline{OQ}=1-\dfrac{1}{a}$

$B'(a, 0)$이므로 $\overline{PB'}=a-(a-1)=1$, $\overline{BB'}=\dfrac{1}{a}$

두 삼각형 POQ, PB'B의 넓이 S_1, S_2는

$S_1=\dfrac{1}{2}\times\overline{OP}\times\overline{OQ}=\dfrac{1}{2}(a-1)\left(1-\dfrac{1}{a}\right)=\dfrac{a}{2}+\dfrac{1}{2a}-1$

$S_2=\dfrac{1}{2}\times\overline{PB'}\times\overline{BB'}=\dfrac{1}{2}\times1\times\dfrac{1}{a}=\dfrac{1}{2a}$

$\therefore S_1+S_2=\dfrac{a}{2}+\dfrac{1}{a}-1$

이때 $\dfrac{a}{2}>0$, $\dfrac{1}{a}>0$이므로

$\dfrac{a}{2}+\dfrac{1}{a}-1\geq2\sqrt{\dfrac{a}{2}\times\dfrac{1}{a}}-1=\sqrt{2}-1$ (단, 등호는 $\dfrac{a}{2}=\dfrac{1}{a}$일 때 성립)

따라서 S_1+S_2의 최솟값은 $\sqrt{2}-1$이다.

---

14 답 21

$P\left(a, \dfrac{k}{a-1}+9\right)(a>1)$라 하면 $H(a, 0)$

이때 $k>0$, $a-1>0$이므로

$\overline{OH}+\overline{PH}=a+\dfrac{k}{a-1}+9=a-1+\dfrac{k}{a-1}+10$

$\geq2\sqrt{(a-1)\times\dfrac{k}{a-1}}+10$

$=2\sqrt{k}+10$ (단, 등호는 $a-1=\dfrac{k}{a-1}$일 때 성립)

삼각형 POH의 넓이는

$\dfrac{1}{2}\times\overline{OH}\times\overline{PH}=\dfrac{1}{2}\times a\times\left(\dfrac{k}{a-1}+9\right)=\dfrac{1}{2}\left(\dfrac{ka}{a-1}+9a\right)$

$=\dfrac{1}{2}\left\{\dfrac{k(a-1)+k}{a-1}+9(a-1)+9\right\}$

$=\dfrac{1}{2}\left\{\dfrac{k}{a-1}+9(a-1)+k+9\right\}$

$\geq\dfrac{1}{2}\left\{2\sqrt{\dfrac{k}{a-1}\times9(a-1)}+k+9\right\}$

$=3\sqrt{k}+\dfrac{k+9}{2}$ (단, 등호는 $\dfrac{k}{a-1}=9(a-1)$일 때 성립)

따라서 $\overline{OH}+\overline{PH}$의 최솟값 $2\sqrt{k}+10$이 삼각형 POH의 넓이의 최솟값 $3\sqrt{k}+\dfrac{k+9}{2}$의 $\dfrac{2}{3}$이므로

$2\sqrt{k}+10=\dfrac{2}{3}\left(3\sqrt{k}+\dfrac{k+9}{2}\right)$

$2\sqrt{k}+10=2\sqrt{k}+\dfrac{k+9}{3}$

$30=k+9$ $\quad\therefore k=21$

15 답 ④

점 $B(\alpha, \beta)$가 곡선 $y=\dfrac{2}{x}$ 위의 점이므로

$\beta=\dfrac{2}{\alpha}$ $\therefore \alpha\beta=2$ ······ ㉠

$\alpha>\sqrt{2}$이므로

$0<\beta<\sqrt{2}$ $\therefore 0<\beta<\alpha$

두 점 B, C가 직선 $y=x$에 대하여 대칭이므로

$C(\beta, \alpha)$

$\therefore \overline{BC}=\sqrt{(\beta-\alpha)^2+(\alpha-\beta)^2}$

       $=\sqrt{2}(\alpha-\beta) (\because \alpha>\beta)$

직선 BC와 직선 $y=x$가 서로 수직이므로 직선 BC의 기울기는 -1이고, 이 직선이 점 B를 지나므로 직선 BC의 방정식은

$y-\beta=-(x-\alpha)$

$\therefore x+y-(\alpha+\beta)=0$

점 A와 직선 BC 사이의 거리를 h라 하면

$h=\dfrac{|-2+2-(\alpha+\beta)|}{\sqrt{1^2+1^2}}=\dfrac{1}{\sqrt{2}}(\alpha+\beta) (\because \alpha>0, \beta>0)$

삼각형 ABC의 넓이는

$\dfrac{1}{2}\times\overline{BC}\times h=\dfrac{1}{2}\times\sqrt{2}(\alpha-\beta)\times\dfrac{1}{\sqrt{2}}(\alpha+\beta)$

                $=\dfrac{1}{2}(\alpha^2-\beta^2)$

삼각형 ABC의 넓이가 $2\sqrt{3}$이므로

$\dfrac{1}{2}(\alpha^2-\beta^2)=2\sqrt{3}$

$\therefore \alpha^2-\beta^2=4\sqrt{3}$ ······ ㉡

㉠, ㉡에서

$(\alpha^2+\beta^2)^2=(\alpha^2-\beta^2)^2+4(\alpha\beta)^2=(4\sqrt{3})^2+4\times2^2=64$

그런데 $\alpha^2+\beta^2>0$이므로 $\alpha^2+\beta^2=8$

16 답 $\dfrac{8}{5}$

$x\geq2$일 때, $f(x)=\dfrac{3x}{2+x-2}=3$

$x<2$일 때, $f(x)=\dfrac{3x}{2-(x-2)}=\dfrac{3x}{-x+4}=-\dfrac{12}{x-4}-3$

따라서 $f(x)=\begin{cases}3 & (x\geq2) \\ -\dfrac{12}{x-4}-3 & (x<2)\end{cases}$이므로 함수

$y=f(x)$의 그래프는 그림과 같다.

$(f\circ f)(x)=f(f(x))$에서 $f(x)=t$로 놓으면

$-3<f(x)\leq3$이므로

$y=f(t) (-3<t\leq3)$

함수 $y=f(t)$는 $t\geq2$일 때, 최댓값 3을 가지므로

$\dfrac{3x}{-x+4}=2$에서 $3x=-2x+8$ $\therefore x=\dfrac{8}{5}$

즉, 함수 $(f\circ f)(x)$는 $x\geq\dfrac{8}{5}$일 때, 최댓값 3을 갖는다.

이때 함수 $(f\circ f)(x)$가 $x\leq a$에서 최댓값 3을 갖도록 하는 실수 a의 값의 범위는

$a\geq\dfrac{8}{5}$

따라서 실수 a의 최솟값은 $\dfrac{8}{5}$이다.

17 답 -9

$g(x)=f(x-3)+1$이므로

$g(x)=\dfrac{a(x-3)+b}{2(x-3)+1}+1=\dfrac{(a+2)x-3a+b-5}{2x-5}$

$y=\dfrac{(a+2)x-3a+b-5}{2x-5}$라 하면

$(a+2)x-3a+b-5=(2x-5)y$

$(a+2-2y)x=3a-b+5-5y$

$x=\dfrac{5y-3a+b-5}{2y-a-2}$

x와 y를 서로 바꾸면

$y=\dfrac{5x-3a+b-5}{2x-a-2}$

$\therefore g^{-1}(x)=\dfrac{5x-3a+b-5}{2x-a-2}$ ······· 배점 **40%**

$g=g^{-1}$이므로

$a+2=5$ $\therefore a=3$ ······· 배점 **20%**

$g(x)=\dfrac{5x-14+b}{2x-5}$이고 $g(1)=4$이므로

$\dfrac{5-14+b}{2-5}=4, -9+b=-12$

$\therefore b=-3$ ······· 배점 **30%**

$\therefore ab=-9$ ······· 배점 **10%**

다른 풀이

$f(x)=\dfrac{ax+b}{2x+1}$ ······ ㉠

$g(x)=f(x-3)+1$ ······ ㉡

$g(1)=4$이므로 ㉡에 $x=1$을 대입하면

$g(1)=f(-2)+1, 4=f(-2)+1$

$\therefore f(-2)=3$

㉠에 $x=-2$를 대입하면

$\dfrac{-2a+b}{-4+1}=3$

$\therefore -2a+b=-9$ ······ ㉢   ·········· 배점 **40%**

$g(1)=4$이고 $g=g^{-1}$이므로

$g^{-1}(1)=4$ $\therefore g(4)=1$

㉡에 $x=4$를 대입하면

$g(4)=f(1)+1, 1=f(1)+1$

$\therefore f(1)=0$

㉠에 $x=1$을 대입하면

$\dfrac{a+b}{2+1}=0$

$\therefore a+b=0$ ······ ㉣   ········· 배점 **40%**

㉢, ㉣을 연립하여 풀면

$a=3, b=-3$

$\therefore ab=-9$ ······· 배점 **20%**

idea
18 답 ⑤

$f\left(\dfrac{4x+3}{2x-1}\right)=2x$에 x 대신 $\dfrac{x}{2}$를 대입하면

$f\left(\dfrac{2x+3}{x-1}\right)=x$

$\therefore f^{-1}(x)=\dfrac{2x+3}{x-1}$

$y=\dfrac{2x+3}{x-1}$이라 하면

$2x+3=xy-y,\ (y-2)x=y+3$

$x=\dfrac{y+3}{y-2}$

x와 y를 서로 바꾸면 $y=\dfrac{x+3}{x-2}$

$\therefore f(x)=\dfrac{x+3}{x-2}=\dfrac{(x-2)+5}{x-2}=\dfrac{5}{x-2}+1$

함수 $f(x)=\dfrac{5}{x-2}+1$의 그래프는 함수 $y=\dfrac{5}{x}$의 그래프를 x축의 방향

으로 2만큼, y축의 방향으로 1만큼 평행이동한 것이다.

이때 함수 $y=\dfrac{5}{x}$의 그래프는 두 직선 $y=x,\ y=-x$에 대하여 대칭이므

로 함수 $f(x)=\dfrac{5}{x-2}+1$의 그래프는 두 직선 $y=x,\ y=-x$를 각각

x축의 방향으로 2만큼, y축의 방향으로 1만큼 평행이동한 두 직선

$y=x-2+1,\ y=-(x-2)+1$, 즉 $y=x-1,\ y=-x+3$에 대하여 대

칭이다.

따라서 $p=-1,\ q=3$이므로

$p+q=2$

19 답 ⑤

$f(x)=\dfrac{2x+b}{x-a}=\dfrac{2(x-a)+2a+b}{x-a}=\dfrac{2a+b}{x-a}+2$

유리함수 $y=\dfrac{k}{x-a}+b$의 그래프는 평행이동을 해도 k의 값은 변하지

않으므로 ㈏에서

$2a+b=3$ ...... ㉠

함수 $y=f(x)$의 그래프의 두 점근선의 교점의 좌표는

$(a,\ 2)$

함수 $y=f^{-1}(x)$의 그래프의 두 점근선의 교점은 점 $(a,\ 2)$를 직선

$y=x$에 대하여 대칭이동한 점이므로

$(2,\ a)$ ...... ㉡

㈎의 $f^{-1}(x)=f(x-4)-4$에서 함수 $y=f^{-1}(x)$의 그래프는 함수

$y=f(x)$의 그래프를 x축의 방향으로 4만큼, y축의 방향으로 -4만큼

평행이동한 것이므로 함수 $y=f^{-1}(x)$의 그래프의 두 점근선의 교점의

좌표는

$(a+4,\ -2)$ ...... ㉢

㉡, ㉢이 같으므로 $a=-2$

이를 ㉠에 대입하면

$-4+b=3$ $\therefore b=7$

$\therefore a+b=5$

다른 풀이

$f(x)=\dfrac{2x+b}{x-a}=\dfrac{2a+b}{x-a}+2$이므로 ㈏에서

$2a+b=3$ ...... ㉠

$y=\dfrac{2x+b}{x-a}$라 하면 $2x+b=xy-ay$

$(y-2)x=ay+b,\ x=\dfrac{ay+b}{y-2}$

x와 y를 서로 바꾸면 $y=\dfrac{ax+b}{x-2}$

$\therefore f^{-1}(x)=\dfrac{ax+b}{x-2}$ ...... ㉡

㈎에서

$f(x-4)-4=\dfrac{2(x-4)+b}{(x-4)-a}-4$

$=\dfrac{2(x-4)+b-4(x-4-a)}{x-4-a}$

$=\dfrac{-2x+4a+b+8}{x-4-a}$ ...... ㉢

㉡, ㉢이 같으므로

$a=-2$

이를 ㉠에 대입하면

$-4+b=3$ $\therefore b=7$

$\therefore a+b=5$

idea
20 답 1

함수 $f(x)$의 역함수를 $g(x)$라 하자.

$f^{30}(x)=f^6(x)$에서

$(g\circ g\circ g\circ g\circ g\circ g\circ f^{30})(x)=(g\circ g\circ g\circ g\circ g\circ g\circ f^6)(x)$

$\therefore f^{24}(x)=x$

$f^{22}(x)=(g\circ g\circ f^{24})(x)=(g\circ g)(x)$

$f(x)=\dfrac{2x-1}{x+1}$에서 $y=\dfrac{2x-1}{x+1}$이라 하면

$2x-1=xy+y,\ (y-2)x=-y-1$

$x=\dfrac{-y-1}{y-2}$

x와 y를 서로 바꾸면 $y=\dfrac{-x-1}{x-2}$

$\therefore g(x)=\dfrac{-x-1}{x-2}$

$\therefore f^{22}(x)=(g\circ g)(x)=g(g(x))$

$=\dfrac{-\left(\dfrac{-x-1}{x-2}\right)-1}{\dfrac{-x-1}{x-2}-2}$

$=\dfrac{3}{-3x+3}=-\dfrac{1}{x-1}$

따라서 함수 $y=f^{22}(x)$의 그래프의 두 점근선의 방정식은 $x=1,\ y=0$

이므로

$a=1,\ \beta=0$

$\therefore a+\beta=1$

21 답 7

$f(x)=\dfrac{bx-10a}{x-a}=\dfrac{b(x-a)+ab-10a}{x-a}=\dfrac{ab-10a}{x-a}+b$이므로 유리

함수 $y=f(x)$의 그래프의 두 점근선의 방정식은

$x=a,\ y=b$ ...... 배점 **20%**

$a<x\le b$에서 함수 $f(x)$의 최댓값이 $\dfrac{5}{3}$이려면

그림과 같이 $ab-10a<0,\ f(b)=\dfrac{5}{3}$이어야 한

다.

$f(b)=\dfrac{5}{3}$에서

$\dfrac{b^2-10a}{b-a}=\dfrac{5}{3}$

$\therefore b^2-10a=\dfrac{5}{3}(b-a)$ ...... ㉠ ...... 배점 **30%**

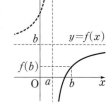

정답과 해설

두 함수 $y=f(x)$, $y=f^{-1}(x)$의 그래프는 직선 $y=x$에 대하여 대칭이
므로 함수 $y=f^{-1}(x)$의 그래프의 점근선의 방정식은
$x=b$, $y=a$
두 함수 $y=f(x)$, $y=f^{-1}(x)$의 그래프의 점근선으로 둘러싸인 도형은
한 변의 길이가 $b-a$인 정사각형이다.
이 정사각형의 넓이가 9이므로
$(b-a)^2=9$
$\therefore b-a=3 \ (\because a<b)$
$\therefore b=a+3$ ······ ㉡   배점 20%
㉠에 ㉡을 대입하면
$(a+3)^2-10a=\dfrac{5}{3}(a+3-a)$
$a^2+6a+9-10a-5=0$
$a^2-4a+4=0$, $(a-2)^2=0$
$\therefore a=2$
이를 ㉡에 대입하면
$b=5$
$\therefore a+b=7$ 배점 30%

22 답 ①

ㄱ. $f(-x)=\dfrac{3\times(-x)}{2+|-x|}=-\dfrac{3x}{2+|x|}=-f(x)$

따라서 함수 $y=f(x)$의 그래프는 원점에 대하여 대칭이다.

ㄴ. $x\geq0$일 때,

  $f(x)=\dfrac{3x}{2+x}=\dfrac{3(x+2)-6}{x+2}=-\dfrac{6}{x+2}+3$

ㄱ에서 함수 $y=f(x)$의 그래프는 원점에
대하여 대칭이므로 그림과 같다.
따라서 모든 실수 x에 대하여
$0\leq|f(x)|<3$이다.

ㄷ. 두 함수 $y=f(x)$, $y=f^{-1}(x)$의 그래프는 직선 $y=x$에 대하여 대
칭이다.

  $\dfrac{3x}{2+|x|}=x$에서

  (i) $x\geq0$일 때, $\dfrac{3x}{2+x}=x$이므로

    $3x=x^2+2x$, $x^2-x=0$

    $x(x-1)=0$

    $\therefore x=0$ 또는 $x=1$

  (ii) $x<0$일 때, $\dfrac{3x}{2-x}=x$이므로

    $3x=2x-x^2$, $x^2+x=0$

    $x(x+1)=0$

    $\therefore x=-1 \ (\because x<0)$

  (i), (ii)에서 두 함수 $y=f(x)$, $y=f^{-1}(x)$의 그래프와 직선 $y=x$
는 $x=-1$ 또는 $x=0$ 또는 $x=1$인 점에서 만난다.

그림과 같이 두 함수 $y=f(x)$, $y=f^{-1}(x)$
의 그래프로 둘러싸인 부분의 경계 및 내부
에 포함되고 x좌표와 y좌표가 모두 정수인
점은 $(-1, -1)$, $(0, 0)$, $(1, 1)$의 3개이
다.

따라서 보기에서 옳은 것은 ㄱ이다.

23 답 8

함수 $g(x)$는 함수 $f(x)$의 역함수이므로 두 함수 $y=f(x)$, $y=g(x)$
의 그래프는 직선 $y=x$에 대하여 대칭이다.
따라서 함수 $y=g(x)$는 점 $(4, -4)$에 대하여 대칭이므로 함수
$y=f(x)$의 그래프는 점 $(-4, 4)$에 대하여 대칭이다.
$f(x)=\dfrac{k}{x+4}+4 \ (k\neq0)$라 하자.
$g(3)=p$에서 $f(p)=3$이므로
$\dfrac{k}{p+4}+4=3$, $\dfrac{k}{p+4}=-1$
$\therefore k=-p-4$
$\therefore f(x)=\dfrac{-p-4}{x+4}+4=\dfrac{4x+12-p}{x+4}$
두 함수 $y=f(x)$, $y=g(x)$의 그래프가 만나는 점은 함수 $y=f(x)$의
그래프와 직선 $y=x$가 만나는 점과 같으므로
$\dfrac{4x+12-p}{x+4}=x$에서
$4x+12-p=x^2+4x$
$x^2=12-p$
$\therefore x=\pm\sqrt{12-p}$
$\sqrt{12-p}=a \ (a\geq0)$로 놓으면 두 함수 $y=f(x)$, $y=g(x)$의 그래프가
만나는 점의 좌표는
$(-a, -a)$, (a, a)
두 교점 사이의 거리가 $4\sqrt{2}$이므로
$\sqrt{(a+a)^2+(a+a)^2}=4\sqrt{2}$
$2\sqrt{2}a=4\sqrt{2}$ $\therefore a=2$
따라서 $\sqrt{12-p}=2$이므로
$12-p=4$
$\therefore p=8$

24 답 ①

방정식 $(f\circ f)(x)-x=0$의 실근 α는 함수 $y=(f\circ f)(x)$의 그래프
와 직선 $y=x$의 교점의 x좌표이다.
$k\neq-9$이면 함수 $f(x)$의 역함수 $f^{-1}(x)$가 존재하고, $(f\circ f)(\alpha)=\alpha$
에서 $f(\alpha)=f^{-1}(\alpha)$이므로 α는 두 함수 $y=f(x)$, $y=f^{-1}(x)$의 그래
프의 교점의 x좌표이다.
두 함수 $y=f(x)$, $y=f^{-1}(x)$의 그래프가 만나는 점은 함수 $y=f(x)$의
그래프와 직선 $y=x$가 만나는 점과 같으므로
$\dfrac{3x-18}{2x+k}=x$에서
$3x-18=2x^2+kx$
$\therefore 2x^2+(k-3)x+18=0$ ······ ㉠
이차방정식 ㉠의 판별식을 D라 하면
$D=(k-3)^2-144=0$
$(k-3)^2=144$, $k-3=\pm12$
$\therefore k=15 \ (\because k\neq-9)$
이를 ㉠에 대입하면
$2x^2+12x+18=0$
$x^2+6x+9=0$
$(x+3)^2=0$ $\therefore x=-3$
$\therefore \alpha=-3$
$\therefore \alpha+k=12$

01 12	02 ②	03 ⑤	04 ①	05 ③	06 ④
07 9	08 ⑤	09 $\dfrac{2}{3}$	10 ①	11 ①	12 42

01 답 12

1단계 두 직선 $y=x+\dfrac{5}{2}$, $y=-x+\dfrac{3}{2}$의 교점의 좌표 구하기

$x+\dfrac{5}{2}=-x+\dfrac{3}{2}$에서 $x=-\dfrac{1}{2}$

이를 $y=-x+\dfrac{3}{2}$에 대입하면 $y=2$

따라서 두 직선 $y=x+\dfrac{5}{2}$, $y=-x+\dfrac{3}{2}$의 교점의 좌표는 $\left(-\dfrac{1}{2},\ 2\right)$

2단계 유리함수 $y=f(x)$의 그래프의 두 점근선의 방정식 구하기

유리함수 $y=f(x)$의 그래프가 두 직선 $y=x+\dfrac{5}{2}$, $y=-x+\dfrac{3}{2}$에 대하여 대칭이므로 유리함수 $y=f(x)$의 그래프의 두 점근선의 방정식은

$x=-\dfrac{1}{2}$, $y=2$

3단계 점에 대한 대칭을 이용하여 식 세우기

유리함수 $y=f(x)$의 그래프는 그림과 같이 점 $\left(-\dfrac{1}{2},\ 2\right)$에 대하여 대칭이므로 유리함수 $y=f(x)$의 그래프 위의 임의의 두 점

$\left(-\dfrac{1}{2}+\alpha,\ f\left(-\dfrac{1}{2}+\alpha\right)\right)$, $\left(-\dfrac{1}{2}-\alpha,\ f\left(-\dfrac{1}{2}-\alpha\right)\right)$의 중점이 점

$\left(-\dfrac{1}{2},\ 2\right)$이어야 한다.

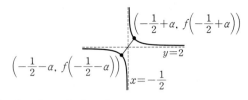

즉, $\dfrac{f\left(-\dfrac{1}{2}+\alpha\right)+f\left(-\dfrac{1}{2}-\alpha\right)}{2}=2$에서

$f\left(-\dfrac{1}{2}+\alpha\right)+f\left(-\dfrac{1}{2}-\alpha\right)=4$ ...... ㉠

4단계 $f(-3)+f(-2)+f(-1)+f(0)+f(1)+f(2)$의 값 구하기

㉠에 α 대신에 $-\dfrac{1}{2}-x$를 대입하면

$f(-1-x)+f(x)=4$ ...... ㉡

㉡에 $x=0$을 대입하면 $f(-1)+f(0)=4$

㉡에 $x=1$을 대입하면 $f(-2)+f(1)=4$

㉡에 $x=2$를 대입하면 $f(-3)+f(2)=4$

$\therefore f(-3)+f(-2)+f(-1)+f(0)+f(1)+f(2)=4\times3=12$

02 답 ②

1단계 k의 값의 부호에 따른 함수 $h(k)$ 구하기

(i) $k>0$일 때,

두 곡선 $y=f(x)$, $y=g(x)$는 그림과 같으므로 두 곡선 $y=f(x)$, $y=g(x)$의 교점 중 x좌표가 양수인 점의 개수는 2이다.

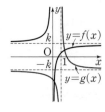

(ii) $k=0$일 때,

두 곡선 $y=f(x)$, $y=g(x)$는 그림과 같으므로 두 곡선 $y=f(x)$, $y=g(x)$의 교점 중 x좌표가 양수인 점의 개수는 1이다.

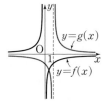

(iii) $k<0$일 때,

두 곡선 $y=f(x)$, $y=g(x)$는 그림과 같으므로 두 곡선 $y=f(x)$, $y=g(x)$의 교점 중 x좌표가 양수인 점의 개수는 1이다.

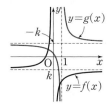

(i), (ii), (iii)에서 $h(k)=\begin{cases}1\ (k\leq0)\\2\ (k>0)\end{cases}$

2단계 $h(k)+h(k+1)+h(k+2)=4$를 만족시키는 정수 k의 값 구하기

연속하는 세 정수 k, $k+1$, $k+2$에 대하여 등식 $h(k)+h(k+1)+h(k+2)=4$가 성립하려면 $h(k)=1$, $h(k+1)=1$, $h(k+2)=2$이어야 한다.

따라서 $h(-1)=1$, $h(0)=1$, $h(1)=2$이므로 구하는 정수 k의 값은 -1이다.

03 답 ⑤

1단계 함수 $y=f(x)$의 그래프의 두 점근선의 방정식 구하기

$f(x)=\dfrac{ax+b}{x+c}=\dfrac{a(x+c)+b-ac}{x+c}=\dfrac{b-ac}{x+c}+a$이므로 함수 $y=f(x)$의 그래프의 두 점근선의 방정식은

$x=-c$, $y=a$

2단계 함수 $y=f(x)$의 그래프 개형 파악하기

(i) $b-ac<0$일 때,

함수 $y=f(x)$의 그래프는 그림과 같으므로 일대일함수이다.

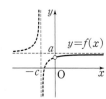

(ii) $b-ac=0$일 때,

$f(x)=a$에서 함수 $y=f(x)$는 상수함수이므로 일대일함수가 아니다.

(iii) $b-ac>0$일 때,

함수 $y=f(x)$의 그래프는 그림과 같으므로 일대일함수이다.

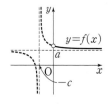

3단계 순서쌍 $(a,\ b,\ c)$의 개수 구하기

(i), (ii), (iii)에서 함수 $f(x)$가 일대일함수가 되도록 하는 순서쌍 $(a,\ b,\ c)$의 개수는 10 이하의 세 자연수로 만들 수 있는 모든 순서쌍의 개수에서 $b-ac=0$을 만족시키는 순서쌍의 개수를 빼면 된다.

10 이하의 자연수 a, b, c로 만들 수 있는 모든 순서쌍 $(a,\ b,\ c)$의 개수는 $10\times10\times10=1000$

$b-ac=0$을 만족시키는 순서쌍 (a, b, c)의 개수는

① $b=1$일 때,

$ac=1$이므로 순서쌍 (a, c)는

$(1, 1)$의 1개

② $b=2$일 때,

$ac=2$이므로 순서쌍 (a, c)는

$(1, 2)$, $(2, 1)$의 2개

③ $b=3$일 때,

$ac=3$이므로 순서쌍 (a, c)는

$(1, 3)$, $(3, 1)$의 2개

④ $b=4$일 때,

$ac=4$이므로 순서쌍 (a, c)는

$(1, 4)$, $(2, 2)$, $(4, 1)$의 3개

⑤ $b=5$일 때,

$ac=5$이므로 순서쌍 (a, c)는

$(1, 5)$, $(5, 1)$의 2개

⑥ $b=6$일 때,

$ac=6$이므로 순서쌍 (a, c)는

$(1, 6)$, $(2, 3)$, $(3, 2)$, $(6, 1)$의 4개

⑦ $b=7$일 때,

$ac=7$이므로 순서쌍 (a, c)는

$(1, 7)$, $(7, 1)$의 2개

⑧ $b=8$일 때,

$ac=8$이므로 순서쌍 (a, c)는

$(1, 8)$, $(2, 4)$, $(4, 2)$, $(8, 1)$의 4개

⑨ $b=9$일 때,

$ac=9$이므로 순서쌍 (a, c)는

$(1, 9)$, $(3, 3)$, $(9, 1)$의 3개

⑩ $b=10$일 때,

$ac=10$이므로 순서쌍 (a, c)는

$(1, 10)$, $(2, 5)$, $(5, 2)$, $(10, 1)$의 4개

①~⑩에서 $b-ac=0$을 만족시키는 순서쌍 (a, b, c)의 개수는

$1+2+2+3+2+4+2+4+3+4=27$

따라서 함수 $f(x)$가 일대일함수가 되도록 하는 순서쌍 (a, b, c)의 개수는

$1000-27=973$

^{idea}

04 답 ①

1단계 함수 $y=f(x)$의 그래프의 두 점근선의 방정식 구하기

$f(x)=\dfrac{(12+a)x-a^2-12a+2}{x-a}=\dfrac{(12+a)x-a(a+12)+2}{x-a}$

$=\dfrac{(a+12)(x-a)+2}{x-a}=\dfrac{2}{x-a}+a+12$

이므로 함수 $y=f(x)$의 그래프의 두 점근선의 방정식은

$x=a$, $y=a+12$

2단계 원의 중심과 두 점근선의 교점이 일치할 때의 a의 값 구하기

중심이 (a, a^2)이고 반지름의 길이가 r인 원의 방정식은

$(x-a)^2+(x-a^2)^2=r^2$

원의 중심의 x좌표는 함수 $y=f(x)$의 그래프의 한 점근선 $x=a$ 위에 있다.

모든 실수 a에 대하여 함수 $y=f(x)$의 그래프와 원 $(x-a)^2+(x-a^2)^2=r^2$이 서로 다른 두 점에서 만나려면 함수 $y=f(x)$의 그래프의 두 점근선의 교점 $(a, a+12)$와 원의 중심 (a, a^2)이 일치할 때 교점이 2개 존재하면 된다.

$a+12=a^2$에서 $a^2-a-12=0$

$(a+3)(a-4)=0$

$\therefore a=-3$ 또는 $a=4$

3단계 반지름의 길이 구하기

(i) $a=4$일 때,

$f(x)=\dfrac{2}{x-4}+16$이고, 두 점근선의 교점의 좌표는

$(4, 16)$

함수 $f(x)=\dfrac{2}{x-4}+16$의 그래프 위의 한 점 $\left(p, \dfrac{2}{p-4}+16\right)$과 점 $(4, 16)$ 사이의 거리를 d라 하면

$d=\sqrt{(p-4)^2+\left(\dfrac{2}{p-4}+16-16\right)^2}$

$=\sqrt{(p-4)^2+\left(\dfrac{2}{p-4}\right)^2}$

$\therefore d^2=(p-4)^2+\left(\dfrac{2}{p-4}\right)^2$

이때 $(p-4)^2>0$, $\left(\dfrac{2}{p-4}\right)^2>0$이므로

$d^2=(p-4)^2+\left(\dfrac{2}{p-4}\right)^2$

$\geq 2\sqrt{(p-4)^2\times\left(\dfrac{2}{p-4}\right)^2}$

$=4$ $\left($단, 등호는 $(p-4)^2=\left(\dfrac{2}{p-4}\right)^2$일 때 성립$\right)$

즉, 점 $(4, 16)$과 함수 $f(x)=\dfrac{2}{x-4}+16$ 사이의 최단 거리는 2이므로 $r=2$일 때 원은 함수 $y=f(x)$의 그래프와 서로 다른 두 점에서 만난다.

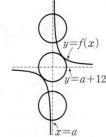

(ii) $a=-3$일 때,

(i)과 같은 방법으로 하면 $r=2$일 때 원은 함수 $y=f(x)$의 그래프와 서로 다른 두 점에서 만난다.

한편 $r=2$이고 $a\neq-3$, $a\neq4$인 경우는 원의 중심이 함수 $y=f(x)$의 그래프의 한 점근선 $x=a$ 위에 있고 다른 점근선 $y=a+12$보다 위 또는 아래에 위치하게 되므로 원은 함수 $y=f(x)$의 그래프와 서로 다른 두 점에서 만난다.

$\therefore r=2$

05 답 ③

1단계 함수 $y=f(x)$의 그래프 이해하기

$g(x)=\dfrac{2x-5}{x-2}+a$로 놓으면 함수 $f(x)=\left|\dfrac{2x-5}{x-2}+a\right|$의 그래프는 함수 $y=g(x)$의 그래프에서 $y\geq0$인 부분은 그대로 두고 $y<0$인 부분은 x축에 대하여 대칭이동한 것이다.

$g(x)=\dfrac{2x-5}{x-2}+a=\dfrac{2(x-2)-1}{x-2}+a=-\dfrac{1}{x-2}+a+2$이므로 함수 $y=g(x)$의 그래프의 두 점근선의 방정식은

$x=2$, $y=a+2$

2단계 함수 $y=f(x)$의 그래프의 개형을 그려 조건을 만족시키는 a의 값의 범위 구하기

(i) $a+2\leq0$, 즉 $a\leq-2$일 때,

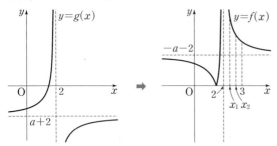

$2<x_1<x_2<3$인 모든 실수 x_1, x_2에 대하여 $f(x_1)>f(x_2)$이므로 $f(x_1)<4<f(x_2)$를 만족시키는 x_1, x_2가 존재하지 않는다.

(ii) $a+2>0$, 즉 $a>-2$일 때,

　$g(3)=a+1$

　① $a+1\leq0$, 즉 $-2<a\leq-1$일 때,

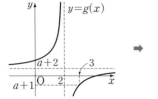 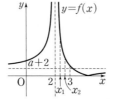

$2<x_1<x_2<3$인 모든 실수 x_1, x_2에 대하여 $f(x_1)>f(x_2)$이므로 $f(x_1)<4<f(x_2)$를 만족시키는 x_1, x_2가 존재하지 않는다.

　② $a+1>0$, 즉 $a>-1$일 때,

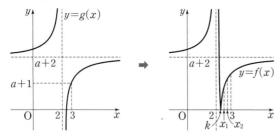

함수 $y=f(x)$의 그래프와 x축이 만나는 점의 x좌표를 $k\,(2<k<3)$라 하면 $k<x_2<3$일 때, $f(x_1)<f(x_2)$, $x_1<x_2$를 만족시키는 x_1이 항상 존재한다.

이때 $f(x_1)<4<f(x_2)$를 만족시키려면 $k<x_2<3$이고 $f(x_2)>4$인 x_2가 존재해야 하므로 $f(3)>4$

즉, $f(3)=a+1>4$에서

$a>3$

(i), (ii)에서 $a>3$

3단계 정수 a의 최솟값 구하기

따라서 구하는 정수 a의 최솟값은 4이다.

06 답 ④

1단계 함수 $y=f(x)$의 그래프 그리기

함수 $y=f(x)$의 그래프는 그림과 같다.

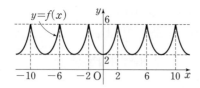

2단계 a의 값의 범위 구하기

$y=\dfrac{ax}{x+2}=\dfrac{a(x+2)-2a}{x+2}=-\dfrac{2a}{x+2}+a$

이므로 함수 $y=\dfrac{ax}{x+2}$의 그래프의 두 점근선의 방정식은 $x=-2$, $y=a$이고 점 $(0,\,0)$을 지난다.

(i) $a<0$일 때,

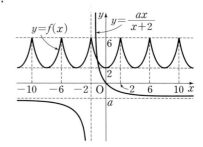

두 함수 $y=f(x)$, $y=\dfrac{ax}{x+2}$의 그래프가 만나는 점의 개수는 1이다.

(ii) $a=0$일 때,

$y=\dfrac{ax}{x+2}$에서 $y=0$이므로 두 함수 $y=f(x)$, $y=\dfrac{ax}{x+2}$의 그래프는 만나지 않는다.

(iii) $a>0$일 때,

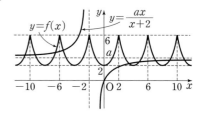

두 함수 $y=f(x)$, $y=\dfrac{ax}{x+2}$의 그래프가 무수히 많은 점에서 만나도록 하는 a의 값의 범위는

$2\leq a\leq6$

(i), (ii), (iii)에서 $2\leq a\leq6$

3단계 정수 a의 값의 합 구하기

따라서 정수 a의 값은 2, 3, 4, 5, 6이므로 정수 a의 값의 합은 $2+3+4+5+6=20$

07 답 9

1단계 점 $P(x,\,y)$를 x, y에 대한 식으로 나타내기

함수 $y=\dfrac{9}{x-1}+2\,(x>1)$의 그래프 위의 한 점을 $P(x,\,y)$라 하면

$\overline{PA}^2=(x+4)^2+y^2$

$\overline{PB}^2=x^2+(y+2)^2$

$\therefore \overline{PA}^2+\overline{PB}^2=2x^2+2y^2+8x+4y+20$

$2x^2+2y^2+8x+4y+20=k\,(k\text{는 실수})$라 하면

$2(x+2)^2+2(y+1)^2=k-10$

$\therefore (x+2)^2+(y+1)^2=\dfrac{k}{2}-5$　……㉠

2단계 $\overline{PA}^2+\overline{PB}^2$의 값이 최소일 때 점 P의 위치 파악하기

점 P는 원 ㉠ 위의 점이고, 원의 반지름의 길이가 최소일 때 k의 값도 최소이다.

이때 점 P는 함수 $y=\dfrac{9}{x-1}+2\,(x>1)$의 그래프 위의 점이므로 점 P가 원 ㉠과 함수 $y=\dfrac{9}{x-1}+2$의 그래프의 접점일 때 k의 값은 최소이다.

그림과 같이 함수 $y=\dfrac{9}{x-1}+2\,(x>1)$의 그래프의 두 점근선의 방정식의 교점의 좌표는 $(1,\,2)$이고, 이 점과 원 ㉠의 중심 $(-2,\,-1)$은 직선 $y=x+1$ 위의 점이므로 원 ㉠과 함수 $y=\dfrac{9}{x-1}+2$의 그래프는 직선 $y=x+1$에 대하여 대칭이다.

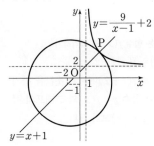

따라서 원 ㉠과 함수 $y=\dfrac{9}{x-1}+2\,(x>1)$의 그래프의 접점은 함수 $y=\dfrac{9}{x-1}+2$의 그래프와 직선 $y=x+1$의 교점과 같다.

$\dfrac{9}{x-1}+2=x+1$에서 $\dfrac{9}{x-1}=x-1$

$(x-1)^2=9$, $x-1=\pm3$ $\quad\therefore x=-2$ 또는 $x=4$

그런데 $x>1$이므로 $x=4$

따라서 $P(4,\,5)$이므로 점 P의 x좌표와 y좌표의 합은

$4+5=9$

08 답 ⑤

1단계 직선 OP와 직선 $x=3$이 만나는 점을 Q라 하고 선분 QB의 길이 구하기

그림과 같이 직선 OP와 직선 $x=3$이 만나는 점을 Q, 점 A에서 직선 OP에 내린 수선의 발을 H, $\angle QOB=\theta$, $\overline{QB}=k$라 하자.

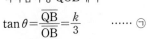

직각삼각형 QOB에서

$\tan\theta=\dfrac{\overline{QB}}{\overline{OB}}=\dfrac{k}{3}$ $\quad\cdots\cdots$ ㉠

$\triangle ABO\equiv\triangle AHO$ (RHA 합동)이므로

$\overline{AH}=\overline{AB}=1$, $\overline{OH}=\overline{OB}=3$

$\triangle QAH\backsim\triangle QOB$ (AA 닮음)이므로 $\angle QAH=\angle QOB=\theta$

직각삼각형 QAH에서

$\tan\theta=\dfrac{\overline{HQ}}{\overline{AH}}$ $\quad\cdots\cdots$ ㉡

㉠, ㉡에서 $\overline{HQ}=\dfrac{k}{3}$

$\overline{OQ}=\overline{OH}+\overline{HQ}=3+\dfrac{k}{3}$이므로 직각삼각형 QOB에서

$\overline{OQ}^2=\overline{QB}^2+\overline{OB}^2$

$\left(3+\dfrac{k}{3}\right)^2=k^2+3^2$, $9+2k+\dfrac{k^2}{9}=k^2+9$

$2k\left(\dfrac{4k}{9}-1\right)=0$ $\quad\therefore k=\dfrac{9}{4}\ (\because k>0)$

$\therefore \overline{QB}=\dfrac{9}{4}$

2단계 점 P의 x좌표 구하기

따라서 직선 OP의 기울기는 $\dfrac{k}{3}=\dfrac{1}{3}\times\dfrac{9}{4}=\dfrac{3}{4}$이므로 직선 OP의 방정식은 $y=\dfrac{3}{4}x$

직선 $y=\dfrac{3}{4}x$와 함수 $y=\dfrac{2}{x-3}+1\,(x>3)$의 그래프의 교점의 x좌표는

$\dfrac{3}{4}x=\dfrac{2}{x-3}+1$에서 $\dfrac{3x-4}{4}=\dfrac{2}{x-3}$

$3x^2-13x+4=0$, $(3x-1)(x-4)=0$

$\therefore x=4\ (\because x>3)$

따라서 점 P의 좌표는 $(4,\,3)$

3단계 선분 OP의 길이 구하기

$\therefore \overline{OP}=\sqrt{4^2+3^2}=5$

09 답 $\dfrac{2}{3}$

1단계 직선 l_2의 방정식 구하기

점 $A(2,\,3)$을 지나고 기울기가 $m\left(0<m<\dfrac{3}{2}\right)$인 직선 l_2의 방정식은

$y-3=m(x-2)$

$\therefore y=mx-2m+3$

2단계 삼각형 OAR의 넓이를 m에 대한 식으로 나타내기

$R\left(\dfrac{2m-3}{m},\,0\right)$이므로 삼각형 OAR의 넓이는

$\dfrac{1}{2}\times\left|\dfrac{2m-3}{m}\right|\times3=\left|\dfrac{6m-9}{2m}\right|=\dfrac{9-6m}{2m}\left(\because 0<m<\dfrac{3}{2}\right)$

3단계 $\triangle OAR=\triangle OAQ+\triangle OQR$임을 이용하여 m의 값 구하기

유리함수 $y=f(x)$의 그래프가 점 $A(2,\,3)$에 대하여 대칭이므로

$\overline{AB}=\overline{AO}$, $\overline{AP}=\overline{AQ}$, $\angle BAP=\angle OAQ$

즉, 삼각형 OAQ와 삼각형 APB는 합동이므로 삼각형 OAQ의 넓이는 $\dfrac{5}{2}$이다.

$\triangle OAR=\triangle OAQ+\triangle OQR$이므로

$\dfrac{9-6m}{2m}=\dfrac{5}{2}+\dfrac{5}{4}$, $\dfrac{9-6m}{2m}=\dfrac{15}{4}$

$36-24m=30m$, $54m=36$

$\therefore m=\dfrac{2}{3}$

idea
10 답 ①

1단계 선분 PQ의 길이가 최소가 되는 경우 파악하기

직선 $y=-x+3$의 기울기가 -1이므로

$\angle PQR=45°$

따라서 직각삼각형 PQR는 $\overline{PR}=\overline{QR}$인 직각이등변삼각형이다.

이때 $\overline{PQ}=\sqrt{2}\,\overline{PR}$이므로 선분 PR의 길이가 최소일 때, 선분 PQ의 길이도 최소이다.

2단계 선분 PR의 길이가 최소가 되는 경우 파악하기

한편 함수 $y=\dfrac{2}{x-3}$의 그래프와 직선 $y=-x+3$을 동시에 평행이동하여도 선분 PR의 길이는 변하지 않는다.

이때 함수 $y=\dfrac{2}{x-3}$의 그래프와 직선 $y=-x+3$을 각각 x축의 방향으로 -3만큼 평행이동하면 $y=\dfrac{2}{x}$, $y=-x$이므로 선분 PR의 길이의 최솟값은 함수 $y=\dfrac{2}{x}$의 그래프 위의 점에서 직선 $y=-x$까지의 거리의 최솟값과 같다.

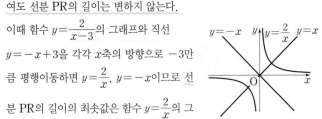

이는 함수 $y=\dfrac{2}{x}$의 그래프와 직선 $y=x$의 교점과 원점 사이의 거리와 같다.

3단계 선분 PQ의 길이가 최소일 때, 삼각형 PQR의 넓이 구하기

$\dfrac{2}{x}=x$에서 $x^2=2$

$\therefore x=-\sqrt{2}$ 또는 $x=\sqrt{2}$

즉, 교점의 좌표는 $(-\sqrt{2},\ -\sqrt{2})$ 또는 $(\sqrt{2},\ \sqrt{2})$이므로 선분 PR의 길이의 최솟값은

$\sqrt{(\sqrt{2})^2+(\sqrt{2})^2}=2$

따라서 구하는 삼각형 PQR의 넓이는

$\dfrac{1}{2}\times\overline{\mathrm{PR}}^2=\dfrac{1}{2}\times 2^2=2$

11 답 ①

1단계 M의 값과 $p=M$일 때의 함수 $f(x)$ 구하기

$f(x)=\dfrac{x+19}{2x-p}=\dfrac{\frac{1}{2}(2x-p)+19+\frac{p}{2}}{2x-p}=\dfrac{19+\frac{p}{2}}{2x-p}+\dfrac{1}{2}$이므로 함수

$y=f(x)$의 그래프의 두 점근선의 방정식은

$x=\dfrac{p}{2},\ y=\dfrac{1}{2}$

이때 p는 자연수이므로

$19+\dfrac{p}{2}>0,\ \dfrac{p}{2}>0$

따라서 $f(2)<f(6)<f(4)$를 만족시키려면
함수 $y=f(x)$의 그래프의 개형은 그림과 같
아야 하므로

$2<\dfrac{p}{2}<4$

$\therefore 4<p<8$

자연수 p의 최댓값은 7이므로

$M=7$

$p=M=7$일 때의 함수 $f(x)$는

$f(x)=\dfrac{x+19}{2x-7}$

2단계 $f(x)$의 값을 구하여 조건 $g(f(6))<g(f(4))<g(f(2))$ 변형하기

$f(2)=-7,\ f(4)=23,\ f(6)=5$이므로

$g(f(6))<g(f(4))<g(f(2))$에서

$g(5)<g(23)<g(-7)$ ...... ㉠

3단계 함수 $y=g(x)$의 그래프의 개형을 그려 q의 값의 범위 구하기

$g(x)=\dfrac{2x+6}{x+q}=\dfrac{2(x+q)+6-2q}{x+q}=\dfrac{6-2q}{x+q}+2$이므로 함수 $g(x)$의

그래프의 두 점근선의 방정식은

$x=-q,\ y=2$

㉠을 만족시키려면 함수 $y=g(x)$의 그래프의 개형은 그림과 같아야 하
므로

$-7<-q<5$

$\therefore -5<q<7$

그런데 $6-2q<0$, 즉 $q>3$이므로

$3<q<7$

4단계 자연수 q의 개수 구하기

따라서 구하는 자연수 q는 4, 5, 6의 3개이다.

12 답 42

1단계 함수 $y=g(x)$의 그래프의 개형을 파악하여 $g(t)$와 $g(t+2)$의 대소 비교하기

함수 $g(x)=1-\dfrac{2}{x-5}\ (x<5)$의 그래프는 그
림과 같으므로 함수 $g(x)$는 $x<5$에서 x의
값이 커지면 $g(x)$의 값도 커진다.

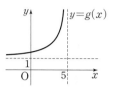

$\therefore g(t)<g(t+2)$

2단계 ㈎를 만족시키는 함수 $f(x)$ 꼴 파악하기

(i) $t<1$일 때, $h(t)=f(g(t+2))$

함수 $f(x)$는 $x=g(t+2)$에서 최솟값을 가지
므로 그림과 같이 함수 $y=f(x)$의 그래프의 꼭
짓점의 x좌표는 $g(t+2)$보다 크다.

(ii) $1\leq t<3$일 때, $h(t)=6$

함수 $f(x)$는 최솟값 6을 가지므로 그림과 같이
$g(t)\leq x\leq g(t+2)$에 함수 $y=f(x)$의 그래프
의 꼭짓점의 x좌표가 포함되어야 하고, 이때 꼭
짓점의 y좌표는 6이어야 한다.

(i), (ii)에서 $h(t)$는 $t=1$일 때 $f(g(t+2))=6$이어야 한다.

$f(g(1+2))=6$에서

$f(g(3))=6$

이때 $g(3)=1-\dfrac{2}{3-5}=2$이므로

$f(2)=6$

따라서 함수 $f(x)$는 $f(x)=a(x-2)^2+6\ (a>0)$으로 놓을 수 있다.

3단계 ㈏를 이용하여 함수 $f(x)$ 구하기

㈏에서 $h(-1)=7$이므로

$f(g(-1+2))=7$

$\therefore f(g(1))=7$

이때 $g(1)=1-\dfrac{2}{1-5}=\dfrac{3}{2}$이므로

$f\left(\dfrac{3}{2}\right)=7$

$a\left(\dfrac{3}{2}-2\right)^2+6=7,\ \dfrac{a}{4}+6=7$

$\therefore a=4$

$\therefore f(x)=4(x-2)^2+6$

4단계 $f(5)$의 값 구하기

$\therefore f(5)=4\times 3^2+6=42$

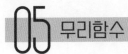

05 무리함수

step ❶ 핵심 문제　　　　　　　　　| 60~61쪽

01 ③	02 ②	03 $-\dfrac{10}{3}$	04 ③	05 2	06 36
07 ⑤	08 ③	09 $\dfrac{17}{2}$	10 $\dfrac{55}{4}$	11 ①	12 ③

01 답 ③

$x=\dfrac{2}{\sqrt{3}-1}=\dfrac{2(\sqrt{3}+1)}{(\sqrt{3}-1)(\sqrt{3}+1)}=\sqrt{3}+1$

$\dfrac{\sqrt{x}-1}{\sqrt{x}+1}+\dfrac{2\sqrt{x}}{\sqrt{x}-1}=\dfrac{(\sqrt{x}-1)^2+2\sqrt{x}(\sqrt{x}+1)}{(\sqrt{x}+1)(\sqrt{x}-1)}$

$=\dfrac{x-2\sqrt{x}+1+2x+2\sqrt{x}}{x-1}$

$=\dfrac{3x+1}{x-1}$

$\therefore \dfrac{\sqrt{x}-1}{\sqrt{x}+1}+\dfrac{2\sqrt{x}}{\sqrt{x}-1}=\dfrac{3x+1}{x-1}=\dfrac{3(\sqrt{3}+1)+1}{(\sqrt{3}+1)-1}$

$=\dfrac{3\sqrt{3}+4}{\sqrt{3}}=\dfrac{9+4\sqrt{3}}{3}$

02 답 ②

$y=\dfrac{cx+d}{ax+b}=\dfrac{\dfrac{c}{a}x+\dfrac{d}{a}}{x+\dfrac{b}{a}}=\dfrac{\dfrac{c}{a}\left(x+\dfrac{b}{a}\right)+\dfrac{d}{a}-\dfrac{bc}{a^2}}{x+\dfrac{b}{a}}=\dfrac{\dfrac{d}{a}-\dfrac{bc}{a^2}}{x+\dfrac{b}{a}}+\dfrac{c}{a}$

이므로 유리함수 $y=\dfrac{cx+d}{ax+b}$의 그래프의 두 점근선의 방정식은

$x=-\dfrac{b}{a}$, $y=\dfrac{c}{a}$

두 점근선의 교점의 x좌표와 y좌표는 모두 양수이므로

$-\dfrac{b}{a}>0$, $\dfrac{c}{a}>0$

이때 $a<0$이므로 $b>0$, $c<0$

또 유리함수 $y=\dfrac{cx+d}{ax+b}$의 그래프와 y축의 교점의 y좌표는 양수이므로

$\dfrac{d}{b}>0$

이때 $b>0$이므로 $d>0$

$y=a\sqrt{bx+c}+d=a\sqrt{b\left(x+\dfrac{c}{b}\right)}+d$이므로 무리함수 $y=a\sqrt{bx+c}+d$의

그래프는 함수 $y=a\sqrt{bx}\,(a<0, b>0)$의 그래프를 x축의 방향으로 $-\dfrac{c}{b}$

만큼, y축의 방향으로 d만큼 평행이동한 것이다.

이때 $-\dfrac{c}{b}>0$, $d>0$이므로 무리함수

$y=a\sqrt{bx+c}+d$의 그래프의 개형은 그림과 같다.

따라서 무리함수 $y=a\sqrt{bx+c}+d$의 그래프는
제1사분면, 제4사분면을 지난다.

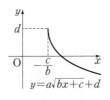

03 답 $-\dfrac{10}{3}$

$-5\le x\le-2$에서 함수 $g(x)=-x+5$는 $x=-5$일 때 최댓값 10을 갖
고 $x=-2$일 때 최솟값 7을 갖는다.

함수 $f(x)=a\sqrt{-x-2}+b=a\sqrt{-(x+2)}+b\,(a>0)$는 $x=-2$일 때
최솟값을 갖고 $x=-5$일 때 최댓값을 가지므로
$f(-2)=7$, $f(-5)=10$에서
$b=7$, $a\sqrt{3}+b=10$　　$\therefore a=\sqrt{3}$
$\therefore f(x)=\sqrt{3}\sqrt{-x-2}+7=\sqrt{-3(x+2)}+7$
$f(k)=9$에서 $\sqrt{-3(x+2)}+7=9$
$\sqrt{-3(k+2)}=2$, $-3(k+2)=4$
$k+2=-\dfrac{4}{3}$　　$\therefore k=-\dfrac{10}{3}$

04 답 ③

함수 $y=5-2\sqrt{1-x}=-2\sqrt{-(x-1)}+5$의 그래프는 함수
$y=-2\sqrt{-x}$의 그래프를 x축의 방향으로 1만큼, y축의 방향으로 5만큼
평행이동한 것이고, 직선 $y=-x+k$는 기울기가 -1이고 y절편이 k인
직선이다.

(i) 직선 $y=-x+k$가 점 $(1, 5)$를 지날 때,

　$5=-1+k$　　$\therefore k=6$

(ii) 직선 $y=-x+k$가 함수

　$y=5-2\sqrt{1-x}$의 그래프와 y축의 교

　점을 지날 때,

　함수 $y=5-2\sqrt{1-x}$의 그래프와 y축의 교점의 좌표는 $(0, 3)$

　직선 $y=-x+k$가 점 $(0, 3)$을 지나므로

　$3=0+k$　　$\therefore k=3$

(i), (ii)에서 함수 $y=5-2\sqrt{1-x}$의 그래프와 직선 $y=-x+k$가 제1사
분면에서 만나도록 하는 k의 값의 범위는

$3<k\le6$

따라서 정수 k의 값은 4, 5, 6이므로 구하는 모든 정수 k의 값의 합은

$4+5+6=15$

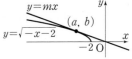

05 답 2

함수 $y=\sqrt{-x-2}$의 그래프와 직선
$y=mx$가 접하려면 그림과 같이 $m<0$
이고, 방정식 $\sqrt{-x-2}=mx$가 오직 하
나의 실근을 가져야 한다. …… 배점 30%

$\sqrt{-x-2}=mx$의 양변을 제곱하여 정리하면
$m^2x^2+x+2=0$ …… ㉠
이차방정식 ㉠의 판별식을 D라 하면
$D=1-8m^2=0$, $(2\sqrt{2}m-1)(2\sqrt{2}m+1)=0$
$\therefore m=-\dfrac{\sqrt{2}}{4}$ 또는 $m=\dfrac{\sqrt{2}}{4}$

그런데 $m<0$이므로 $m=-\dfrac{\sqrt{2}}{4}$ …… 배점 30%

이를 ㉠에 대입하면
$\dfrac{1}{8}x^2+x+2=0$, $x^2+8x+16=0$
$(x+4)^2=0$　　$\therefore x=-4$
이를 $y=\sqrt{-x-2}$에 대입하면 $y=\sqrt{2}$
$\therefore a=-4$, $b=\sqrt{2}$ …… 배점 30%

$\therefore mab=-\dfrac{\sqrt{2}}{4}\times(-4)\times\sqrt{2}=2$ …… 배점 10%

Ⅴ. 함수

06 답 36

점 A의 좌표를 $(a, 2\sqrt{3a})\ (a>0)$라 하면 $C(a, 0)$

점 A와 점 B의 y좌표가 같으므로

$2\sqrt{3a}=2\sqrt{x}$ $\therefore x=3a$

$B(3a, 2\sqrt{3a})$이므로 $D(3a, 0)$

사각형 ACDB가 정사각형이므로 $\overline{AC}=\overline{CD}$에서

$2\sqrt{3a}=2a$, $a=\sqrt{3a}$

$a^2=3a$, $a(a-3)=0$ $\therefore a=3\ (\because a>0)$ $\therefore A(3, 6)$

따라서 $\overline{AC}=6$이므로 정사각형 ACDB의 넓이는

$6\times6=36$

07 답 ⑤

곡선 $y=\sqrt{x+3}-3$을 x축에 대하여 대칭이동하면

$y=-\sqrt{x+3}+3$ $\therefore g(x)=-\sqrt{x+3}+3$

두 곡선 $y=f(x)$, $y=g(x)$의 교점의 x좌표는

$\sqrt{x+3}-3=-\sqrt{x+3}+3$에서 $\sqrt{x+3}=3$

$x+3=9$ $\therefore x=6$ $\therefore A(6, 0)$

직선 $x=k$가 곡선 $y=f(x)$와 만나는 점 B의 좌표는 $(k, \sqrt{k+3}-3)$

직선 $x=k$가 곡선 $y=g(x)$와 만나는 점 C의 좌표는 $(k, -\sqrt{k+3}+3)$

$\overline{BC}=4$이므로 $|2\sqrt{k+3}-6|=4$

이때 $k>6$이므로 $2\sqrt{k+3}-6=4$

$\sqrt{k+3}=5$, $k+3=25$ $\therefore k=22$

$\therefore B(22, 2)$, $C(22, -2)$

따라서 구하는 삼각형 ABC의 넓이는

$\dfrac{1}{2}\times(22-6)\times4=32$

08 답 ③

$f^{-1}(g(x))=2x$에 $x=3$을 대입하면

$f^{-1}(g(3))=6$

$\therefore g(3)=f(6)=\sqrt{6}$

09 답 $\dfrac{17}{2}$

$(f\circ(g\circ f)^{-1}\circ f)(a)=(f\circ f^{-1}\circ g^{-1}\circ f)(a)$
$=(g^{-1}\circ f)(a)$
$=g^{-1}(f(a))$

$g^{-1}(f(a))=\dfrac{4}{3}$에서 $f(a)=g\left(\dfrac{4}{3}\right)$

$g\left(\dfrac{4}{3}\right)=\dfrac{\frac{8}{3}-1}{\frac{4}{3}-1}=5$이므로 $f(a)=5$에서

$\sqrt{2a-1}+1=5$, $\sqrt{2a-1}=4$

$2a-1=16$, $2a=17$ $\therefore a=\dfrac{17}{2}$

10 답 $\dfrac{55}{4}$

함수 $f(x)=\sqrt{-3x+a}+b$의 그래프가 점 $(2, 4)$를 지나므로 $f(2)=4$에서

$\sqrt{-6+a}+b=4$, $\sqrt{-6+a}=4-b$

양변을 제곱하면

$a-6=b^2-8b+16$ $\therefore a=b^2-8b+22$ $\cdots\cdots$ ㉠

역함수 $y=f^{-1}(x)$의 그래프가 점 $(2, 4)$를 지나면 함수 $y=f(x)$의 그래프는 점 $(4, 2)$를 지나므로 $f(4)=2$에서

$\sqrt{-12+a}+b=2$, $\sqrt{-12+a}=2-b$

양변을 제곱하면

$a-12=b^2-4b+4$ $\therefore a=b^2-4b+16$ $\cdots\cdots$ ㉡

㉠, ㉡에서 $b^2-8b+22=b^2-4b+16$

$4b=6$ $\therefore b=\dfrac{3}{2}$

이를 ㉠에 대입하면 $a=\dfrac{9}{4}-12+22=\dfrac{49}{4}$

$\therefore a+b=\dfrac{49}{4}+\dfrac{3}{2}=\dfrac{55}{4}$

11 답 ①

두 점 P, Q의 x좌표를 각각 x_1, x_2라 하면 선분 PQ의 중점의 x좌표가 $\dfrac{3}{2}$이므로

$\dfrac{x_1+x_2}{2}=\dfrac{3}{2}$ $\therefore x_1+x_2=3$ $\cdots\cdots$ ㉠

무리함수 $f(x)=\sqrt{ax+4}-2$의 그래프와 역함수 $y=f^{-1}(x)$의 그래프의 교점은 무리함수 $f(x)=\sqrt{ax+4}-2$의 그래프와 직선 $y=x$의 교점과 같으므로

$\sqrt{ax+4}-2=x$, $\sqrt{ax+4}=x+2$

양변을 제곱하면

$ax+4=x^2+4x+4$, $x^2+(4-a)x=0$

$x(x+4-a)=0$ $\therefore x=0$ 또는 $x=a-4$

㉠에서 $x_1+x_2=3$이므로 $a-4=3$

$\therefore a=7$

12 답 ③

함수 $f(x)=-3\sqrt{-x+1}+a=-3\sqrt{-(x-1)}+a$의 그래프는 함수 $y=-3\sqrt{-x}$의 그래프를 x축의 방향으로 1만큼, y축의 방향으로 a만큼 평행이동한 것이다.

이때 함수 $f(x)=-3\sqrt{-x+1}+a$의 그래프와 역함수 $y=f^{-1}(x)$의 그래프의 교점은 함수 $f(x)=-3\sqrt{-x+1}+a$의 그래프와 직선 $y=x$의 교점과 같다.

(i) 함수 $y=f(x)$의 그래프와 직선 $y=x$가
접할 때,

$-3\sqrt{-x+1}+a=x$에서

$-3\sqrt{-x+1}=x-a$

양변을 제곱하면

$9(-x+1)=x^2-2ax+a^2$

$\therefore x^2-(2a-9)x+a^2-9=0$

이 이차방정식의 판별식을 D라 하면

$D=(2a-9)^2-4(a^2-9)=0$

$-36a+117=0$ $\therefore a=\dfrac{13}{4}$

(ii) 점 $(1, a)$가 직선 $y=x$ 위에 있을 때,
$a=1$

(i), (ii)에서 함수 $y=f(x)$의 그래프와 직선 $y=x$가 서로 다른 두 점에서 만나도록 하는 a의 값의 범위는 $1\le a<\dfrac{13}{4}$

따라서 구하는 정수 a는 1, 2, 3의 3개이다.

01 ④	02 ⑤	03 ④	04 ②	05 ③	06 2
07 $-\dfrac{13}{4}<a<-3$	08 ③	09 $\dfrac{1}{5}$	10 $\dfrac{49}{4}$	11 $\dfrac{135}{8}$	
12 10	13 ⑤	14 24	15 ①	16 14	17 ④
18 ⑤	19 ③	20 ②	21 $\dfrac{121}{16}$	22 ④	23 1

01 답 ④

$f(x)=\begin{cases} \sqrt{ax} & (x\geq0) \\ \sqrt{-ax} & (x<0) \end{cases}$, $g(x)=\begin{cases} \dfrac{x}{3} & (x\geq0) \\ -\dfrac{x}{3} & (x<0) \end{cases}$ 이므로 두 함수

$y=f(x)$, $y=g(x)$의 그래프는 그림과 같이 y축에 대하여 대칭이다.

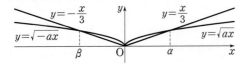

따라서 $\alpha+\beta=0$이므로

$\alpha=-\beta$

$\alpha\beta=-16$에서 $\alpha^2=16$

$\therefore \alpha=4$, $\beta=-4$ 또는 $\alpha=-4$, $\beta=4$

따라서 두 함수 $y=f(x)$, $y=g(x)$의 그래프의 원점이 아닌 두 교점의

좌표는

$\left(4, \dfrac{4}{3}\right)$, $\left(-4, \dfrac{4}{3}\right)$

이때 점 $\left(4, \dfrac{4}{3}\right)$는 함수 $f(x)=\sqrt{ax}$의 그래프 위의 점이므로

$\dfrac{4}{3}=\sqrt{4a}$, $\dfrac{16}{9}=4a$

$\therefore a=\dfrac{4}{9}$

02 답 ⑤

$x>3$일 때, $f(x)=\dfrac{2x+3}{x-2}=\dfrac{7}{x-2}+2$

$x\leq3$일 때, $f(x)=\sqrt{-(x-3)}+a$

㈎에서 함수 f의 치역은 $\{y|y>2\}$이고, ㈏에서 함수 f가 일대일대응이므로 함수 $y=f(x)$의 그래프는 그림과 같아야 한다.

즉, $f(3)=9$이므로

$a=9$

$\therefore f(x)=\begin{cases} \dfrac{2x+3}{x-2} & (x>3) \\ \sqrt{3-x}+9 & (x\leq3) \end{cases}$

$f(2)=1+9=10$이므로 $f(2)f(k)=40$에서

$10f(k)=40$ $\therefore f(k)=4$

$x>3$일 때, $f(x)=\dfrac{2x+3}{x-2}<9$이므로

$\dfrac{2k+3}{k-2}=4$, $2k+3=4k-8$

$\therefore k=\dfrac{11}{2}$

03 답 ④

$f(x)=-\sqrt{kx+2k}+4$, $g(x)=\sqrt{-kx+2k}-4$라 하자.

ㄱ. $-f(-x)=-(-\sqrt{-kx+2k}+4)=\sqrt{-kx+2k}-4=g(x)$

따라서 두 곡선은 서로 원점에 대하여 대칭이다.

ㄴ. $k<0$이면 두 곡선은 그림과 같으므로 만나지 않는다.

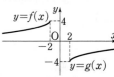

ㄷ. ㄱ에서 두 곡선은 원점에 대하여 대칭이므로 $k>0$일 때, 두 곡선이 서로 다른 두 점에서 만나도록 하는 k의 최댓값은 그림과 같이 곡선 $y=f(x)$가 곡선 $y=g(x)$ 위의 점 $(2, -4)$를 지날 때이다.

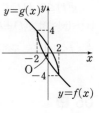

따라서 $f(2)=-4$에서

$-\sqrt{2k+2k}+4=-4$, $\sqrt{4k}=8$, $4k=64$ $\therefore k=16$

따라서 보기에서 옳은 것은 ㄱ, ㄷ이다.

개념 NOTE
두 함수 $y=f(x)$, $y=g(x)$의 그래프가 서로
(1) x축에 대하여 대칭 ➡ $f(x)=-g(x)$
(2) y축에 대하여 대칭 ➡ $f(x)=g(-x)$
(3) 원점에 대하여 대칭 ➡ $f(x)=-g(-x)$

04 답 ②

함수 $y=f(x)$의 그래프는 그림과 같다.

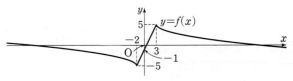

직선 $y=t$와 함수 $y=f(x)$의 그래프의 교점의 개수가 $g(t)$이므로

$g(t)=\begin{cases} 1 & (t<-5) \\ 2 & (t=-5) \\ 3 & (-5<t<5) \\ 2 & (t=5) \\ 1 & (t>5) \end{cases}$

$x\leq-2$일 때, 함수 $y=f(x)$의 그래프가 x축과 만나는 점의 x좌표는

$0=\sqrt{-x-2}-5$, $\sqrt{-x-2}=5$

$-x-2=25$ $\therefore x=-27$

$-2<x<3$일 때, 함수 $y=f(x)$의 그래프가 x축과 만나는 점의 x좌표는

$0=2x-1$ $\therefore x=\dfrac{1}{2}$

$x\geq3$일 때, 함수 $y=f(x)$의 그래프가 x축과 만나는 점의 x좌표는

$0=-\sqrt{x-3}+5$, $\sqrt{x-3}=5$

$x-3=25$ $\therefore x=28$

직선 $x=t$와 함수 $y=f(x)$의 그래프의 교점 중에서 y좌표가 양수인 점의 개수가 $h(t)$이므로

$h(t)=\begin{cases} 1 & (t<-27) \\ 0 & \left(-27\leq t\leq\dfrac{1}{2}\right) \\ 1 & \left(\dfrac{1}{2}<t<28\right) \\ 0 & (t\geq28) \end{cases}$

(i) $t \le -5$일 때,
　　$g(t) \le 2$, $h(t) \le 1$이므로 $g(t) + h(t) \le 3$

(ii) $-5 < t \le \dfrac{1}{2}$일 때,
　　$g(t) = 3$, $h(t) = 0$이므로 $g(t) + h(t) = 3$

(iii) $\dfrac{1}{2} < t < 5$일 때,
　　$g(t) = 3$, $h(t) = 1$이므로 $g(t) + h(t) = 4$

(iv) $t \ge 5$일 때,
　　$g(t) \le 2$, $h(t) \le 1$이므로 $g(t) + h(t) \le 3$

(i)~(iv)에서 $g(t) + h(t) = 4$를 만족시키는 t의 값의 범위는
$\dfrac{1}{2} < t < 5$이므로 구하는 정수 t는 1, 2, 3, 4의 4개이다.

05 답 ③

$f(x) \ge g(x)$일 때, $|f(x) - g(x)| = f(x) - g(x)$이므로
$h(x) = \dfrac{3}{2}\{f(x) + g(x) + f(x) - g(x)\} = 3f(x) = 3\sqrt{-x+2}$

$f(x) < g(x)$일 때, $|f(x) - g(x)| = -f(x) + g(x)$이므로
$h(x) = \dfrac{3}{2}\{f(x) + g(x) - f(x) + g(x)\} = 3g(x) = 3|x|$

두 함수 $f(x) = \sqrt{-x+2}$, $g(x) = |x|$의 그래프의 교점의 x좌표는
$\sqrt{-x+2} = |x|$에서 양변을 제곱하면
$-x+2 = x^2$, $x^2 + x - 2 = 0$
$(x+2)(x-1) = 0$ 　∴ $x = -2$ 또는 $x = 1$

그림에서 $x > 1$일 때 $f(x) < g(x)$,
$-2 \le x \le 1$일 때 $f(x) \ge g(x)$,
$x < -2$일 때 $f(x) < g(x)$

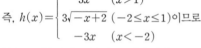

즉, $h(x) = \begin{cases} 3x & (x > 1) \\ 3\sqrt{-x+2} & (-2 \le x \le 1) \\ -3x & (x < -2) \end{cases}$이므로

함수 $y = h(x)$의 그래프는 그림과 같다.

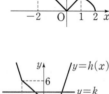

따라서 $l(k) = \begin{cases} 0 & (k < 3) \\ 1 & (k = 3) \\ 2 & (k > 3) \end{cases}$이므로

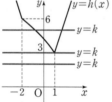

$l(2) + l(3) + l(4) + l(5) = 0 + 1 + 2 + 2$
$\qquad\qquad\qquad\qquad\qquad = 5$

06 답 2

$f(x) = \sqrt{2x+4} - 2$에서
$g(x) = \sqrt{2(x-k)+4} - 2 + k$

(i) $k = 1$일 때,
　　$g(x) = \sqrt{2(x+1)} - 1$이고,
　　$g(3) < 3$이므로 그림과 같이 함수
　　$y = g(x)$의 그래프는 사각형
　　$OABC$의 네 변과 두 점에서 만난
　　다.

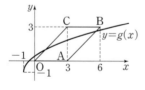

(ii) $k = 2$일 때,
　　$g(x) = \sqrt{2x}$이고, $g(3) < 3$이므로 그
　　림과 같이 함수 $y = g(x)$의 그래프는
　　사각형 $OABC$의 네 변과 세 점에서
　　만난다.

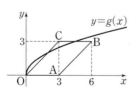

(iii) $k = 3$일 때,
　　$g(x) = \sqrt{2(x-1)} + 1$이고, $g(3) = 3$
　　이므로 그림과 같이 함수 $y = g(x)$의
　　그래프는 사각형 $OABC$의 네 변과
　　두 점에서 만난다.

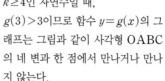

(iv) $k \ge 4$인 자연수일 때,
　　$g(3) > 3$이므로 함수 $y = g(x)$의 그
　　래프는 그림과 같이 사각형 $OABC$
　　의 네 변과 한 점에서 만나거나 만나
　　지 않는다.

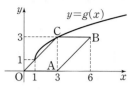

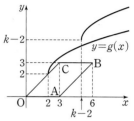

(i)~(iv)에서 구하는 자연수 k의 값은 2이다.

07 답 $-\dfrac{13}{4} < a < -3$

함수 $y = \dfrac{4x+13}{x+2} = \dfrac{5}{x+2} + 4$의 그래프는

그림과 같고 두 점 $\left(-\dfrac{13}{4},\ 0\right)$, $\left(0,\ \dfrac{13}{2}\right)$을

지난다.

함수 $y = \sqrt{x-a}$의 그래프가 함수

$y = \dfrac{4x+13}{x+2}$의 그래프와 한 점에서 만나도록 하는 실수 a의 값의 범위는

$a > -\dfrac{13}{4}$ 　······ ㉠ ·· 배점 **30%**

(i) 함수 $y = \sqrt{x-a}$의 그래프가 직선
　　$y = \dfrac{1}{2}x + 2$에 접할 때,

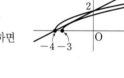

　　$\sqrt{x-a} = \dfrac{1}{2}x + 2$의 양변을 제곱하면
　　$x - a = \dfrac{1}{4}x^2 + 2x + 4$
　　∴ $x^2 + 4x + 16 + 4a = 0$
　　이 이차방정식의 판별식을 D라 하면
　　$\dfrac{D}{4} = 4 - 16 - 4a = 0$ 　∴ $a = -3$

(ii) 함수 $y = \sqrt{x-a}$의 그래프가 점 $(-4, 0)$을 지날 때,
　　$0 = \sqrt{-4-a}$ 　∴ $a = -4$

(i), (ii)에서 함수 $y = \sqrt{x-a}$의 그래프와 직선 $y = \dfrac{1}{2}x + 2$가 서로 다른 두

점에서 만나도록 하는 a의 값의 범위는

$-4 \le a < -3$ 　······ ㉡ ··· 배점 **50%**

㉠, ㉡에서 구하는 a의 값의 범위는

$-\dfrac{13}{4} < a < -3$ ·· 배점 **20%**

08 답 ③

$x \ge k$일 때, $y = x + (x-k) = 2x - k$
$x < k$일 때, $y = x - (x-k) = k$
∴ $y = \begin{cases} 2x - k & (x \ge k) \\ k & (x < k) \end{cases}$

(i) ① 직선 $y=2x-k$가 함수 $y=\sqrt{2x+5}$의
그래프에 접할 때,
$2x-k=\sqrt{2x+5}$의 양변을 제곱하면
$4x^2-4kx+k^2=2x+5$
$4x^2-2(2k+1)x+k^2-5=0$
이 이차방정식의 판별식을 D라 하면
$\dfrac{D}{4}=(2k+1)^2-4(k^2-5)=0$ $\therefore k=-\dfrac{21}{4}$

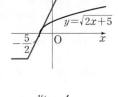

② 직선 $y=2x-k$가 점 $\left(-\dfrac{5}{2},\ 0\right)$을 지
날 때,
$0=-5-k$
$\therefore k=-5$
①, ②에서 $-\dfrac{21}{4}<k\leq-5$

(ii) ① 직선 $y=k$가 점 $(0,\ 0)$을 지날 때,
$k=0$

② 함수 $y=\sqrt{2x+5}$의 그래프가 점 $(k,\ k)$
를 지날 때,
$k=\sqrt{2k+5}$의 양변을 제곱하면
$k^2=2k+5,\ k^2-2k-5=0$
$k=1\pm\sqrt6$
$\therefore k=1+\sqrt6\ (\because k>0)$
①, ②에서 $0\leq k<1+\sqrt6$

(i), (ii)에서 두 함수 $y=\sqrt{2x+5}$, $y=x+|x-k|$의 그래프가 서로 다른
두 점에서 만나도록 하는 k의 값의 범위는
$-\dfrac{21}{4}<k\leq-5$ 또는 $0\leq k<1+\sqrt6$

따라서 구하는 정수 k는 $-5,\ 0,\ 1,\ 2,\ 3$의 5개이다.

09 답 $\dfrac{1}{5}$

㉮에서 $f(x)=\sqrt{4-x^2}\geq0$
$y=\sqrt{4-x^2}$이라 하고 양변을 제곱하면
$y^2=4-x^2$ $\therefore x^2+y^2=4\ (y\geq0)$
$-2\leq x\leq2$에서 함수 $y=\sqrt{4-x^2}$의 그래프는
그림과 같이 중심이 원점이고 반지름의 길이가
2이면서 $y\geq0$인 반원이다.

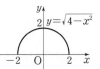

$f(x)=f(4-x)$에서 함수 $y=f(x)$의 그래프는
직선 $x=2$에 대하여 대칭이고, $f(x)=f(-x)$에서 함수 $y=f(x)$의 그
래프는 y축에 대하여 대칭이므로 함수 $y=f(x)$의 그래프는 그림과 같다.

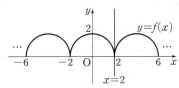

이때 직선 $y=mx+2$는 m의 값에 관계없이 항상 점 $(0,\ 2)$를 지나고
$m>0$이므로 함수 $y=f(x)$의 그래프와 직선 $y=mx+2$의 교점의 개
수가 6이 되려면 그림과 같이 직선 $y=mx+2$가 점 $(-10,\ 0)$을 지나
야 한다.

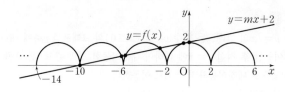

따라서 $0=-10m+2$이므로 $m=\dfrac{1}{5}$

10 답 $\dfrac{49}{4}$

$f(x)=\sqrt{x+3}-3$, $g(x)=\sqrt{3-x}-3$이라 하자.
$f(-x)=\sqrt{-x+3}-3=g(x)$이므로 두 함수 $y=f(x)$, $y=g(x)$의 그
래프는 y축에 대하여 대칭이다.
따라서 그림과 같이 두 함수 $y=\sqrt{x+3}-3$, $y=\sqrt{3-x}-3$의 그래프와
직선 $y=-3$으로 둘러싸인 부분에 내접하고, 한 변이 직선 $y=-3$ 위에
있는 직사각형도 y축에 대하여 대칭이다.

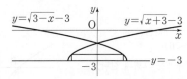

직사각형의 세로의 길이를 $a(a>0)$라 하면 함수 $y=\sqrt{3-x}-3$의 그래
프와 직사각형이 만나는 점의 x좌표는
$-3+a=\sqrt{3-x}-3$에서 $a=\sqrt{3-x}$
양변을 제곱하면 $a^2=3-x$ $\therefore x=3-a^2$
직사각형의 둘레의 길이를 l이라 하면
$l=4(3-a^2)+2a=-4\left(a-\dfrac{1}{4}\right)^2+\dfrac{49}{4}\ (a>0)$
따라서 구하는 직사각형 둘레의 길이의 최댓값은 $\dfrac{49}{4}$이다.

11 답 $\dfrac{135}{8}$

$A(9,\ 0)$, $B(0,\ 3)$이므로 삼각형 OAB의
넓이는
$\dfrac{1}{2}\times\overline{OA}\times\overline{OB}=\dfrac{1}{2}\times9\times3=\dfrac{27}{2}$

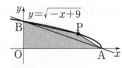

□OAPB$=\triangle$OAB$+\triangle$APB이고 삼각형 OAB의 넓이는 일정하므로
삼각형 APB의 넓이가 최대일 때, 사각형 OAPB의 넓이가 최대이다.
이때 $\overline{AB}=\sqrt{9^2+3^2}=3\sqrt{10}$이므로 점 P와 직선 AB 사이의 거리가 최대
일 때, 삼각형 APB의 넓이가 최대이다.
두 점 A, B를 지나는 직선의 방정식은
$\dfrac{x}{9}+\dfrac{y}{3}=1$ $\therefore x+3y-9=0$
점 P의 y좌표를 $a(a>0)$라 하면 $a=\sqrt{-x+9}$
양변을 제곱하면 $a^2=-x+9$ $\therefore x=9-a^2$
이때 점 $P(9-a^2,\ a)$와 직선 AB 사이의 거리는

$\dfrac{|9-a^2+3a-9|}{\sqrt{1^2+3^2}}=\dfrac{|-a^2+3a|}{\sqrt{10}}=\dfrac{\left|-\left(a-\dfrac{3}{2}\right)^2+\dfrac{9}{4}\right|}{\sqrt{10}}$

즉, $a=\dfrac{3}{2}$일 때 최댓값이 $\dfrac{9}{4\sqrt{10}}=\dfrac{9\sqrt{10}}{40}$이므로 삼각형 APB의 넓이의
최댓값은
$\dfrac{1}{2}\times3\sqrt{10}\times\dfrac{9\sqrt{10}}{40}=\dfrac{27}{8}$
따라서 사각형 OAPB의 넓이의 최댓값은
$\dfrac{27}{2}+\dfrac{27}{8}=\dfrac{135}{8}$

12 답 10

함수 $y=\sqrt{x}$의 그래프는 함수 $y=x^2\,(x\le 0)$의 그래프를 y축에 대하여 대칭이동한 후 직선 $y=x$에 대하여 대칭이동한 것과 같고, 점 A를 같은 방법으로 대칭이동하면 점 B로 이동한다.

따라서 그림에서 빗금 친 부분의 넓이는 서로 같으므로 구하는 넓이는 삼각형 AOB의 넓이와 같다.

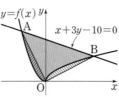

$\overline{AB}=\sqrt{(4+2)^2+(2-4)^2}=2\sqrt{10}$

원점 O와 직선 $x+3y-10=0$ 사이의 거리를 d라 하면 $d=\dfrac{|-10|}{\sqrt{1^2+3^2}}=\sqrt{10}$

따라서 구하는 넓이는 $\dfrac{1}{2}\times\overline{AB}\times d=\dfrac{1}{2}\times 2\sqrt{10}\times\sqrt{10}=10$

13 답 ⑤

$y=\begin{cases} a\sqrt{x} & (x\ge 0) \\ a\sqrt{-x} & (x<0) \end{cases}$ 이므로 함수

$y=a\sqrt{|x|}$의 그래프는 그림과 같다.

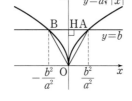

$b=a\sqrt{|x|}$에서 양변을 제곱하면

$b^2=a^2|x|,\ |x|=\dfrac{b^2}{a^2}$

$\therefore\ x=-\dfrac{b^2}{a^2}$ 또는 $x=\dfrac{b^2}{a^2}$

이때 삼각형 OAB는 정삼각형이므로 직선 AB가 y축과 만나는 점을 H라 하면 삼각형 OAH는 $\angle HOA=30°$인 직각삼각형이다.

즉, $\overline{AH}:\overline{OH}=1:\sqrt{3}$이므로 $\dfrac{b^2}{a^2}:b=1:\sqrt{3}$

$b=\dfrac{\sqrt{3}b^2}{a^2},\ a^2b=\sqrt{3}b^2,\ b(a^2-\sqrt{3}b)=0$

$\therefore\ b=0$ 또는 $a^2=\sqrt{3}b$

그런데 $b>0$이므로 $a^2=\sqrt{3}b$ $\therefore\ b=\dfrac{a^2}{\sqrt{3}}$

정삼각형 OAB의 넓이는 $\dfrac{1}{2}\times\overline{AB}\times\overline{OH}=\dfrac{1}{2}\times\dfrac{2b^2}{a^2}\times b=\dfrac{b^3}{a^2}$

$b=\dfrac{a^2}{\sqrt{3}}$이므로 $\dfrac{b^3}{a^2}=\dfrac{\left(\dfrac{a^2}{\sqrt{3}}\right)^3}{a^2}=\dfrac{a^6}{3\sqrt{3}a^2}=\dfrac{\sqrt{3}}{9}a^4$

$\therefore\ k=\dfrac{\sqrt{3}}{9}$

개념 NOTE

세 내각의 크기가 $30°$, $60°$, $90°$인 직각삼각형의 세 변의 길이의 비는 $1:\sqrt{3}:2$

idea

14 답 24

두 함수 $y=\sqrt{2x+t}-t$,

$y=\sqrt{2x-t}+t$의 그래프는 함수

$y=\sqrt{2x}$의 그래프를 평행이동하면 겹쳐지므로 두 함수의 그래프에 접하는 직선 l은 함수 $y=\sqrt{2x}$의 그래프에 접한다.

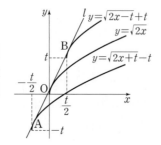

이때 두 함수 $y=\sqrt{2x+t}-t$, $y=\sqrt{2x-t}+t$의 그래프의 시작점

$\left(-\dfrac{t}{2},\ -t\right)$, $\left(\dfrac{t}{2},\ t\right)$를 지나는 직선의 기울기는 $\dfrac{t+t}{\dfrac{t}{2}+\dfrac{t}{2}}=2$이므로 두

함수의 그래프에 동시에 접하는 직선 l의 기울기도 2이다.

직선 l의 방정식을 $y=2x+a\,(a$는 실수$)$로 놓으면 직선 l은 함수 $y=\sqrt{2x}$의 그래프에 접하므로

$\sqrt{2x}=2x+a$

양변을 제곱하면

$2x=4x^2+4ax+a^2$ $\therefore\ 4x^2+2(2a-1)x+a^2=0$

이 이차방정식의 판별식을 D라 하면

$\dfrac{D}{4}=(2a-1)^2-4a^2=0$

$-4a+1=0$ $\therefore\ a=\dfrac{1}{4}$

따라서 직선 l의 방정식은 $y=2x+\dfrac{1}{4}$

두 점 A, B 사이의 거리는 두 점 $\left(-\dfrac{t}{2},\ -t\right)$, $\left(\dfrac{t}{2},\ t\right)$ 사이의 거리와 같으므로

$\overline{AB}=\sqrt{\left(\dfrac{t}{2}+\dfrac{t}{2}\right)^2+(t+t)^2}=\sqrt{5}t$

또 원점 O와 직선 $y=2x+\dfrac{1}{4}$, 즉 $8x-4y+1=0$ 사이의 거리를 d라 하면

$d=\dfrac{1}{\sqrt{8^2+(-4)^2}}=\dfrac{1}{\sqrt{80}}=\dfrac{\sqrt{5}}{20}$

$\therefore\ S(t)=\dfrac{1}{2}\times\overline{AB}\times d=\dfrac{1}{2}\times\sqrt{5}t\times\dfrac{\sqrt{5}}{20}=\dfrac{t}{8}$

이때 $S(2t)+S(t)=9$이므로

$\dfrac{t}{4}+\dfrac{t}{8}=9,\ \dfrac{3t}{8}=9$

$\therefore\ t=24$

15 답 ①

정의역이 $\{x\,|\,x\ge 4\}$이므로 $a\ge 4$

$x\ge 4$에서 $f(x)\ge 9$이므로 $f(a)=b$라 하면

$b\ge 9$ ······ ㉠

$(g\circ f)(a)=g(f(a))=g(b)$

$g(b)=-\sqrt{b-4}+6$이고 ㉠에서 $b-4\ge 5$이므로

$g(b)$의 값이 자연수가 되도록 하는 $b-4$의 값은 9, 16, 25이다.
　└ $b-4\ge 36$이면 $g(b)\le 0$이므로
　　자연수가 아니다.

(i) $b-4=9$, 즉 $b=13$일 때,

　$f(a)=13$이므로

　$\sqrt{3a+4}+5=13,\ \sqrt{3a+4}=8$

　$3a+4=64,\ 3a=60$ $\therefore\ a=20$

(ii) $b-4=16$, 즉 $b=20$일 때,

　$f(a)=20$이므로

　$\sqrt{3a+4}+5=20,\ \sqrt{3a+4}=15$

　$3a+4=225,\ 3a=221$ $\therefore\ a=\dfrac{221}{3}$

(iii) $b-4=25$, 즉 $b=29$일 때,

　$f(a)=29$이므로

　$\sqrt{3a+4}+5=29,\ \sqrt{3a+4}=24$

　$3a+4=576,\ 3a=572$ $\therefore\ a=\dfrac{572}{3}$

(i), (ii), (iii)에서 구하는 자연수 a의 값은 20이다.

16 답 14

$h(x)=(g \circ f^{-1})^{-1}(x)$
$\qquad =(f \circ g^{-1})(x)=f(g^{-1}(x))$ ····· 배점 20%

$g(x)=\sqrt{3x-9}+4$의 치역은 $\{y\,|\,y\geq 4\}$

$y=\sqrt{3x-9}+4$라 하면 $y-4=\sqrt{3x-9}$

양변을 제곱하면

$y^2-8y+16=3x-9$, $x=\dfrac{1}{3}y^2-\dfrac{8}{3}y+\dfrac{25}{3}$

x와 y를 서로 바꾸면

$y=\dfrac{1}{3}x^2-\dfrac{8}{3}x+\dfrac{25}{3}$

$\therefore g^{-1}(x)=\dfrac{1}{3}x^2-\dfrac{8}{3}x+\dfrac{25}{3}$

$\qquad\quad =\dfrac{1}{3}(x-4)^2+3\,(x\geq 4)$ ····· 배점 20%

$x\geq 4$일 때, 두 함수 $y=f(x)$, $y=g^{-1}(x)$의 그래프는 x의 값이 커질수록 y의 값도 커진다.

따라서 $6\leq x\leq 9$에서 함수 $g^{-1}(x)$는 $x=9$일 때 최댓값 $\dfrac{34}{3}$를 갖고,

$x=6$일 때 최솟값 $\dfrac{13}{3}$을 가지므로 함수 $h(x)=f(g^{-1}(x))$는 $x=9$일 때 최댓값 $f\left(\dfrac{34}{3}\right)=\sqrt{\dfrac{77}{3}}$을 갖고, $x=6$일 때 최솟값 $f\left(\dfrac{13}{3}\right)=\sqrt{\dfrac{35}{3}}$를 갖는다.   ····· 배점 50%

따라서 $M=\sqrt{\dfrac{77}{3}}$, $m=\sqrt{\dfrac{35}{3}}$이므로

$M^2-m^2=\dfrac{77}{3}-\dfrac{35}{3}=14$ ····· 배점 10%

17 답 ④

모든 실수 a에 대하여 집합 $X_a=\{x\,|\,f(x)=a\}$가 $n(X_a)=1$을 만족시키려면 모든 실수 a에 대하여 함수 $y=f(x)$의 그래프와 직선 $y=a$가 한 점에서만 만나야 하므로 함수 $f(x)$는 일대일대응이어야 한다.

$x<3$일 때, $y=\sqrt{-3x+k}+2=\sqrt{-3\left(x-\dfrac{k}{3}\right)}+2$

$x\geq 3$일 때, $y=-\sqrt{3x-k}+2=-\sqrt{3\left(x-\dfrac{k}{3}\right)}+2$

따라서 함수 $y=f(x)$의 그래프는 그림과 같아야 하므로

$\dfrac{k}{3}=3$ $\therefore k=9$

$\therefore f(x)=\begin{cases}\sqrt{-3x+9}+2\,(x<3)\\ -\sqrt{3x-9}+2\,(x\geq 3)\end{cases}$

$f^{-1}(1)=p$라 하면 $f(p)=1<2$

$x\geq 3$일 때, $f(x)=-\sqrt{3x-9}+2\leq 2$이므로

$-\sqrt{3p-9}+2=1$, $\sqrt{3p-9}=1$

$3p-9=1$, $3p=10$

$\therefore p=\dfrac{10}{3}$

$f^{-1}(17)=q$라 하면 $f(q)=17>2$

$x<3$일 때, $f(x)=\sqrt{-3x+9}+2>2$이므로

$\sqrt{-3q+9}+2=17$, $\sqrt{-3q+9}=15$

$-3q+9=225$, $-3q=216$

$\therefore q=-72$

$\therefore f^{-1}(1)\times f^{-1}(17)=\dfrac{10}{3}\times(-72)=-240$

18 답 ⑤

함수 $y=f(x)$의 그래프와 역함수 $y=f^{-1}(x)$의 그래프는 직선 $y=x$에 대하여 대칭이므로 점 A와 점 C, 점 B와 점 D도 각각 직선 $y=x$에 대하여 대칭이다.

ㄱ. D(5, 1)이면 B(1, 5)

   즉, $f(1)=5$이므로 $k=5$

ㄴ. 두 함수 $y=f(x)$, $y=f^{-1}(x)$의 그래프가 만날 때, 그 교점은 직선 $y=x$ 위의 점이다.

   원 $(x-3)^2+(y-3)^2=8$과 직선 $y=x$의 교점의 x좌표는

   $2(x-3)^2=8$, $(x-3)^2=4$

   $\therefore x=1$ 또는 $x=5$

   즉, 두 함수 $y=f(x)$, $y=f^{-1}(x)$의 그래프가 점 (1, 1)에서 만나면 점 A와 점 C가 같고, 점 (5, 5)에서 만나면 점 B와 점 D가 같다.

   따라서 점 A와 점 C가 같으면 $f(1)=1$이므로 $k=1$

ㄷ. A$(\alpha,\ k\sqrt{\alpha})$, B$(\beta,\ k\sqrt{\beta})$라 하면

   C$(k\sqrt{\alpha},\ \alpha)$, D$(k\sqrt{\beta},\ \beta)$

   따라서 직선 AB의 기울기와 직선 CD의 기울기의 곱은

   $\dfrac{k\sqrt{\beta}-k\sqrt{\alpha}}{\beta-\alpha}\times\dfrac{\beta-\alpha}{k\sqrt{\beta}-k\sqrt{\alpha}}=1$

따라서 보기에서 옳은 것은 ㄱ, ㄴ, ㄷ이다.

19 답 ③

함수 $f(x)=k\sqrt{x}\,(k>0)$의 그래프와 역함수 $y=f^{-1}(x)$의 그래프의 교점은 함수 $f(x)=k\sqrt{x}\,(k>0)$의 그래프와 직선 $y=x$의 교점과 같으므로

$k\sqrt{x}=x$

양변을 제곱하면

$k^2x=x^2$, $x(x-k^2)=0$

$\therefore x=0$ 또는 $x=k^2$

이때 점 P는 원점 O가 아니므로 P$(k^2,\ k^2)$

점 Q는 선분 OP를 3 : 1로 내분하는 점이고, 점 R는 선분 OP를 1 : 3으로 내분하는 점이므로

Q$\left(\dfrac{3k^2}{4},\ \dfrac{3k^2}{4}\right)$, R$\left(\dfrac{k^2}{4},\ \dfrac{k^2}{4}\right)$

점 A의 y좌표는 점 Q의 y좌표와 같으므로 $\dfrac{3k^2}{4}$

$\dfrac{3k^2}{4}=k\sqrt{x}$에서 $\sqrt{x}=\dfrac{3k}{4}$

$\therefore x=\dfrac{9k^2}{16}$ $\therefore$ A$\left(\dfrac{9k^2}{16},\ \dfrac{3k^2}{4}\right)$

삼각형 ABQ는 $\overline{AQ}=\overline{QB}$인 직각이등변삼각형이고

$\overline{AQ}=\dfrac{3k^2}{4}-\dfrac{9k^2}{16}=\dfrac{3k^2}{16}$이므로 삼각형 ABQ의 넓이는

$\dfrac{1}{2}\times\overline{AQ}\times\overline{QB}=\dfrac{1}{2}\times\left(\dfrac{3k^2}{16}\right)^2=\dfrac{9k^4}{512}$

점 D의 x좌표는 점 R의 x좌표와 같으므로 $\dfrac{k^2}{4}$

$\therefore f\left(\dfrac{k^2}{4}\right)=k\sqrt{\dfrac{k^2}{4}}=\dfrac{k^2}{2}$ $\therefore$ D$\left(\dfrac{k^2}{4},\ \dfrac{k^2}{2}\right)$

삼각형 CDR는 $\overline{DR}=\overline{CR}$인 직각이등변삼각형이고

$\overline{DR}=\dfrac{k^2}{2}-\dfrac{k^2}{4}=\dfrac{k^2}{4}$이므로 삼각형 CDR의 넓이는

$\dfrac{1}{2}\times\overline{DR}\times\overline{CR}=\dfrac{1}{2}\times\left(\dfrac{k^2}{4}\right)^2=\dfrac{k^4}{32}$

삼각형 ABQ와 삼각형 CDR의 넓이의 합이 $\dfrac{25}{2}$이므로

$$\dfrac{9k^4}{512}+\dfrac{k^4}{32}=\dfrac{25}{2}, \quad \dfrac{25k^4}{512}=\dfrac{25}{2}$$

$k^4=256, \quad (k^2-16)(k^2+16)=0$

$(k+4)(k-4)(k^2+16)=0 \quad \therefore k=4\,(\because k>0)$

개념 NOTE

두 점 $A(x_1, y_1)$, $B(x_2, y_2)$에 대하여 선분 AB를 $m:n\,(m>0,\ n>0)$으로 내분하는 점의 좌표는

$$\left(\dfrac{mx_2+nx_1}{m+n},\ \dfrac{my_2+ny_1}{m+n}\right)$$

---

20 답 ②

곡선 $y=f(x)$가 삼각형 ABC와 점 $B(7, 1)$에서 만날 때, 실수 k의 값은

$1=\sqrt{7-k}, \quad 1=7-k$

$\therefore k=6$

즉, $k>6$일 때 곡선 $y=f(x)$는 삼각형 ABC와 만나지 않으므로 곡선 $y=f(x)$가 삼각형 ABC와 만나도록 하는 실수 k의 최댓값은 6이다.

$y=\sqrt{x-k}$라 하고 양변을 제곱하면

$y^2=x-k, \quad x=y^2+k$

x와 y를 서로 바꾸면 $y=x^2+k$

$\therefore f^{-1}(x)=x^2+k\,(x\geq0)$

함수 $y=f^{-1}(x)$의 그래프가 삼각형 ABC와 점 $A(1, 6)$에서 만날 때, 실수 k의 값은

$6=1+k \quad \therefore k=5$

즉, $k>5$일 때 함수 $y=f^{-1}(x)$의 그래프는 삼각형 ABC와 만나지 않으므로 함수 $y=f^{-1}(x)$의 그래프가 삼각형 ABC와 만나도록 하는 실수 k의 최댓값은 5이다.

따라서 곡선 $y=f(x)$와 함수 $y=f^{-1}(x)$의 그래프가 삼각형 ABC와 만나도록 하는 실수 k의 최댓값은 5이다.

---

21 답 $\dfrac{121}{16}$

정사각형 ACBD의 넓이가 최소일 때 대각선 AB의 길이도 최소이다.

즉, 점 A와 직선 $y=x$ 사이의 거리가 최소일 때이므로 기울기가 1인 직선과 함수 $f(x)=-\sqrt{-x-3}$의 그래프의 접점이 A일 때이다. ·········· 배점 **30%**

기울기가 1인 접선의 방정식을 $y=x+a\,(a$는 상수$)$라 하면

$-\sqrt{-x-3}=x+a$

양변을 제곱하면

$-x-3=x^2+2ax+a^2$

$\therefore x^2+(2a+1)x+a^2+3=0$

이 이차방정식의 판별식을 D라 하면

$D=(2a+1)^2-4(a^2+3)=0$

$4a-11=0 \quad \therefore a=\dfrac{11}{4}$

따라서 기울기가 1이고 함수 $y=f(x)$의 그래프에 접하는 접선의 방정식은 $y=x+\dfrac{11}{4}$ ·········· 배점 **30%**

점 A와 직선 $y=x$ 사이의 거리의 최솟값은 점 $(0, 0)$과 직선 $y=x+\dfrac{11}{4}$, 즉 $4x-4y+11=0$ 사이의 거리와 같으므로

$$\dfrac{11}{\sqrt{4^2+(-4)^2}}=\dfrac{11}{4\sqrt{2}}=\dfrac{11\sqrt{2}}{8}$$

정사각형 ACBD의 대각선 AB의 길이의 최솟값은

$$2\times\dfrac{11\sqrt{2}}{8}=\dfrac{11\sqrt{2}}{4}$$

따라서 정사각형 ACBD의 넓이의 최솟값은

$$\dfrac{1}{2}\times\left(\dfrac{11\sqrt{2}}{4}\right)^2=\dfrac{121}{16}$$ ·········· 배점 **40%**

---

22 답 ④

두 함수 $f(x)$, $g(x)$는 서로 역함수 관계이므로 두 함수 $y=f(x)$, $y=g(x)$의 그래프가 만나는 점 A는 함수 $g(x)=\dfrac{1}{2}(x^2-3)\,(x\geq0)$의 그래프와 직선 $y=x$가 만나는 점과 같다.

$\dfrac{1}{2}(x^2-3)=x$에서 $x^2-2x-3=0, \quad (x+1)(x-3)=0$

$\therefore x=3\,(\because x\geq0) \qquad \therefore A(3, 3)$

점 C는 점 $B\left(\dfrac{1}{2}, 2\right)$를 직선 $y=x$에 대하여 대칭이동한 점이므로

$C\left(2, \dfrac{1}{2}\right)$

$\therefore \overline{BC}=\sqrt{\left(2-\dfrac{1}{2}\right)^2+\left(\dfrac{1}{2}-2\right)^2}=\sqrt{\dfrac{9}{2}}=\dfrac{3\sqrt{2}}{2}$

점 $B\left(\dfrac{1}{2}, 2\right)$를 지나고 기울기가 -1인 직선 l의 방정식은

$y=-\left(x-\dfrac{1}{2}\right)+2, \quad x+y-\dfrac{5}{2}=0 \quad \therefore 2x+2y-5=0$

점 $A(3, 3)$에서 직선 $2x+2y-5=0$에 내린 수선의 발을 H라 하면

$\overline{AH}=\dfrac{|6+6-5|}{\sqrt{2^2+2^2}}=\dfrac{7\sqrt{2}}{4}$

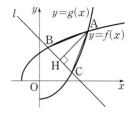

따라서 삼각형 ABC의 넓이는

$\dfrac{1}{2}\times\overline{BC}\times\overline{AH}=\dfrac{1}{2}\times\dfrac{3\sqrt{2}}{2}\times\dfrac{7\sqrt{2}}{4}=\dfrac{21}{8}$

---

23 답 1

함수 $y=f(x)$의 그래프와 역함수 $y=f^{-1}(x)$의 그래프의 교점은 함수 $y=f(x)$의 그래프와 직선 $y=x$의 교점과 같으므로

$\sqrt{-x+5}-1=x, \quad \sqrt{-x+5}=x+1$

양변을 제곱하면 $-x+5=x^2+2x+1$

$x^2+3x-4=0, \quad (x+4)(x-1)=0 \quad \therefore x=-4$ 또는 $x=1$

그런데 두 함수 $f(x)$, $f^{-1}(x)$의 정의역의 공통 범위는 $-1\leq x\leq5$이므로 → $f(x)=\sqrt{-x+5}-1$의 치역은 $\{y\,|\,y\geq-1\}$이므로 $f^{-1}(x)$의 정의역은 $\{x\,|\,x\geq-1\}$

$x=1 \qquad \therefore A(1, 1)$

㈎, ㈏에서 $g(x)=-x+a\,(a$는 실수$)$로 놓으면 → $g(x)=g^{-1}(x)=-x+a$

함수 $y=g(x)$의 그래프가 점 A를 지나므로

$1=-1+a \quad \therefore a=2$

즉, $g(x)=-x+2$이므로 $g(0)=2$

$\therefore B(0, 2)$

따라서 삼각형 OAB의 넓이는

$\dfrac{1}{2}\times2\times1=1$

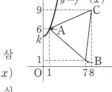

01 ⑤	02 18	03 65	04 ①	05 ①	06 ②
07 5	08 4	09 ②	10 12		

✦idea
01 답 ⑤

1단계 직선 OP의 기울기가 나타내는 의미 파악하기

선분 AB의 중점 P의 좌표는 $\left(\dfrac{x_1+x_2}{2},\ \dfrac{y_1+y_2}{2}\right)$

직선 OP의 기울기는 $\dfrac{y_1+y_2}{x_1+x_2}=\dfrac{y_1-(-y_2)}{x_1-(-x_2)}$

즉, 직선 OP의 기울기는 두 점 $(x_1,\ y_1)$, $(-x_2,\ -y_2)$를 지나는 직선의 기울기와 같다.

2단계 직선 OP의 기울기가 최대, 최소가 되는 경우 파악하기

$B'(-x_2,\ -y_2)$라 하고, 함수 $y=f(x)$의 그래프를 원점에 대하여 대칭이동한 그래프를 나타내는 함수를 $y=g(x)$라 하면 점 B'은 함수 $g(x)=2\sqrt{-x-3}+2\,(-39\le x\le -3)$의 그래프 위의 점이다.

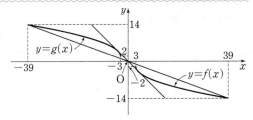

직선 OP의 기울기는 직선 AB′의 기울기과 같고 직선 AB′의 기울기는 직선 AB′이 두 곡선 $y=f(x)$, $y=g(x)$에 동시에 접할 때 최소이고, 두 점 $(39,\ -14)$, $(-39,\ 14)$를 지날 때 최대이다.

3단계 m의 값 구하기

직선 AB′이 두 곡선 $y=f(x)$, $y=g(x)$에 동시에 접하면 두 곡선이 원점에 대하여 대칭이므로 직선 AB′은 원점을 지나는 직선이다.

또 직선 AB′의 기울기를 a라 하면 $a\ge 0$일 때 직선 $y=ax$는 두 함수 $y=f(x)$, $y=g(x)$의 그래프와 만나지 않으므로

$a<0$

직선 $y=ax$와 곡선 $f(x)=-2\sqrt{x-3}-2$가 접할 때

$ax=-2\sqrt{x-3}-2$에서

$ax+2=-2\sqrt{x-3}$

양변을 제곱하면

$a^2x^2+4ax+4=4x-12$

$\therefore a^2x^2+4(a-1)x+16=0$

이 이차방정식의 판별식을 D라 하면

$\dfrac{D}{4}=4(a-1)^2-16a^2=0$

$3a^2+2a-1=0,\ (3a-1)(a+1)=0$

$\therefore a=-1\ (\because a<0)$

$\therefore m=-1$

4단계 M의 값 구하기

직선 AB′이 두 점 $(39,\ -14)$, $(-39,\ 14)$를 지날 때,

$a=\dfrac{14+14}{-39-39}=-\dfrac{28}{78}=-\dfrac{14}{39}$

$\therefore M=-\dfrac{14}{39}$

5단계 Mm의 값 구하기

$\therefore Mm=-1\times\left(-\dfrac{14}{39}\right)=\dfrac{14}{39}$

02 답 18

1단계 $y=2\sqrt{x}$가 정수가 되는 x의 값 찾기

두 곡선 $y=2\sqrt{x}$, $y=-\sqrt{x}+6$의 교점의 x좌표는 4

$x\ge 4$일 때, $y=2\sqrt{x}$가 정수가 되도록 하는 x의 값은

$4,\ \dfrac{25}{4},\ 9,\ \dfrac{49}{4},\ 16,\ \dfrac{81}{4},\ 25,\ \cdots$ → $\dfrac{y^2}{4}=x$에 $y=4,\ 5,\ 6,\ \cdots$을 대입한다.

2단계 x의 값의 범위에 따라 x좌표와 y좌표가 모두 정수인 점의 개수 구하기

$f(x)=2\sqrt{x}$, $g(x)=-\sqrt{x}+6$이라 하자.

(i) $4\le x<\dfrac{25}{4}$일 때,

$4\le f(x)<5,\ \dfrac{7}{2}<g(x)\le 4$

이때 정수 x의 값은 4, 5, 6, 정수 y의 값은 4이므로 정수인 점 $(x,\ y)$의 개수는 $3\times 1=3$

(ii) $\dfrac{25}{4}\le x<9$일 때,

$5\le f(x)<6,\ 3<g(x)\le\dfrac{7}{2}$

이때 정수 x의 값은 7, 8, 정수 y의 값은 4, 5이므로 정수인 점 $(x,\ y)$의 개수는 $2\times 2=4$

(iii) $9\le x<\dfrac{49}{4}$일 때,

$6\le f(x)<7,\ \dfrac{5}{2}<g(x)\le 3$

이때 정수 x의 값은 9, 10, 11, 12, 정수 y의 값은 3, 4, 5, 6이므로 정수인 점 $(x,\ y)$의 개수는 $4\times 4=16$

(iv) $\dfrac{49}{4}\le x<16$일 때,

$7\le f(x)<8,\ 2<g(x)\le\dfrac{5}{2}$

이때 정수 x의 값은 13, 14, 15, 정수 y의 값은 3, 4, 5, 6, 7이므로 정수인 점 $(x,\ y)$의 개수는 $3\times 5=15$

(v) $16\le x<\dfrac{81}{4}$일 때,

$8\le f(x)<9,\ \dfrac{3}{2}<g(x)\le 2$

이때 정수 x의 값은 16, 17, 18, 19, 20, 정수 y의 값은 2, 3, 4, 5, 6, 7, 8이므로 정수인 점 $(x,\ y)$의 개수는 $5\times 7=35$

3단계 점의 개수가 59가 되도록 하는 자연수 k의 값 구하기

(i)∼(iv)에서 점의 개수의 합은 $3+4+16+15=38$이고 (v)에서 정수 x의 값이 16, 17, 18일 때 점의 개수의 합은 $3\times 7=21$이다.

따라서 조건을 만족시키는 점의 개수가 59가 되도록 하는 자연수 k의 값은 18이다.

03 답 65

1단계 $y=\dfrac{\sqrt{x+3}}{2}$이 자연수가 되는 자연수 x의 값 찾기

$y=\dfrac{\sqrt{x+3}}{2}$이 자연수가 되도록 하는 자연수 x의 값은

1, 13, 33, 61, 97, $\cdots$ → $4y^2-3=x$에 $y=1,\ 2,\ 3,\ \cdots$을 대입한다.

2단계 x의 값의 범위에 따라 $f(n)$ 구하기

한 변의 길이가 $\sqrt{5}$ 이하인 정사각형은 다음과 같이 5가지이다.

(i) $n=1$일 때,

주어진 조건을 만족시키는 정사각형은 존재하지 않는다.

$\therefore f(1)=0$

(ii) $2 \leq n \leq 13$일 때,

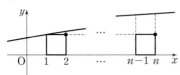

①과 같은 정사각형의 오른쪽 꼭짓점 중 윗쪽의 점의 좌표는

$(2,\ 1),\ (3,\ 1),\ (4,\ 1),\ \cdots,\ (n,\ 1)$

이므로 정사각형은 $(n-1)$개

따라서 $f(n)=n-1$이므로

$f(13)=12$

(iii) $14 \leq n \leq 33$일 때, 새로 생기는 정사각형은

ⓘ ①과 같은 정사각형의 오른쪽 꼭짓점 중 윗쪽의 점의 좌표는

$(14,\ 1),\ (15,\ 1),\ (16,\ 1),\ \cdots,\ (n,\ 1),$

$(14,\ 2),\ (15,\ 2),\ (16,\ 2),\ \cdots,\ (n,\ 2)$

이므로 정사각형은 $2(n-13)$개

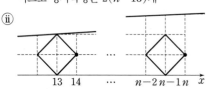

②와 같은 정사각형의 오른쪽 꼭짓점의 좌표는

$(14,\ 1),\ (15,\ 1),\ (16,\ 1),\ \cdots,\ (n,\ 1)$

이므로 정사각형은 $(n-13)$개

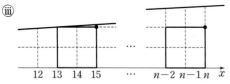

③과 같은 정사각형의 오른쪽 꼭짓점 중 윗쪽의 점의 좌표는

$(15,\ 2),\ (16,\ 2),\ (17,\ 2),\ \cdots,\ (n,\ 2)$

이므로 정사각형은 $\{(n-13)-1\}$개

ⓘ, ⓘⓘ, ⓘⓘⓘ에서 정사각형의 개수는

$4(n-13)-1=4n-53$

따라서 $f(n)=4n-53+f(13)$이므로

$f(33)=79+12=91$

(iv) $34 \leq n \leq 61$일 때, 새로 생기는 정사각형은

ⓘ ①과 같은 정사각형의 오른쪽 꼭짓점 중 윗쪽의 점의 좌표는

$(34,\ 1),\ (35,\ 1),\ (36,\ 1),\ \cdots,\ (n,\ 1),$

$(34,\ 2),\ (35,\ 2),\ (36,\ 2),\ \cdots,\ (n,\ 2),$

$(34,\ 3),\ (35,\ 3),\ (36,\ 3),\ \cdots,\ (n,\ 3)$

이므로 정사각형은 $3(n-33)$개

ⓘⓘ ②와 같은 정사각형의 오른쪽 꼭짓점의 좌표는

$(34,\ 1),\ (35,\ 1),\ (36,\ 1),\ \cdots,\ (n,\ 1),$

$(34,\ 2),\ (35,\ 2),\ (36,\ 2),\ \cdots,\ (n,\ 2)$

이므로 정사각형은 $2(n-33)$개

ⓘⓘⓘ ③과 같은 정사각형의 오른쪽 꼭짓점 중 윗쪽의 점의 좌표는

$(34,\ 2),\ (35,\ 2),\ (36,\ 2),\ \cdots,\ (n,\ 2),$

$(35,\ 3),\ (36,\ 3),\ (37,\ 3),\ \cdots,\ (n,\ 3)$

이므로 정사각형은 $\{2(n-33)-1\}$개

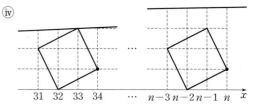

④와 같은 정사각형의 오른쪽 꼭짓점의 좌표는

$(34,\ 1),\ (35,\ 1),\ (36,\ 1),\ \cdots,\ (n,\ 1)$

이므로 정사각형은 $(n-33)$개

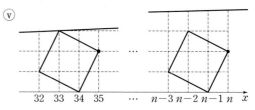

⑤와 같은 정사각형의 오른쪽 꼭짓점의 좌표는

$(35,\ 2),\ (36,\ 2),\ (37,\ 2),\ \cdots,\ (n,\ 2)$

이므로 정사각형은 $\{(n-33)-1\}$개

ⓘ~ⓥ에서 정사각형의 개수는

$9(n-33)-2=9n-299$

따라서 $f(n)=9n-299+f(33)$이므로

$f(61)=250+91=341$

(v) $62 \leq n \leq 97$일 때, 새로 생기는 정사각형은

ⓘ ①과 같은 정사각형의 오른쪽 꼭짓점 중 윗쪽의 점의 좌표는

$(62,\ 1),\ (63,\ 1),\ (64,\ 1),\ \cdots,\ (n,\ 1),$

$(62,\ 2),\ (63,\ 2),\ (64,\ 2),\ \cdots,\ (n,\ 2),$

$(62,\ 3),\ (63,\ 3),\ (64,\ 3),\ \cdots,\ (n,\ 3),$

$(62,\ 4),\ (63,\ 4),\ (64,\ 4),\ \cdots,\ (n,\ 4)$

이므로 정사각형은 $4(n-61)$개

ⓘⓘ ②와 같은 정사각형의 오른쪽 꼭짓점의 좌표는

$(62,\ 1),\ (63,\ 1),\ (64,\ 1),\ \cdots,\ (n,\ 1),$

$(62,\ 2),\ (63,\ 2),\ (64,\ 2),\ \cdots,\ (n,\ 2),$

$(62,\ 3),\ (63,\ 3),\ (64,\ 3),\ \cdots,\ (n,\ 3)$

이므로 정사각형은 $3(n-61)$개

ⓘⓘⓘ ③과 같은 정사각형의 오른쪽 꼭짓점 중 윗쪽의 점의 좌표는

$(62,\ 2),\ (63,\ 2),\ (64,\ 2),\ \cdots,\ (n,\ 2),$

$(62,\ 3),\ (63,\ 3),\ (64,\ 3),\ \cdots,\ (n,\ 3),$

$(63,\ 4),\ (64,\ 4),\ (65,\ 4),\ \cdots,\ (n,\ 4)$

이므로 정사각형은 $\{3(n-61)-1\}$개

ⓘⓥ ④와 같은 정사각형의 오른쪽 꼭짓점의 좌표는

$(62,\ 1),\ (63,\ 1),\ (64,\ 1),\ \cdots,\ (n,\ 1),$

$(62,\ 2),\ (63,\ 2),\ (64,\ 2),\ \cdots,\ (n,\ 2)$

이므로 정사각형은 $2(n-61)$개

ⓥ ⑤와 같은 정사각형의 오른쪽 꼭짓점의 좌표는

$(62,\ 2),\ (63,\ 2),\ (64,\ 2),\ \cdots,\ (n,\ 2),$

$(63,\ 3),\ (64,\ 3),\ (65,\ 3),\ \cdots,\ (n,\ 3)$

이므로 정사각형은 $\{2(n-61)-1\}$개

ⓘ~ⓥ에서 정사각형의 개수는 $14(n-61)-2=14n-856$

$\therefore f(n)=14n-856+f(61)=14n-856+341=14n-515$

3단계 자연수 n의 **최댓값 구하기**

$14n-515 \leq 400$에서 $n < 66$

따라서 자연수 n의 최댓값은 65이다.

04 답 ①

1단계 조건이 나타내는 의미 파악하기

방정식 $f(x)=g(x)$의 서로 다른 두 실근 α, β에 대하여 $f(\alpha)\neq 0$, $g(\beta)\neq 0$이 되려면 두 함수 $f(x)=\dfrac{ax+6}{x+2}$, $g(x)=\sqrt{bx+8}$의 그래프는 x축 위의 점이 아닌 서로 다른 두 점에서 만나야 한다.

2단계 두 함수 $y=f(x)$, $y=g(x)$의 그래프 파악하기

$f(x)=\dfrac{ax+6}{x+2}=\dfrac{a(x+2)-2a+6}{x+2}=\dfrac{-2a+6}{x+2}+a$이므로 함수 $y=f(x)$의 그래프의 두 점근선의 방정식은 $x=-2$, $y=a$이고, 두 점 $(0, 3)$, $\left(-\dfrac{6}{a}, 0\right)$을 지난다.

이때 $-2a+6>0$, 즉 $a<3$인 경우와 $-2a+6<0$, 즉 $a>3$인 경우로 나누어 그래프를 그려야 한다.

또 $g(x)=\sqrt{bx+8}=\sqrt{b\left(x+\dfrac{8}{b}\right)}$이므로 함수 $y=g(x)$의 그래프는 두 점 $\left(-\dfrac{8}{b}, 0\right)$, $(0, 2\sqrt{2})$를 지난다.

3단계 $a<3$인 자연수일 때, 순서쌍 (a, b)의 개수 구하기

(i) $a<3$인 자연수일 때,

$0<-2a+6\leq 4$이고,

$-6\leq -\dfrac{6}{a}<-2$이므로 그림과 같이

$-\dfrac{8}{b}<-\dfrac{6}{a}$일 때 두 함수 $y=f(x)$,

$y=g(x)$의 그래프는 x축 위의 점이 아닌 서로 다른 두 점에서 만난다.

$-\dfrac{8}{b}<-\dfrac{6}{a}$에서 $4a>3b$

$a=1$일 때, $b=1$

$a=2$일 때, $b=1, 2$

따라서 순서쌍 (a, b)의 개수는

$1+2=3$

4단계 $3<a<10$인 자연수일 때, 순서쌍 (a, b)의 개수 구하기

(ii) $3<a<10$인 자연수일 때,

$-14<-2a+6<0$이고,

$-2<-\dfrac{6}{a}<-\dfrac{3}{5}$이므로 그림과 같이

$-\dfrac{8}{b}<-\dfrac{6}{a}$일 때 두 함수 $y=f(x)$,

$y=g(x)$의 그래프는 x축 위의 점이 아닌 서로 다른 두 점에서 만난다.

$-\dfrac{8}{b}<-\dfrac{6}{a}$에서 $4a>3b$

$a=4$일 때, $b=1, 2, 3, 4, 5$

$a=5$일 때, $b=1, 2, 3, 4, 5, 6$

$a=6$일 때, $b=1, 2, 3, 4, 5, 6, 7$

$a=7$일 때, $b=1, 2, 3, 4, 5, 6, 7, 8, 9$

$a=8$일 때, $b=1, 2, 3, 4, 5, 6, 7, 8, 9$ ⎤ b는 10 이하의 자연수이다.

$a=9$일 때, $b=1, 2, 3, 4, 5, 6, 7, 8, 9$ ⎦

따라서 순서쌍 (a, b)의 개수는

$5+6+7+9+9+9=45$

5단계 순서쌍 (a, b)의 개수 구하기

(i), (ii)에서 구하는 순서쌍 (a, b)의 개수는

$3+45=48$

05 답 ①

1단계 점 M과 점 A 사이의 거리의 최솟값과 같은 것 찾기

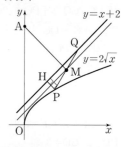

그림과 같이 함수 $y=2\sqrt{x}$의 그래프 위의 임의의 점 P와 직선 $y=x+2$ 위를 움직이는 점 Q에 대하여 점 P에서 직선 $y=x+2$에 내린 수선의 발을 H라 하자.

이때 선분 PQ의 중점 M은 선분 PH의 수직이등분선 위에 있으므로 두 점 M, A 사이의 거리의 최솟값은 직선 $y=x+2$와 선분 PH의 수직이등분선 사이의 거리의 최솟값과 점 A와 직선 $y=x+2$ 사이의 거리의 합과 같다.

2단계 직선 $y=x+2$와 선분 PH의 수직이등분선 사이의 거리의 최솟값 구하기

직선 $y=x+2$와 선분 PH의 수직이등분선 사이의 거리의 최솟값은 점 P와 직선 $y=x+2$ 사이의 거리의 최솟값의 $\dfrac{1}{2}$과 같다.

점 $P(a, 2\sqrt{a})$라 하면 점 P와 직선 $y=x+2$, 즉 $x-y+2=0$ 사이의 거리는

$\dfrac{|a-2\sqrt{a}+2|}{\sqrt{1^2+(-1)^2}}=\dfrac{|(\sqrt{a}-1)^2+1|}{\sqrt{2}}$

즉, 점 P와 직선 $y=x+2$ 사이의 거리의 최솟값은 $a=1$일 때 $\dfrac{\sqrt{2}}{2}$이다.

따라서 직선 $y=x+2$와 선분 PH의 수직이등분선 사이의 거리의 최솟값은

$\dfrac{1}{2}\times\dfrac{\sqrt{2}}{2}=\dfrac{\sqrt{2}}{4}$

3단계 점 A와 직선 $y=x+2$ 사이의 거리 구하기

점 $A(0, 8)$과 직선 $y=x+2$, 즉 $x-y+2=0$ 사이의 거리는

$\dfrac{|-8+2|}{\sqrt{1^2+(-1)^2}}=\dfrac{6}{\sqrt{2}}=3\sqrt{2}$

4단계 두 점 M, A 사이의 거리의 최솟값 구하기

따라서 두 점 M, A 사이의 거리의 최솟값은

$\dfrac{\sqrt{2}}{4}+3\sqrt{2}=\dfrac{13\sqrt{2}}{4}$

06 답 ②

1단계 원의 중심 C의 좌표 구하기

점 $Q(3, 5)$는 원 $(x-c)^2+(y-2)^2=13$ 위의 점이므로

$(3-c)^2+(5-2)^2=13$, $c^2-6c+5=0$

$(c-1)(c-5)=0$

$\therefore c=1$ 또는 $c=5$

그런데 $c=5$이면 함수 $y=\sqrt{ax+b}+6$에서 $y\geq 6>2+\sqrt{13}$이므로 원과 만나지 않는다.

$\therefore c=1$ $\quad\therefore C(1, 2)$

2단계 점 P의 좌표 구하기

$y=\sqrt{ax+b}+2$이므로 그림과 같이 두 점 P, Q에서 직선 $y=2$에 내린 수선의 발을 각각 D, E라 하자.

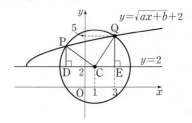

원의 반지름의 길이가 $\sqrt{13}$이므로

$\overline{PC}=\overline{QC}=\sqrt{13}$

삼각형 PCQ에서 $\overline{PQ}=\sqrt{26}$이므로

$\overline{PQ}^2=\overline{PC}^2+\overline{QC}^2$

즉, 삼각형 PCQ는 $\angle PCQ=90°$인 직각삼각형이다.

두 삼각형 PDC, CEQ에서

$\angle QCE=\angle CPD$, $\angle CQE=\angle PCD$

$\therefore \triangle PDC\equiv\triangle CEQ$ (AA 닮음)

이때 $\overline{CE}=2$, $\overline{QE}=3$이므로

$\overline{PD}=2$, $\overline{CD}=3$

따라서 점 P의 좌표는 $(1-3,\ 2+2)$

$\therefore P(-2,\ 4)$

3단계 $a+b+c$의 값 구하기

함수 $y=\sqrt{ax+b}+2$의 그래프가 두 점 $P(-2,\ 4)$, $Q(3,\ 5)$를 지나므로

$4=\sqrt{-2a+b}+2$, $5=\sqrt{3a+b}+2$

$\sqrt{-2a+b}=2$, $\sqrt{3a+b}=3$

$-2a+b=4$, $3a+b=9$

두 식을 연립하여 풀면

$a=1$, $b=6$

$\therefore a+b+c=8$

^{idea}
07 답 5

1단계 집합 B를 $(x,\ y)$로 나타내기

$(x,\ y)\in A$, $(y,\ x)\in B$이므로 집합 B는 함수 $y=\sqrt{x+n^4}-n^2\ (x\geq0)$의 역함수의 그래프 위의 점들을 원소로 갖는다.

$y=\sqrt{x+n^4}-n^2$에서 $y+n^2=\sqrt{x+n^4}$

양변을 제곱하면

$y^2+2n^2y+n^4=x+n^4$, $x=y^2+2n^2y$

x와 y를 서로 바꾸면

$y=x^2+2n^2x\ (x\geq0)$

$\therefore B=\{(x,\ y)\,|\,y=x^2+2n^2x,\ x\geq0\}$

2단계 점 Q_n의 좌표 구하기

$A\cap B=\{(0,\ 0)\}$이므로 $x\geq0$에서 두 함수 $y=\sqrt{x+n^4}-n^2$, $y=x^2+2n^2x$의 그래프는 점 $(0,\ 0)$에서만 만난다.

$Q_n\in B\cap C$이므로

$x^2+2n^2x=-x+2n^2+2$에서

$x^2+(2n^2+1)x-(2n^2+2)=0$

$(x-1)(x+2n^2+2)=0$

$\therefore x=1\ (\because x\geq0)$

$\therefore Q_n(1,\ 2n^2+1)$

3단계 점 P_n의 좌표 구하기

점 P_n은 점 Q_n과 직선 $y=x$에 대하여 대칭이므로

$P_n(2n^2+1,\ 1)$

4단계 n의 값 구하기

$\therefore \overline{P_nQ_n}=\sqrt{(2n^2+1-1)^2+(1-2n^2-1)^2}$

$\qquad\quad=2\sqrt{2}n^2$

$\overline{P_nQ_n}=50\sqrt{2}$이므로

$2\sqrt{2}n^2=50\sqrt{2}$, $n^2=25$

$\therefore n=5\ (\because n$은 자연수$)$

08 답 4

1단계 $(g\circ f)(x)$의 값이 최소가 되는 점 파악하기

두 함수 $f(x)=\sqrt{-5(x-5)}-2$, $g(x)=(x-3)^2+a$의 그래프는 그림과 같으므로 $(g\circ f)(x)=g(f(x))$에서 $f(x)$의 값이 3에 가까워질수록 $g(f(x))$의 값은 작아진다.

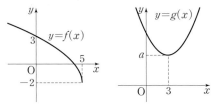

즉, $x=0$일 때 $f(x)=3$이므로 함수 $(g\circ f)(x)$의 정의역에 0이 포함되어 있으면 최솟값은 a이다.

2단계 t의 값의 범위에 따른 $h(t)$ 구하기

$|x-t|\leq1$에서 $t-1\leq x\leq t+1$

(i) $t-1>0$, 즉 $1<t\leq4$일 때,

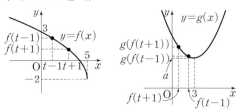

$g(f(x))$의 최솟값은 $x=t-1$일 때이므로

$\qquad h(t)=g(f(t-1))$

(ii) $t-1\leq0\leq t+1$, 즉 $-1\leq t\leq1$일 때,

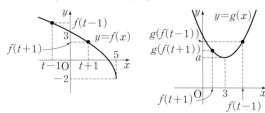

$g(f(x))$의 최솟값은 $x=0$일 때이므로

$\qquad h(t)=g(f(0))=g(3)=a$

(iii) $t+1<0$, 즉 $t<-1$일 때,

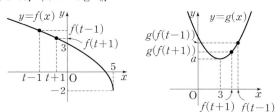

$g(f(x))$의 최솟값은 $x=t+1$일 때이므로 $h(t)=g(f(t+1))$

(i), (ii), (iii)에서

$h(t)=\begin{cases}g(f(t+1)) & (t<-1)\\ a & (-1\leq t\leq1)\\ g(f(t-1)) & (1<t\leq4)\end{cases}$

3단계 abc의 값 구하기

$\therefore b=-1$, $c=1$

$h(-16)=21$이므로

$g(f(-15))=21$, $g(8)=21$

$25+a=21$ $\quad\therefore a=-4$

$\therefore abc=4$

09 답 ②

1단계 역함수가 존재하기 위한 조건 파악하기

함수 $f(x)$의 역함수가 존재하기 위해서는 함수 $f(x)$가 일대일대응이어야 한다.

2단계 $px+q<0$에서 함수 $y=f(x)$의 그래프 개형 그리기

(i) $px+q<0$일 때, $f(x)=\dfrac{-2x+5}{x-3}=-\dfrac{1}{x-3}-2$이므로 함수 $y=f(x)$의 그래프는 그림과 같다.

ⓘ $p>0$일 때, $px+q<0$에서 $x<-\dfrac{q}{p}$

① $-\dfrac{q}{p}<3$일 때   ② $-\dfrac{q}{p}=3$일 때   ③ $-\dfrac{q}{p}>3$일 때

ⓘⓘ $p<0$일 때, $px+q<0$에서 $x>-\dfrac{q}{p}$

① $-\dfrac{q}{p}<3$일 때   ② $-\dfrac{q}{p}=3$일 때   ③ $-\dfrac{q}{p}>3$일 때

3단계 $px+q\geq0$에서 함수 $y=f(x)$의 그래프 개형 그리기

(ii) $px+q\geq0$일 때, $f(x)=\sqrt{px+q}+r=\sqrt{p\left(x+\dfrac{q}{p}\right)}+r$이므로 함수 $y=f(x)$의 그래프는 그림과 같다.

ⓘ $p>0$인 경우   ⓘⓘ $p<0$인 경우

$\left(-\dfrac{q}{p},\, r\right)$ $\left(-\dfrac{q}{p},\, r\right)$

4단계 $\dfrac{qr}{p}$의 값 구하기

그림과 같이 (i), (ii)에서 함수 $f(x)$는 $px+q<0$일 때 $p<0$, $-\dfrac{q}{p}=3$이고, $px+q\geq0$일 때 $p<0$, $r=-2$이면 일대일대응이다.

따라서 $\dfrac{q}{p}=-3$, $r=-2$이므로 $\dfrac{qr}{p}=\dfrac{q}{p}\times r=6$

10 답 12

1단계 사각형 ABCD의 넓이를 k를 이용하여 나타내기

점 A와 점 D, 점 B와 점 C는 직선 $y=x$에 대하여 대칭이므로 사각형 ABCD는 등변사다리꼴이다.

B$(0,\, \sqrt{k}-4)$이므로 C$(\sqrt{k}-4,\, 0)$

두 점 B, C의 중점의 좌표는

$\left(\dfrac{\sqrt{k}-4}{2},\, \dfrac{\sqrt{k}-4}{2}\right)$

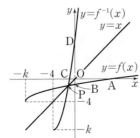

A$(16-k,\, 0)$이므로

D$(0,\, 16-k)$

두 점 A, D의 중점의 좌표는

$\left(\dfrac{16-k}{2},\, \dfrac{16-k}{2}\right)$

선분 BC와 선분 AD 사이의 거리는

$\sqrt{2\left(\dfrac{16-k}{2}-\dfrac{\sqrt{k}-4}{2}\right)^2}=\sqrt{2}\left(\dfrac{20-k-\sqrt{k}}{2}\right)$ $(\because 7<k<16)$

$\overline{\mathrm{BC}}=\sqrt{2(\sqrt{k}-4)^2}=\sqrt{2}(4-\sqrt{k})$ $(\because 7<k<16)$

$\overline{\mathrm{AD}}=\sqrt{2(16-k)^2}=\sqrt{2}(16-k)$ $(\because 7<k<16)$

따라서 사각형 ABCD의 넓이는

$\dfrac{1}{2}\times\{\sqrt{2}(4-\sqrt{k})+\sqrt{2}(16-k)\}\times\sqrt{2}\left(\dfrac{20-k-\sqrt{k}}{2}\right)$

$=\dfrac{(20-k-\sqrt{k})^2}{2}$

2단계 k, n의 값 구하기

사각형 ABCD의 넓이가 $2n^2$이므로

$\dfrac{(20-k-\sqrt{k})^2}{2}=2n^2$

$(20-k-\sqrt{k})^2=4n^2=(2n)^2$

$20-k-\sqrt{k}=\pm2n$

$\therefore k+\sqrt{k}=20\pm2n$ …… ㉠

이때 우변이 정수이므로 좌변도 정수이어야 한다.

즉, $k+\sqrt{k}$의 값이 정수이어야 하므로

$k=9$ $(\because 7<k<16)$

이를 ㉠에 대입하면

$9+3=20\pm2n$

$\therefore n=4$ $(\because n$은 자연수$)$

3단계 점 P의 좌표 구하기

두 함수 $y=f(x)$, $y=f^{-1}(x)$의 그래프의 교점은 함수 $y=f(x)$의 그래프와 직선 $y=x$의 교점과 같으므로

$\sqrt{x+9}-4=x$에서 $\sqrt{x+9}=x+4$

양변을 제곱하면

$x+9=x^2+8x+16$

$x^2+7x+7=0$

$\therefore x=\dfrac{-7\pm\sqrt{21}}{2}$

그런데 두 함수 $f(x)$, $f^{-1}(x)$의 정의역의 공통 범위는 $x\geq-4$이므로

$x=\dfrac{-7+\sqrt{21}}{2}$ $\underset{f^{-1}(x)\text{의 정의역은 } \{x\,|\,x\geq-4\}}{\overset{f(x)=\sqrt{x+9}-4\text{의 치역은 } \{y\,|\,y\geq-4\}\text{이므로}}{\longmapsto}}$

$\therefore \mathrm{P}\left(\dfrac{-7+\sqrt{21}}{2},\, \dfrac{-7+\sqrt{21}}{2}\right)$

4단계 $p+q$의 값 구하기

점 P와 x축 사이의 거리는

$\dfrac{7-\sqrt{21}}{2}$

A$(7,\, 0)$, C$(-1,\, 0)$이므로

$\overline{\mathrm{AC}}=8$

따라서 삼각형 ACP의 넓이는

$\dfrac{1}{2}\times8\times\dfrac{7-\sqrt{21}}{2}=2(7-\sqrt{21})=14-2\sqrt{21}$

따라서 $a=14$, $b=-2$이므로

$a+b=12$

01 4	**02** ③	**03** 8	**04** 55	**05** 1	**06** 24
07 $3\sqrt{2}$	**08** 2	**09** ①	**10** 2	**11** 2	**12** ④
13 70	**14** 12	**15** 41	**16** ⑤		

01 답 4

$$(f \circ f)(x) = \begin{cases} -2f(x)+2 & (0 \le f(x) < 1) \\ \dfrac{3}{2}f(x) - \dfrac{3}{2} & (1 \le f(x) \le 2) \end{cases}$$

(i) $0 \le x < \dfrac{1}{2}$일 때,

$\quad 1 \le f(x) \le 2$이므로 $(f \circ f)(x) = \dfrac{3}{2}(-2x+2) - \dfrac{3}{2} = -3x + \dfrac{3}{2}$

(ii) $\dfrac{1}{2} \le x < 1$일 때,

$\quad 0 < f(x) < 1$이므로 $(f \circ f)(x) = -2(-2x+2)+2 = 4x-2$

(iii) $1 \le x < \dfrac{5}{3}$일 때,

$\quad 0 \le f(x) < 1$이므로 $(f \circ f)(x) = -2\left(\dfrac{3}{2}x - \dfrac{3}{2}\right)+2 = -3x+5$

(iv) $\dfrac{5}{3} \le x \le 2$일 때,

$\quad 1 \le f(x) \le \dfrac{3}{2}$이므로 $(f \circ f)(x) = \dfrac{3}{2}\left(\dfrac{3}{2}x - \dfrac{3}{2}\right) - \dfrac{3}{2} = \dfrac{9}{4}x - \dfrac{15}{4}$

(i)~(iv)에서 $(f \circ f)(x) = \begin{cases} -3x + \dfrac{3}{2} & \left(0 \le x < \dfrac{1}{2}\right) \\ 4x - 2 & \left(\dfrac{1}{2} \le x < 1\right) \\ -3x+5 & \left(1 \le x < \dfrac{5}{3}\right) \\ \dfrac{9}{4}x - \dfrac{15}{4} & \left(\dfrac{5}{3} \le x \le 2\right) \end{cases}$

따라서 함수 $y = (f \circ f)(x)$의 그래프와 직선 $y = \dfrac{3}{8}x$의 교점이 4개이므로 방정식 $(f \circ f)(x) = \dfrac{3}{8}x$의 서로 다른 실근의 개수는 4이다.

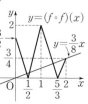

02 답 ③

$f(x)$의 최고차항의 계수가 1이고 ㈎에서 $f(0) = f(2)$이므로 $f(x) = x(x-2) + k$ (k는 상수)로 놓자.

㈏에서 함수 $y = f(x)$의 그래프와 직선 $y = 4x - 10$이 오직 한 점에서 만나므로 $x(x-2) + k = 4x - 10$에서

$x^2 - 6x + k + 10 = 0$

이 이차방정식의 판별식을 D라 하면

$\dfrac{D}{4} = 9 - (k+10) = 0 \qquad \therefore k = -1$

$\therefore f(x) = x(x-2) - 1 = x^2 - 2x - 1$

$(f \circ f)(x) = f(f(x)) = 7$에서 $f(x) = t$로 놓으면 $f(t) = 7$이므로

$t^2 - 2t - 1 = 7$에서 $t^2 - 2t - 8 = 0$

$(t+2)(t-4) = 0 \qquad \therefore t = -2$ 또는 $t = 4$

$\therefore f(x) = -2$ 또는 $f(x) = 4$

(i) $f(x) = -2$일 때,

$\quad x^2 - 2x - 1 = -2,\ x^2 - 2x + 1 = 0$

$\quad (x-1)^2 = 0 \qquad \therefore x = 1$

(ii) $f(x) = 4$일 때,

$\quad x^2 - 2x - 1 = 4,\ x^2 - 2x - 5 = 0$

$\quad \therefore x = 1 - \sqrt{6}$ 또는 $x = 1 + \sqrt{6}$

(i), (ii)에서 방정식 $(f \circ f)(x) = 7$의 근은

$x = 1 - \sqrt{6}$ 또는 $x = 1$ 또는 $x = 1 + \sqrt{6}$

따라서 $a = 3$, $b = -5$이므로

$a - b = 8$

03 답 8

㈐에서 역함수 $f^{-1}(x)$가 존재하므로 함수 $f(x)$는 일대일대응이다.

㈎에서 $f(x) + f^{-1}(x)$의 최솟값이 4이고 ㈐에서 $f(x) \ne f^{-1}(x)$이므로 $f(a) + f^{-1}(a) = 4$라 하면

$f(a) = 1,\ f^{-1}(a) = 3$ 또는 $f(a) = 3,\ f^{-1}(a) = 1$

$\therefore f(a) = 1,\ f(3) = a$ 또는 $f(a) = 3,\ f(1) = a$

(i) $a = 1$인 경우

$\quad f(1) = 1,\ f(3) = 1$ 또는 $f(1) = 3,\ f(1) = 1$이므로 ㈐를 만족시키지 않는다.

(ii) $a = 2$인 경우

① $f(2) = 1,\ f(3) = 2$일 때,

$\quad f(x) + f^{-1}(x)$의 최댓값이 10이려면

$\quad f(4) = 5,\ f(5) = 4$

$\quad$ 이때 함수 $f(x)$는 일대일대응이므로 $f(1) = 3$

$\quad$ 그런데 $f(3) < f(4)$이므로 ㈎를 만족시키지 않는다.

② $f(2) = 3,\ f(1) = 2$일 때,

$\quad f(x) + f^{-1}(x)$의 최댓값이 10이려면

$\quad f(4) = 5,\ f(5) = 4$

$\quad$ 이때 함수 $f(x)$는 일대일대응이므로 $f(3) = 1$

$\quad$ 그런데 $f(3) < f(4)$이므로 ㈎를 만족시키지 않는다.

(iii) $a = 3$인 경우

$\quad f(3) = 1,\ f(3) = 3$ 또는 $f(3) = 3,\ f(1) = 3$이므로 ㈐를 만족시키지 않는다.

(iv) $a = 4$인 경우

① $f(4) = 1,\ f(3) = 4$일 때,

$\quad f(x) + f^{-1}(x)$의 최댓값이 10이려면

$\quad f(2) = 5,\ f(5) = 2$

$\quad$ 이때 함수 $f(x)$는 일대일대응이므로 $f(1) = 3 \longrightarrow f(3) > f(4)$

② $f(4) = 3,\ f(1) = 4$일 때,

$\quad f(x) + f^{-1}(x)$의 최댓값이 10이려면

$\quad f(2) = 5,\ f(5) = 2$

$\quad$ 이때 함수 $f(x)$는 일대일대응이므로 $f(3) = 1$

$\quad$ 그런데 $f(3) < f(4)$이므로 ㈎를 만족시키지 않는다.

(v) $a = 5$인 경우

$\quad$ $f(5) = 1,\ f(3) = 5$ 또는 $f(5) = 3,\ f(1) = 5$이므로 ㈐를 만족시키지 않는다.

$\quad \longrightarrow f(3) + f^{-1}(3)$의 최댓값은 10이 될 수 없고, $f(1) + f^{-1}(1)$의 최댓값도 10이 될 수 없다.

(i)~(v)에서

$f(1) = 3,\ f(2) = 5,\ f(3) = 4,\ f(4) = 1,\ f(5) = 2$

$\therefore f(3) \times f(5) = 8$

04 답 55

함수 $y=f(x)$의 그래프는 그림과 같다.

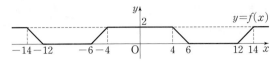

$x>0$에서 $\dfrac{2|x|}{x}=2$, $x<0$에서 $\dfrac{2|x|}{x}=-2$이므로

$$g(x)=\begin{cases}2n+2 & (x>0)\\ 2n & (x=0)\\ 2n-2 & (x<0)\end{cases}$$

즉, 함수 $g(x)$의 치역은 $\{2n-2,\ 2n,\ 2n+2\}$

실수 전체의 집합에서 함수 $(f\circ g)(x)$가 상수함수이려면

$f(2n-2)=f(2n)=f(2n+2)$

즉, 연속인 세 짝수에 대하여 $f(x)$의 값이 같아야 한다.

연속인 세 짝수에 대하여 $f(x)$의 값이 같은 경우는

$n=1$일 때, $f(0)=f(2)=f(4)=2$

$n=4$일 때, $f(6)=f(8)=f(10)=0$

$n=5$일 때, $f(8)=f(10)=f(12)=0$

$n=8$일 때, $f(14)=f(16)=f(18)=2$

$n=9$일 때, $f(16)=f(18)=f(20)=2$

함수 $y=f(x)$의 그래프는 $-9\leq x\leq 9$에서 함수 $y=f(x)$의 그래프가

반복되므로 100 이하의 자연수 n의 값은

$n=1+9\times k\ (k=0,\ 1,\ 2,\ 3,\ 4,\ 5,\ 6,\ 7,\ 8,\ 9,\ 10)$

$n=4+9\times k\ (k=0,\ 1,\ 2,\ 3,\ 4,\ 5,\ 6,\ 7,\ 8,\ 9,\ 10)$

$n=5+9\times k\ (k=0,\ 1,\ 2,\ 3,\ 4,\ 5,\ 6,\ 7,\ 8,\ 9,\ 10)$

$n=8+9\times k\ (k=0,\ 1,\ 2,\ 3,\ 4,\ 5,\ 6,\ 7,\ 8,\ 9,\ 10)$

$n=9+9\times k\ (k=0,\ 1,\ 2,\ 3,\ 4,\ 5,\ 6,\ 7,\ 8,\ 9,\ 10)$

따라서 구하는 100 이하의 자연수 n의 개수는

$11\times 5=55$

05 답 1

㈎에서 이차함수 $y=f(x)$의 그래프는 직선 $x=3$에 대하여 대칭이고,

㈏에서 함수 $g(x)$의 정의역과 치역이 모두 실수 전체의 집합이고 함수

$g(x)$는 일대일대응이다.

따라서 함수 $y=g(x)$의 그래프의 개형은 그림과 같다.

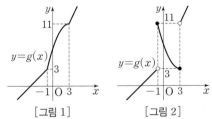

[그림 1]　　[그림 2]

[그림 1]과 같이 $g(-1)=f(-1)=3$, $g(3)=f(3)=11$인 경우는

$(g\circ g)(3)=g(g(3))=g(11)=27$이므로 ㈐를 만족시키지 않는다.

[그림 2]와 같이 $g(-1)=f(-1)=11$, $g(3)=f(3)=3$인 경우는

$(g\circ g)(3)=g(g(3))=g(3)=3$이므로 ㈐를 만족시킨다.

$f(x)=a(x-3)^2+b\ (a>0)$라 하면 $f(-1)=11$, $f(3)=3$에서

$16a+b=11$, $b=3$　　$\therefore a=\dfrac{1}{2}$

$\therefore f(x)=\dfrac{1}{2}(x-3)^2+3$

$-1\leq x\leq 3$일 때, $3\leq g(x)=f(x)\leq 11$이므로

$g^{-1}(5)=k\ (-1\leq k\leq 3)$라 하면

$g(k)=f(k)=5$

$\dfrac{1}{2}(k-3)^2+3=5$, $(k-3)^2=4$

$k-3=\pm 2$　　$\therefore k=1\ (\because -1\leq k\leq 3)$

06 답 24

$g(x)=\dfrac{3}{4\left(x+\dfrac{1}{4}\right)-2}+3=\dfrac{3}{4x-1}+3$이므로 함수 $y=g(x)$의 그래프

는 점 $(0,\ 0)$을 지나고 두 점근선의 방정식은 $x=\dfrac{1}{4}$, $y=3$이다.

사각형 OPAQ가 정사각형이므로 점 A는 직선 $y=x$ 위의 점이다.

$A(a,\ a)\ (a>0)$라 하면 점 A는 함수 $y=g(x)$의 그래프 위의 점이므로

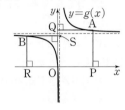

$a=\dfrac{3}{4a-1}+3$, $a-3=\dfrac{3}{4a-1}$

$3=4a^2-13a+3$, $4a^2-13a=0$

$a(4a-13)=0$　　$\therefore a=\dfrac{13}{4}\ (\because a>0)$

$\therefore A\left(\dfrac{13}{4},\ \dfrac{13}{4}\right)$

또 사각형 OSBR도 정사각형이므로 점 B는 직선 $y=-x$ 위의 점이다.

$B(-b,\ b)\ (b>0)$라 하면 점 B는 함수 $y=g(x)$의 그래프 위의 점이므로

$b=\dfrac{3}{-4b-1}+3$, $b-3=\dfrac{3}{-4b-1}$

$3=-4b^2+11b+3$, $4b^2-11b=0$

$b(4b-11)=0$　　$\therefore b=\dfrac{11}{4}\ (\because b>0)$

$\therefore B\left(-\dfrac{11}{4},\ \dfrac{11}{4}\right)$

따라서 $\overline{OA}:\overline{OB}=\overline{OP}:\overline{OR}=13:11$이므로

$m=13$, $n=11$

$\therefore m+n=24$

07 답 $3\sqrt{2}$

두 점 $A(-3,\ -1)$, $B\left(a,\ \dfrac{3}{a}\right)\ (a>3)$을 지나는 직선의 방정식은

$y+1=\dfrac{\dfrac{3}{a}+1}{a+3}(x+3)$

$\therefore y=\dfrac{1}{a}x+\dfrac{3}{a}-1$

따라서 $P(a-3,\ 0)$, $Q\left(0,\ \dfrac{3-a}{a}\right)$이므로

$\overline{OP}=a-3$, $\overline{OQ}=\dfrac{a-3}{a}\ (\because a>3)$

$B'(a,\ 0)$이므로

$\overline{PB'}=3$, $\overline{BB'}=\dfrac{3}{a}$

두 삼각형 POQ, PB'B의 넓이 S_1, S_2는

$S_1=\dfrac{1}{2}\times\overline{OP}\times\overline{OQ}=\dfrac{1}{2}\times(a-3)\times\dfrac{a-3}{a}=\dfrac{a^2-6a+9}{2a}$

$S_2=\dfrac{1}{2}\times\overline{PB'}\times\overline{BB'}=\dfrac{1}{2}\times 3\times\dfrac{3}{a}=\dfrac{9}{2a}$

$$\therefore S_1+S_2=\frac{a}{2}+\frac{9}{a}-3$$

이때 $\frac{a}{2}>0$, $\frac{9}{a}>0$이므로

$$\frac{a}{2}+\frac{9}{a}-3\geq2\sqrt{\frac{a}{2}\times\frac{9}{a}}-3=3\sqrt{2}-3 \ \left(\text{단, 등호는 }\frac{a}{2}=\frac{9}{a}\text{일 때 성립}\right)$$

이때 S_1+S_2의 값이 최소인 경우는 $\frac{a}{2}=\frac{9}{a}$일 때이므로

$$a^2=18 \quad\therefore a=3\sqrt{2}\ (\because a>3)$$

08 답 2

점 $B(\alpha, \beta)$가 곡선 $y=\frac{4}{x}\ (x>0)$ 위의 점이므로

$$\beta=\frac{4}{\alpha} \quad\therefore \alpha=\frac{4}{\beta} \quad\cdots\cdots\ \bigcirc$$

점 B와 점 C가 직선 $y=x$에 대하여 대칭이므로

$C(\beta, \alpha)$

$$\therefore \overline{BC}=\sqrt{(\beta-\alpha)^2+(\alpha-\beta)^2}=\sqrt{2}|\beta-\alpha|=\sqrt{2}(\beta-\alpha)\ (\because 0<\alpha<\beta)$$

직선 BC와 직선 $y=x$가 서로 수직이므로 직선 BC의 기울기는 -1이고, 이 직선은 점 B를 지나므로 직선 BC의 방정식은

$$y-\beta=-(x-\alpha) \quad\therefore x+y-(\alpha+\beta)=0$$

점 A와 직선 BC 사이의 거리를 h라 하면 이는 원점과 직선 BC 사이의 거리와 같으므로

$$h=\frac{|-(\alpha+\beta)|}{\sqrt{1^2+1^2}}=\frac{\alpha+\beta}{\sqrt{2}}\ (\because \alpha>0, \beta>0)$$

따라서 삼각형 ACB의 넓이는

$$\frac{1}{2}\times\overline{BC}\times h=\frac{1}{2}\times\sqrt{2}(\beta-\alpha)\times\frac{\alpha+\beta}{\sqrt{2}}=\frac{\beta^2-\alpha^2}{2}$$

삼각형 ACB의 넓이가 $\frac{15}{2}$이므로

$$\frac{\beta^2-\alpha^2}{2}=\frac{15}{2}$$

$$\therefore \beta^2-\alpha^2=15 \quad\cdots\cdots\ \bigcirc$$

$\bigcirc$을 $\bigcirc$에 대입하면 $\beta^2-\frac{16}{\beta^2}=15$

$$\beta^4-15\beta^2-16=0, (\beta^2+1)(\beta^2-16)=0$$

$$\therefore \beta^2=16$$

그런데 $\beta>0$이므로 $\beta=4$

이를 $\bigcirc$에 대입하면 $\alpha=1$

$$\therefore \alpha+\frac{4}{\beta}=1+\frac{4}{4}=2$$

09 답 ①

함수 $f(x)=-\frac{1}{x+1}+k$의 그래프의 두 점근선의 방정식은

$x=-1$, $y=k$

함수 $g(x)=\frac{1}{2x}-k$의 그래프의 두 점근선의 방정식은

$x=0$, $y=-k$

(i) $k>0$일 때,

두 함수 $y=f(x)$, $y=g(x)$의 그래프는 그림과 같으므로 두 함수 $y=f(x)$, $y=g(x)$의 그래프의 교점 중 x좌표가 음수인 점의 개수는 1이다.

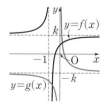

(ii) $k=0$일 때,

두 함수 $y=f(x)$, $y=g(x)$의 그래프는 그림과 같으므로 두 함수 $y=f(x)$, $y=g(x)$의 그래프의 교점 중 x좌표가 음수인 점의 개수는 1이다.

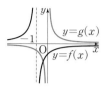

(iii) $k<0$일 때,

두 함수 $y=f(x)$, $y=g(x)$는 그림과 같으므로 두 함수 $y=f(x)$, $y=g(x)$의 그래프의 교점 중 x좌표가 음수인 점의 개수는 2이다.

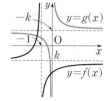

(i), (ii), (iii)에서 $h(k)=\begin{cases}2\ (k<0)\\1\ (k\geq0)\end{cases}$

연속하는 세 정수 k, $k+1$, $k+2$에 대하여 등식 $h(k)+h(k+1)+h(k+2)=5$가 성립하려면 $h(k)=2$, $h(k+1)=2$, $h(k+2)=1$이어야 한다.

따라서 $h(-2)=2$, $h(-1)=2$, $h(0)=1$이므로 구하는 정수 k의 값은 -2이다.

10 답 2

함수 $y=f(x)$의 그래프는 그림과 같다.

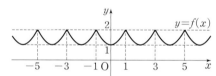

$y=\frac{ax}{x+1}=\frac{a(x+1)-a}{x+1}=-\frac{a}{x+1}+a$이므로 함수 $y=\frac{ax}{x+1}$의 그래프의 두 점근선의 방정식은 $x=-1$, $y=a$이고 점 $(0, 0)$을 지난다.

(i) $a<0$일 때,

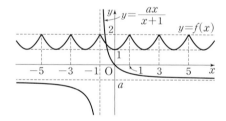

두 함수 $y=f(x)$, $y=\frac{ax}{x+1}$의 그래프의 교점의 개수는 1이다.

(ii) $a=0$일 때,

$y=\frac{ax}{x+1}$에서 $y=0$이므로 두 함수 $y=f(x)$, $y=\frac{ax}{x+1}$의 그래프는 만나지 않는다.

(iii) $a>0$일 때,

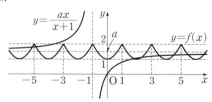

두 함수 $y=f(x)$, $y=\frac{ax}{x+1}$의 그래프의 교점의 개수가 무수히 많도록 하는 a의 값의 범위는 $1\leq a\leq2$

(i), (ii), (iii)에서 $1\leq a\leq2$이므로 구하는 정수 a는 1, 2의 2개이다.

11 답 2

함수 $f(x)=\dfrac{3}{x-4}+1\,(x<4)$의 그래프는 그림과 같으므로 함수 $f(x)$는 $x<4$에서 x의 값이 커지면 $f(x)$의 값은 작아진다.

$\therefore f(t)>f(t+3)$

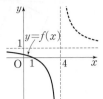

(i) $t<0$일 때, $h(t)=g(f(t+3))$

함수 $g(x)$는 $x=f(t+3)$에서 최댓값을 가지므로 그림과 같이 함수 $y=g(x)$의 그래프의 꼭짓점의 x좌표는 $f(t+3)$보다 작다.

(ii) $0\le t\le 1$일 때, $h(t)=4$

함수 $g(x)$는 최댓값 4를 가지므로 그림과 같이 $f(t+3)\le x\le f(t)$에 함수 $y=g(x)$의 그래프의 꼭짓점의 x좌표가 포함되어야 하고, 이때 꼭짓점의 y좌표는 4이어야 한다.

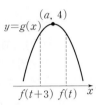

(i), (ii)에서 $h(t)$는 $t=0$일 때 $g(f(t+3))=4$이어야 한다.

$g(f(0+3))=4$에서 $g(f(3))=4$

이때 $f(3)=\dfrac{3}{3-4}+1=-2$이므로

$g(-2)=4$

따라서 함수 $g(x)$는 $g(x)=a(x+2)^2+4\,(a<0)$로 놓을 수 있다.

㈐에서 $h(-2)=2$이므로

$g(f(-2+3))=2$ $\therefore g(f(1))=2$

이때 $f(1)=\dfrac{3}{1-4}+1=0$이므로

$g(0)=2$, $4a+4=2$

$\therefore a=-\dfrac{1}{2}$

$\therefore g(x)=-\dfrac{1}{2}(x+2)^2+4=-\dfrac{1}{2}x^2-2x+2$

따라서 $a=-\dfrac{1}{2}$, $b=-2$, $c=2$이므로

$abc=2$

12 답 ④

함수 $f(x)=\sqrt{x-k}$의 그래프가 사각형 ABCD와 점 B(8, 2)에서 만날 때, 상수 k의 값은

$2=\sqrt{8-k}$, $4=8-k$

$\therefore k=4$

즉, $k>4$일 때 함수 $y=f(x)$의 그래프는 사각형 ABCD와 만나지 않으므로 함수 $y=f(x)$의 그래프가 사각형 ABCD와 만나도록 하는 상수 k의 최댓값은 4이다.

$y=\sqrt{x-k}$라 하고 양변을 제곱하면

$y^2=x-k$, $x=y^2+k$

x와 y를 서로 바꾸면

$y=x^2+k$

$\therefore f^{-1}(x)=x^2+k\,(x\ge 0)$

함수 $y=f^{-1}(x)$의 그래프가 사각형 ABCD와 점 A(2, 7)에서 만날 때, 상수 k의 값은

$7=4+k$ $\therefore k=3$

즉, $k>3$일 때 함수 $y=f^{-1}(x)$의 그래프는 사각형 ABCD와 만나지 않으므로 함수 $y=f^{-1}(x)$의 그래프가 사각형 ABCD와 만나도록 하는 상수 k의 최댓값은 3이다.

따라서 함수 $y=f(x)$의 그래프와 함수 $y=f^{-1}(x)$의 그래프가 사각형 ABCD와 만나도록 하는 상수 k의 최댓값은 3이다.

13 답 70

두 함수 $f(x)$, $g(x)$는 서로 역함수 관계이므로 두 함수 $y=f(x)$, $y=g(x)$의 그래프가 만나는 점 A는 함수 $g(x)=-x^2+6\,(x\ge 0)$의 그래프와 직선 $y=x$가 만나는 점과 같다.

$-x^2+6=x$에서 $x^2+x-6=0$

$(x+3)(x-2)=0$ $\therefore x=2\,(\because x\ge 0)$

$\therefore$ A(2, 2)

점 C는 점 B(-10, 4)를 직선 $y=x$에 대하여 대칭이동한 점이므로 C(4, -10)

$\therefore \overline{BC}=\sqrt{(4+10)^2+(-10-4)^2}=14\sqrt{2}$

점 B(-10, 4)를 지나고 기울기가 -1인 직선 l의 방정식은

$y-4=-(x+10)$

$\therefore x+y+6=0$

점 A(2, 2)에서 직선 $x+y+6=0$에 내린 수선의 발을 H라 하면

$\overline{AH}=\dfrac{|2+2+6|}{\sqrt{1^2+1^2}}=5\sqrt{2}$

따라서 삼각형 ABC의 넓이는

$\dfrac{1}{2}\times\overline{BC}\times\overline{AH}=\dfrac{1}{2}\times 14\sqrt{2}\times 5\sqrt{2}=70$

14 답 12

두 곡선 $y=3\sqrt{x}$, $y=-\sqrt{x}+8$의 교점의 x좌표는 4

$x\ge 4$일 때, $y=3\sqrt{x}$가 정수가 되도록 하는 x의 값은

4, $\dfrac{49}{9}$, $\dfrac{64}{9}$, 9, $\dfrac{100}{9}$, $\dfrac{121}{9}$, $\cdots$ ⟶ $\dfrac{y^2}{9}=x$에 $y=6, 7, 8, \cdots$을 대입한다.

$f(x)=3\sqrt{x}$, $g(x)=-\sqrt{x}+8$이라 하자.

(i) $4\le x<\dfrac{49}{9}$일 때, $6\le f(x)<7$, $\dfrac{17}{3}<g(x)\le 6$

이때 정수 x의 값은 4, 5, 정수 y의 값은 6이므로 정수인 점 (x, y)의 개수는 $2\times 1=2$

(ii) $\dfrac{49}{9}\le x<\dfrac{64}{9}$일 때, $7\le f(x)<8$, $\dfrac{16}{3}<g(x)\le\dfrac{17}{3}$

이때 정수 x의 값은 6, 7, 정수 y의 값은 6, 7이므로 정수인 점 (x, y)의 개수는 $2\times 2=4$

(iii) $\dfrac{64}{9}\le x<9$일 때, $8\le f(x)<9$, $5<g(x)\le\dfrac{16}{3}$

이때 정수 x의 값은 8, 정수 y의 값은 6, 7, 8이므로 정수인 점 (x, y)의 개수는 $1\times 3=3$

(iv) $9\le x<\dfrac{100}{9}$일 때, $9\le f(x)<10$, $\dfrac{14}{3}<g(x)\le 5$

이때 정수 x의 값은 9, 10, 11, 정수 y의 값은 5, 6, 7, 8, 9이므로 정수인 점 (x, y)의 개수는 $3\times 5=15$

Ⅴ. 유함수

(v) $\frac{100}{9} \le x < \frac{121}{9}$일 때, $10 \le f(x) < 11$, $\frac{13}{3} < g(x) \le \frac{14}{3}$

이때 정수 x의 값은 12, 13, 정수 y의 값은 5, 6, 7, 8, 9, 10이므로

정수인 점 (x, y)의 개수는

$2 \times 6 = 12$

(i)~(iv)에서 점의 개수의 합은 $2+4+3+15=24$이고, (v)에서 $x=12$

일 때 점의 개수는 6이다.

따라서 조건을 만족시키는 점의 개수가 30이 되도록 하는 자연수 k의 값

은 12이다.

15 🔲 41

$y=\dfrac{\sqrt{x+5}}{2}$가 자연수가 되도록 하는 자연수 x의 값은

11, 31, 59, 95, $\cdots$ → $4y^2-5=x$에 $y=2, 3, 4, \cdots$를 대입한다.

한 변의 길이가 $\sqrt{2}$ 이상 $\sqrt{5}$ 이하인 정사각형은 다음과 같이 4가지이다.

(i) $1 \le n \le 11$일 때,

　주어진 조건을 만족시키는 정사각형은 존재하지 않는다.

　$\therefore f(n)=0$

(ii) $12 \le n \le 31$일 때,

　ⓐ

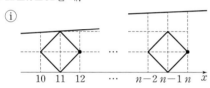

　ⓐ과 같은 정사각형의 오른쪽 꼭짓점의 좌표는

　$(12, 1)$, $(13, 1)$, $(14, 1)$, $\cdots$, $(n, 1)$

　이므로 정사각형은 $(n-11)$개

　ⓑ

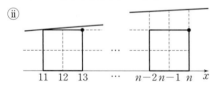

　ⓑ와 같은 정사각형의 오른쪽 꼭짓점 중 윗쪽의 점의 좌표는

　$(13, 2)$, $(14, 2)$, $(15, 2)$, $\cdots$, $(n, 2)$

　이므로 정사각형은 $\{(n-11)-1\}$개

　ⓐ, ⓑ에서 정사각형의 개수는

　$2(n-11)-1=2n-23$

　따라서 $f(n)=2n-23$이므로

　$f(31)=39$

(iii) $32 \le n \le 59$일 때, 새로 생기는 정사각형은

　ⓐ ⓐ과 같은 정사각형의 오른쪽 꼭짓점의 좌표는

　　$(32, 1)$, $(33, 1)$, $(34, 1)$, $\cdots$, $(n, 1)$,

　　$(32, 2)$, $(33, 2)$, $(34, 2)$, $\cdots$, $(n, 2)$

　　이므로 정사각형은 $2(n-31)$개

　ⓑ ⓑ와 같은 정사각형의 오른쪽 꼭짓점 중 윗쪽의 점의 좌표는

　　$(32, 2)$, $(33, 2)$, $(34, 2)$, $\cdots$, $(n, 2)$,

　　$(33, 3)$, $(34, 3)$, $(35, 3)$, $\cdots$, $(n, 3)$

　　이므로 정사각형은 $\{2(n-31)-1\}$개

　ⓒ

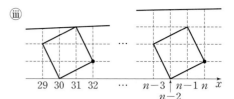

　ⓒ과 같은 정사각형의 오른쪽 꼭짓점의 좌표는

　　$(32, 1)$, $(33, 1)$, $(34, 1)$, $\cdots$, $(n, 1)$

　　이므로 정사각형은 $(n-31)$개

　ⓓ

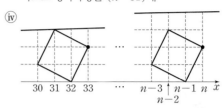

　ⓓ와 같은 정사각형의 오른쪽의 꼭짓점의 좌표는

　　$(33, 2)$, $(34, 2)$, $(35, 2)$, $\cdots$, $(n, 2)$

　　이므로 정사각형은 $\{(n-31)-1\}$개

　ⓐ~ⓓ에서 정사각형의 개수는

　$6(n-31)-2=6n-188$

　$\therefore f(n)=6n-188+f(31)=6n-188+39=6n-149$

$6n-149 \le 100$에서 $n < 42$

따라서 자연수 n의 최댓값은 41이다.

16 🔲 ⑤

그림과 같이 함수 $y=2\sqrt{-x}$의 그래프 위의

임의의 점 P와 직선 $y=-x+5$ 위를 움직

이는 점 Q에 대하여 점 P에서 직선

$y=-x+5$에 내린 수선의 발을 H라 하자.

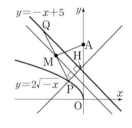

선분 PQ의 중점 M은 선분 PH의 수직이등

분선 위에 있으므로 두 점 M, A 사이의 거

리의 최솟값은 직선 $y=-x+5$와 선분 PH

의 수직이등분선 사이의 거리의 최솟값과 점 A와 직선 $y=-x+5$ 사이

의 거리의 합과 같다.

이때 직선 $y=-x+5$와 선분 PH의 수직이등분선 사이의 거리의 최솟

값은 점 P와 직선 $y=-x+5$ 사이의 거리의 최솟값의 $\frac{1}{2}$과 같다.

점 $P(a, 2\sqrt{-a})$라 하면 점 P와 직선 $y=-x+5$, 즉 $x+y-5=0$ 사

이의 거리는

$$\frac{|a+2\sqrt{-a}-5|}{\sqrt{1^2+1^2}}=\frac{|-(\sqrt{-a}-1)^2-4|}{\sqrt{2}}$$

즉, 점 P와 직선 $y=-x+5$ 사이의 거리의 최솟값은 $a=-1$일 때 $2\sqrt{2}$

이다.

따라서 직선 $y=-x+5$와 선분 PH의 수직이등분선 사이의 거리의 최

솟값은

$\frac{1}{2} \times 2\sqrt{2} = \sqrt{2}$

점 $A(0, 10)$과 직선 $y=-x+5$, 즉 $x+y-5=0$ 사이의 거리는

$\frac{|10-5|}{\sqrt{1^2+1^2}}=\frac{5}{\sqrt{2}}=\frac{5\sqrt{2}}{2}$

따라서 두 점 M, A 사이의 거리의 최솟값은

$\sqrt{2}+\frac{5\sqrt{2}}{2}=\frac{7\sqrt{2}}{2}$

step ① 핵심 문제

01 ③	02 ④	03 720	04 88	05 ②	06 216
07 288	08 ③	09 ⑤	10 480	11 155	12 ④

01 답 ③

구하는 자연수의 개수는 1부터 100까지의 자연수의 개수에서 3 또는 5로 나누어떨어지는 자연수의 개수를 빼면 된다.

$100=3\times33+1$, $100=5\times20$, $100=15\times6+10$이므로 1부터 100까지의 자연수 중 3 또는 5로 나누어떨어지는 자연수의 개수는

$33+20-6=47$

따라서 구하는 자연수의 개수는

$100-47=53$

개념 NOTE

여사건을 이용하는 경우의 수는 사건 A에 대하여

(A인 경우의 수)=(모든 경우의 수)−(A가 아닌 경우의 수)

02 답 ④

$432=2^2\times(2^2\times3^3)$이므로 432의 양의 약수 중 4의 배수의 개수는 $2^2\times3^3$의 양의 약수의 개수와 같다.

따라서 4의 배수의 개수는

$(2+1)\times(3+1)=12$

$432=3\times(2^4\times3^2)$이므로 432의 양의 약수 중 3의 배수의 개수는 $2^4\times3^2$의 양의 약수의 개수와 같다.

따라서 3의 배수의 개수는

$(4+1)\times(2+1)=15$

$\therefore a=12$, $b=15$

$\therefore a+b=27$

비법 NOTE

자연수 N이

$N=p^aq^br^c$ (p, q, r는 서로 다른 소수, a, b, c는 자연수)

의 꼴로 소인수분해되면 N의 양의 약수의 개수는

$(a+1)(b+1)(c+1)$

03 답 720

$x+f(x)\geq7$에서

$f(x)\geq7-x$

$f(1)\geq6$이므로 $f(1)=6$

$f(2)\geq5$이므로 $f(2)=5$, 6

$f(3)\geq4$이므로 $f(3)=4$, 5, 6

$f(4)\geq3$이므로 $f(4)=3$, 4, 5, 6

$f(5)\geq2$이므로 $f(5)=2$, 3, 4, 5, 6

$f(6)\geq1$이므로 $f(6)=1$, 2, 3, 4, 5, 6

따라서 조건을 만족시키는 함수 f의 개수는

$1\times2\times3\times4\times5\times6=720$

04 답 88

(i) 지불할 수 있는 방법의 수

100원짜리 동전을 지불하는 방법은 4가지

500원 짜리 동전을 지불하는 방법은 5가지

1000짜리 지폐를 지불하는 방법은 2가지

이때 0원을 지불하는 경우는 제외해야 하므로 지불할 수 있는 방법의 수는 $4\times5\times2-1=39$

$\therefore a=39$ ·········· 배점 **40%**

(ii) 지불할 수 있는 금액의 수

100원짜리 동전 4개의 일부 또는 전부를 사용하여 지불할 수 있는 금액은 0원, 100원, 200원, 300원, 400원의 5가지

1000원짜리 지폐 1장으로 지불할 수 있는 금액은 500원짜리 동전 2개로 지불할 수 있는 금액과 같으므로 500원짜리 동전 5개와 1000원짜리 지폐 2장으로 지불할 수 있는 금액은 500원짜리 동전 9개를 사용하여 지불할 수 있는 금액과 같다.

500원짜리 동전 9개의 일부 또는 전부를 사용하여 지불할 수 있는 금액은 0원, 500원, 1000원, ···, 4500원의 10가지

이때 0원을 지불하는 경우는 제외해야 하므로 지불할 수 있는 금액의 수는 $5\times10-1=49$

$\therefore b=49$ ·········· 배점 **50%**

(i), (ii)에서

$a+b=39+49=88$ ·········· 배점 **10%**

비법 NOTE

(1) 지불 방법의 수

각 종류의 돈을 지불하는 방법의 수를 구한 후 곱의 법칙을 이용한다.

(2) 지불 금액의 수

지불 방법 중 중복되는 금액이 있는 경우에는 큰 단위의 화폐를 작은 단위의 화폐로 바꾸어 생각한다.

05 답 ②

세 자리의 자연수가 3의 배수이려면 각 자리의 숫자의 합이 3의 배수이어야 하므로 숫자 0, 2, 4, 6, 8 중에서 3개를 택할 때, 3의 배수가 되는 경우는

$(0, 2, 4)$, $(0, 4, 8)$, $(2, 4, 6)$, $(4, 6, 8)$

(i) $(0, 2, 4)$, $(0, 4, 8)$인 경우

백의 자리에는 0이 올 수 없으므로 가능한 세 자리의 자연수의 개수는

$2\times(2\times2!)=8$

(ii) $(2, 4, 6)$, $(4, 6, 8)$인 경우

가능한 세 자리의 자연수의 개수는

$2\times3!=12$

(i), (ii)에서 구하는 3의 배수의 개수는

$8+12=20$

비법 NOTE

배수판정법

(1) 2의 배수: 일의 자리의 숫자가 0 또는 2의 배수

(2) 3의 배수: 각 자리의 숫자의 합이 3의 배수

(3) 4의 배수: 끝의 두 자리가 00이거나 4의 배수

(4) 5의 배수: 일의 자리의 숫자가 0 또는 5

(5) 6의 배수: 2의 배수와 3의 배수 조건을 모두 만족시키는 경우

(6) 9의 배수: 각 자리의 숫자의 합이 9의 배수

06 답 216

5장의 카드를 일렬로 나열할 때, 서로 이웃한 두 장의 카드에 적혀 있는 수의 합이 모두 홀수인 경우는

'짝수, 홀수, 짝수, 홀수, 짝수' 또는 '홀수, 짝수, 홀수, 짝수, 홀수'

(ⅰ) '짝수, 홀수, 짝수, 홀수, 짝수'인 경우

짝수 12, 14, 16이 적혀 있는 카드를 첫 번째, 세 번째, 다섯 번째에 배열하는 경우의 수는 $_3P_3=3!=6$

이 각각의 경우에 대하여 홀수 11, 13, 15, 17이 적혀 있는 카드 중 2장을 두 번째, 네 번째에 배열하는 경우의 수는 $_4P_2=4\times3=12$

따라서 구하는 경우의 수는

$6\times12=72$

(ⅱ) '홀수, 짝수, 홀수, 짝수, 홀수'인 경우

홀수 11, 13, 15, 17이 적혀 있는 카드 중 3장을 첫 번째, 세 번째, 다섯 번째에 배열하는 경우의 수는 $_4P_3=4\times3\times2=24$

이 각각의 경우에 대하여 짝수 12, 14, 16이 적혀 있는 카드 중 2장을 두 번째, 네 번째에 배열하는 경우의 수는 $_3P_2=3\times2=6$

따라서 구하는 경우의 수는

$24\times6=144$

(ⅰ), (ⅱ)에서 구하는 경우의 수는

$72+144=216$

07 답 288

구하는 방법의 수는 6개의 문자를 일렬로 나열하는 모든 방법의 수에서 두 문자 T, V 사이에 1개 이하의 문자가 있도록 나열하는 방법의 수를 뺀 것과 같다.

TRAVEL에 있는 6개의 문자를 일렬로 나열하는 모든 방법의 수는

$6!=720$

(ⅰ) 두 문자 T, V 사이에 다른 문자가 없도록 나열하는 경우

두 문자 T, V를 하나의 문자로 생각하고 나머지 4개의 문자와 함께 나열하는 방법의 수는 5개를 일렬로 나열하는 방법의 수와 같으므로

$5!=120$

이때 두 문자 T, V가 서로 자리를 바꾸는 방법의 수는 $2!=2$

따라서 구하는 방법의 수는 $120\times2=240$

(ⅱ) 두 문자 T, V 사이에 1개의 문자가 있도록 나열하는 경우

두 문자 T, V 사이에 들어갈 문자를 택하는 방법의 수는 4

T, V와 그 사이에 있는 문자를 포함하여 3개의 문자를 하나의 문자로 생각하고 나머지 3개의 문자와 함께 나열하는 방법의 수는 4개를 일렬로 나열하는 방법의 수와 같으므로 $4!=24$

이때 두 문자 T, V가 서로 자리를 바꾸는 방법의 수는 $2!=2$

따라서 구하는 방법의 수는 $4\times24\times2=192$

(ⅰ), (ⅱ)에서 두 문자 T, V 사이에 1개 이하의 문자가 있도록 나열하는 방법의 수는 $240+192=432$

따라서 구하는 방법의 수는

$720-432=288$

비법 NOTE

(1) 이웃하는 것이 있는 순열의 수

① 이웃하는 것을 한 묶음으로 생각하여 일렬로 나열하는 방법의 수를 구한다.

② ①의 결과와 이웃하는 것끼리 서로 자리를 바꾸는 방법의 수를 곱한다.

(2) '적어도' 조건을 포함한 순열의 수

(사건 A가 적어도 한 번 일어나는 경우의 수)

=(모든 경우의 수)-(사건 A가 일어나지 않는 경우의 수)

08 답 ③

6개의 문자 S, Q, U, A, R, E를 사전식으로 나열하면 A, E, Q, R, S, U의 순서로 나열된다.

A로 시작하는 단어의 개수는 $5!=120$

E로 시작하는 단어의 개수는 $5!=120$

Q로 시작하는 단어의 개수는 $5!=120$

RA로 시작하는 단어의 개수는 $4!=24$

RE로 시작하는 단어의 개수는 $4!=24$

RQA로 시작하는 단어의 개수는 $3!=6$

이때 $120+120+120+24+24+6=414$이므로 415번째 나열되는 문자는 RQEASU이다.

09 답 ⑤

1□1□1□1□1□의 빈자리에 0을 넣으면 0끼리는 어느 것도 이웃하지 않는 아홉 자리의 자연수를 만들 수 있다.

따라서 구하는 자연수의 개수는 6개의 빈자리 중 0이 들어가는 3개의 자리를 택하는 경우의 수와 같으므로

$_6C_3=\dfrac{6\times5\times4}{3\times2\times1}=20$

비법 NOTE

이웃하지 않는 경우의 순열의 수

(1) 이웃해도 상관없는 것을 일렬로 나열하는 방법의 수를 구한다.

(2) (1)에서 나열한 것 사이사이와 양 끝의 자리에 이웃하지 않는 것을 나열하는 방법의 수를 구하여 곱한다.

10 답 480

같은 알파벳의 대문자와 소문자가 적혀 있는 카드를 택하는 경우의 수는 6

같은 알파벳이 적혀 있는 2장의 카드를 제외하고 서로 다른 알파벳 4종류를 택하는 경우의 수는 $_5C_4=_5C_1=5$

이때 각 카드에 적혀 있는 알파벳은 각각 대문자, 소문자의 2가지가 있으므로 그 경우의 수는 $2\times2\times2\times2=16$

따라서 구하는 경우의 수는

$6\times5\times16=480$

11 답 155

(ⅰ) 사각형의 4개의 꼭짓점 중 2개가 지름 위의 점인 경우

지름 위의 5개의 점 중에서 2개를 택하는 경우의 수는

$_5C_2=\dfrac{5\times4}{2\times1}=10$

지름의 양 끝 점을 제외한 호 위의 5개의 점 중에서 2개를 택하는 경우의 수는 $_5C_2=\dfrac{5\times4}{2\times1}=10$

따라서 구하는 사각형의 개수는 $10\times10=100$ ·················· 배점 30%

(ⅱ) 사각형의 4개의 꼭짓점 중 1개가 지름 위의 점인 경우

지름 위의 5개의 점 중에서 1개를 택하는 경우의 수는 5

지름의 양 끝 점을 제외한 호 위의 5개의 점 중에서 3개를 택하는 경우의 수는 $_5C_3=_5C_2=\dfrac{5\times4}{2\times1}=10$

따라서 구하는 사각형의 개수는 $5\times10=50$ ·················· 배점 30%

(iii) 사각형의 4개의 꼭짓점 모두 지름의 양 끝 점을 제외한 호 위의 점인
　경우
　사각형의 개수는 지름의 양 끝 점을 제외한 호 위의 5개의 점 중에서
　4개를 택하는 경우의 수와 같으므로
　$_5C_4=_5C_1=5$ ──────────── 배점 **30%**
(i), (ii), (iii)에서 구하는 사각형의 개수는
$100+50+5=155$ ──────────── 배점 **10%**

12 답 ④

어느 동아리의 부원 7명을 2명, 2명, 3명의 3개 조로 나누는 방법의 수는
$$_7C_2\times_5C_2\times_3C_3\times\frac{1}{2!}=\frac{7\times6}{2\times1}\times\frac{5\times4}{2\times1}\times1\times\frac{1}{2}$$
$$=21\times10\times1\times\frac{1}{2}=105$$
3개의 조를 서로 다른 3곳의 체험 학습 장소에 배정하는 방법의 수는
$3!=6$
따라서 구하는 방법의 수는
$105\times6=630$

---

step ② 고난도 문제　　　　　　　| 78~82쪽

01 11	02 ③	03 24	04 ⑤	05 6	06 ③
07 ④	08 ①	09 576	10 240	11 264	12 ④
13 336	14 200	15 450	16 ④	17 15	18 246
19 210	20 ④	21 64	22 720	23 ④	24 ②
25 ②					

01 답 11

각 상자에 공이 1개씩 들어가고 1이 적혀 있는 공은 5가 적혀 있는 상자
에 넣으므로 ㈏에서 2가 적혀 있는 공은 1 또는 3 또는 4가 적혀 있는
상자에 넣어야 한다.
따라서 조건을 만족시키도록 공을 상자에 넣는 방법을 수형도로 나타내
면 다음과 같다.

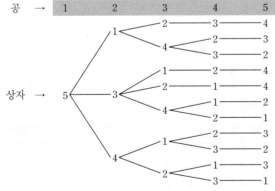

따라서 구하는 방법의 수는 11이다.

02 답 ③

넓이가 6인 직사각형의 가로와 세로의 길이를 각각 a, b라 하자.
가능한 자연수 a, b의 순서쌍 (a, b)는
$(1, 6)$, $(2, 3)$, $(3, 2)$, $(6, 1)$

(i) $(1, 6)$인 경우는 존재하지 않는다.
(ii) $(2, 3)$인 경우의 수는 $6\times3=18$
(iii) $(3, 2)$인 경우의 수는 $5\times4=20$
(iv) $(6, 1)$인 경우의 수는 $2\times5=10$
(i)~(iv)에서 구하는 직사각형의 개수는
$18+20+10=48$

03 답 24

a, b는 주사위를 던져서 나오는 눈의 수이므로 6 이하의 자연수이다.
이차방정식 $x^2+4\sqrt{ab+1}x+(a+b)^2=0$이 실근을 가져야 하므로 이 이
차방정식의 판별식을 D라 하면
$$\frac{D}{4}=(2\sqrt{ab+1})^2-(a+b)^2\geq0$$
$4(ab+1)-a^2-2ab-b^2\geq0$
$(a-b)^2\leq4$ ∴ $\underline{|a-b|\leq2}$ ┐ $(a-b)^2\leq4$에서 $(a-b+2)(a-b-2)\leq0$
(i) $|a-b|=0$, 즉 $a=b$인 경우　$-2\leq a-b\leq2$ ∴ $|a-b|\leq2$
　순서쌍 (a, b)는 $(1, 1)$, $(2, 2)$, $\cdots$, $(6, 6)$의 6가지
(ii) $|a-b|=1$인 경우
　순서쌍 (a, b)는 $(1, 2)$, $(2, 3)$, $\cdots$, $(5, 6)$, $(6, 5)$, $\cdots$, $(3, 2)$,
　$(2, 1)$의 10가지
(iii) $|a-b|=2$인 경우
　순서쌍 (a, b)는 $(1, 3)$, $(2, 4)$, $(3, 5)$, $(4, 6)$, $(6, 4)$, $(5, 3)$,
　$(4, 2)$, $(3, 1)$의 8가지
(i), (ii), (iii)에서 구하는 순서쌍 (a, b)의 개수는
$6+10+8=24$

04 답 ⑤

(i) A와 C에 같은 색을 칠하는 경우
　A와 C에 칠하는 방법의 수는 5
　B에 칠하는 방법의 수는 A에 칠한 색을 제외한 4
　D에 칠하는 방법의 수는 A에 칠한 색을 제외한 4
　E에 칠하는 방법의 수는 A, D에 칠한 색을 제외한 3
　따라서 칠하는 방법의 수는
　$5\times4\times4\times3=240$
(ii) A와 C에 다른 색을 칠하는 경우
　A에 칠하는 방법의 수는 5
　B에 칠하는 방법의 수는 A에 칠한 색을 제외한 4
　C에 칠하는 방법의 수는 A, B에 칠한 색을 제외한 3
　D에 칠하는 방법의 수는 A, C에 칠한 색을 제외한 3
　E에 칠하는 방법의 수는 A, C, D에 칠한 색을 제외한 2
　따라서 칠하는 방법의 수는
　$5\times4\times3\times3\times2=360$
(i), (ii)에서 구하는 방법의 수는
$240+360=600$

비법 NOTE

나누어진 영역에 색을 칠할 때 인접한 영역에 같은 색을 칠하지 않는 경우
⑴ 가운데 또는 가장 많은 영역과 인접한 부분에 색을 칠하는 경우의 수를 먼저 구한
　후 인접한 영역에 같은 색을 칠하지 않도록 하는 경우의 수를 구한다.
⑵ 문제의 조건에 따라 같은 색을 중복하여 사용할 수 있는 경우와 사용할 수 없는
　경우를 구분하여 경우의 수를 구한다.

05 답 6

B 지점과 C 지점 사이에 추가해야 하는 도로의 개수를 a라 하자.

(i) A → B → D로 가는 방법의 수는 $4 \times 3 = 12$

(ii) A → C → D로 가는 방법의 수는 $3 \times 2 = 6$

(iii) A → B → C → D로 가는 방법의 수는 $4 \times a \times 2 = 8a$

(iv) A → C → B → D로 가는 방법의 수는 $3 \times a \times 3 = 9a$

(i)~(iv)에서 A 지점에서 출발하여 D 지점으로 가는 방법의 수는

$12 + 6 + 8a + 9a = 17a + 18$

따라서 $17a + 18 = 120$이므로

$17a = 102$ ∴ $a = 6$

비법 NOTE

도로망을 따라 이동하는 방법의 수를 구할 때

(1) 같은 경로에 여러 가지 길이 있는 경우는 곱의 법칙을 이용한다.

(2) 경로가 다른 경우는 합의 법칙을 이용한다.

06 답 ③

(i) A → C → A로 이동한 경우

모든 방법의 수는 $2 \times 2 = 4$

이동한 거리의 합이 200 km보다 큰 경우를 거리의 합으로 나타내면
$110 + 110 = 220$의 1가지이다.

따라서 구하는 방법의 수는 $4 - 1 = 3$

(ii) A → B → C → B → A로 이동한 경우

모든 방법의 수는 $3 \times 2 \times 2 \times 3 = 36$

이동한 거리의 합이 200 km보다 큰 경우를 거리의 합으로 나타내면
$25 + 70 + 70 + 40 = 205$, $35 + 70 + 70 + 35 = 210$,
$35 + 70 + 70 + 40 = 215$, $40 + 70 + 70 + 25 = 205$,
$40 + 70 + 70 + 35 = 215$, $40 + 70 + 70 + 40 = 220$의 6가지이다.

따라서 구하는 방법의 수는 $36 - 6 = 30$

(iii) A → B → C → A 또는 A → C → B → A로 이동한 경우

모든 방법의 수는 $3 \times 2 \times 2 + 2 \times 2 \times 3 = 24$

이동한 거리의 합이 200 km보다 큰 경우를 거리의 합으로 나타내면
$25 + 70 + 110 = 205$, $35 + 70 + 110 = 215$, $40 + 70 + 110 = 220$,
$110 + 70 + 25 = 205$, $110 + 70 + 35 = 215$, $110 + 70 + 40 = 220$의 6가지이다.

따라서 구하는 방법의 수는 $24 - 6 = 18$

(i), (ii), (iii)에서 구하는 방법의 수는

$3 + 30 + 18 = 51$

07 답 ④

$k = 1, 2, 3, \cdots, 9$일 때, k번째의 수를 a_k라 하자.

(i) $a_9 = 9$일 때,

$a_k = k$ ($1 \le k \le 8$)이므로 경우의 수는 1

(ii) $a_9 = 8$일 때,

$a_8 = 9$, $a_k = k$ ($1 \le k \le 7$)이므로 경우의 수는 1
→ $a_8 \ge 8$이어야 하는데 $a_9 = 9$이므로 $a_8 = 8$이다. $k = 1, 2, \cdots, 7$일 때도 마찬가지로 생각할 수 있다.

(iii) $a_9 = 7$일 때,

가능한 a_8, a_7의 값을 표로 나타내면 다음과 같다.

a_8	a_7
9	8
8	9

이때 $a_k = k$ ($1 \le k \le 6$)이므로 경우의 수는 2

(iv) $a_9 = 6$일 때,

가능한 a_8, a_7, a_6의 값을 표로 나타내면 다음과 같다.

a_8	a_7	a_6
9	8	7
	7	8
8	9	7
	7	9

이때 $a_k = k$ ($1 \le k \le 5$)이므로 경우의 수는 $2^2 = 4$

(v) $a_9 = 5$일 때,

가능한 a_8, a_7, a_6, a_5의 값을 표로 나타내면 다음과 같다.

a_8	a_7	a_6	a_5
9	8	7	6
		6	7
	7	8	6
		6	8
8	9	7	6
		6	7
	7	9	6
		6	9

이때 $a_k = k$ ($1 \le k \le 4$)이므로 경우의 수는 $2^3 = 8$

(i)~(v)와 같은 방법으로 $a_9 = k$ ($1 \le k \le 4$)일 때의 경우의 수를 구하면 2^{8-k}

따라서 구하는 경우의 수는

$1 + 1 + 2 + 2^2 + \cdots + 2^7 = 256$

08 답 ①

(가)에서 네 자리의 자연수에 0을 사용한 횟수는 한 번 또는 두 번 또는 세 번이다.

(i) 0을 한 번만 사용한 경우

□0□□, □□0□, □□□0에서 □에 들어갈 숫자를 정하는 경우의 수는 $_5P_3 = 5 \times 4 \times 3 = 60$이므로 구하는 경우의 수는 $60 \times 3 = 180$

(ii) 0을 두 번 사용한 경우

□00□, □0□0, □□00에서 □에 들어갈 숫자를 정하는 경우의 수는 $_5P_2 = 5 \times 4 = 20$이므로 구하는 경우의 수는 $20 \times 3 = 60$

(iii) 0을 세 번 사용한 경우

□000에서 □에 들어갈 숫자를 정하는 경우의 수는 5

(i), (ii), (iii)에서 구하는 네 자리의 자연수의 개수는

$180 + 60 + 5 = 245$

09 답 576

(가)에서 A와 B가 같이 앉을 수 있는 2인용 의자는 마부가 앉아 있는 2인용 의자를 제외한 3개이고, 두 사람은 서로 자리를 바꿀 수 있으므로 A와 B가 앉는 경우의 수는 $3 \times 2! = 6$

남은 5개의 좌석에 C와 D가 앉는 경우의 수는 $_5P_2 = 5 \times 4 = 20$

이때 C와 D가 같은 2인용 의자에 이웃하여 앉는 경우의 수를 구하면 두 사람이 이웃하여 앉을 수 있는 2인용 의자는 A와 B가 앉은 2인용 의자와 마부가 앉은 2인용 의자를 제외한 2개이고, 두 사람은 서로 자리를 바꿀 수 있으므로 $2 \times 2! = 4$

따라서 C와 D가 같은 2인용 의자에 이웃하지 않도록 앉는 경우의 수는

$20 - 4 = 16$

남은 3개의 좌석에 E, F, G가 앉는 경우의 수는

$3!=6$

따라서 구하는 경우의 수는

$6\times16\times6=576$

10 답 240

(i) 한 사람에게 사탕 2개를 모두 주는 경우

사탕 2개를 받을 한 사람을 정하는 방법의 수는 4

이 각각에 대하여 서로 다른 과자 4개 중 3개를 사탕을 받지 못한 세 사람에게 각각 1개씩 나누어 주는 방법의 수는

$_4P_3=4\times3\times2=24$

따라서 구하는 방법의 수는

$4\times24=96$ ·· 배점 **40%**

(ii) 두 사람에게 사탕을 1개씩 나누어 주는 경우

서로 다른 사탕 2개를 네 사람 중 두 사람에게 각각 1개씩 나누어 주는 방법의 수는

$_4P_2=4\times3=12$

이 각각에 대하여 서로 다른 과자 4개 중 2개를 사탕을 받지 못한 두 사람에게 각각 1개씩 나누어 주는 방법의 수는

$_4P_2=4\times3=12$

따라서 구하는 방법의 수는

$12\times12=144$ ··· 배점 **40%**

(i), (ii)에서 구하는 방법의 수는

$96+144=240$ ··· 배점 **20%**

11 답 264

세 명의 학생이 1교시에 서로 다른 진로특강을 택하여 듣는 방법의 수는

$_4P_3=4\times3\times2=24$

세 명의 학생을 A, B, C라 하고, 서로 다른 4가지 종류의 진로특강을 a, b, c, d라 하자.

이때 세 명의 학생 A, B, C가 1교시에 택한 진로특강을 각각 a, b, c라 하면 2교시에 각자 1교시에 택한 것과 다른 진로특강을 택하는 경우는 표와 같이 11가지이다.

학생	A	B	C
1교시	a	b	c
2교시		a	d
	b	c	a
			d
		d	a
	c	a	b
			d
		d	a
			b
	d	a	b
		c	a
			b

→ 2교시에도 세 학생 모두 서로 다른 진로특강을 택해야 한다.

따라서 구하는 방법의 수는

$24\times11=264$

12 답 ④

$M=20$이려면 4와 5가 이웃해야 하고, 이때 6은 4, 5와 모두 이웃하지 않아야 한다.

(i) 4와 5가 이웃하는 경우

4와 5를 한 숫자로 생각하여 5개의 숫자를 일렬로 나열하는 경우의 수는 $5!=120$

이 각각에 대하여 4와 5의 자리를 바꾸는 경우의 수는 $2!=2$

따라서 구하는 경우의 수는

$120\times2=240$

(ii) 4와 5가 이웃하고 6이 4 또는 5에 이웃하는 경우

6, 4, 5 또는 6, 5, 4 또는 4, 5, 6 또는 5, 4, 6의 순서대로 나열하는 경우이므로 그 경우의 수는 4

이 각각에 대하여 3개의 숫자를 한 숫자로 생각하여 4개의 숫자를 일렬로 나열하는 경우의 수는 $4!=24$

따라서 구하는 경우의 수는

$4\times24=96$

(i), (ii)에서 구하는 경우의 수는

$240-96=144$

13 답 336

9개의 숫자 중에서 3개를 택하여 만들 수 있는 세 자리 자연수의 개수는

$_9P_3=9\times8\times7=504$

1부터 9까지의 자연수 중에서 두 수의 합이 9가 되는 경우는 $(1,\ 8)$, $(2,\ 7)$, $(3,\ 6)$, $(4,\ 5)$이므로 이 중 한 경우를 택하고 나머지 7개의 숫자 중 하나를 택하여 3개의 숫자를 일렬로 나열하는 경우의 수는

$4\times7\times3!=4\times7\times6=168$

따라서 구하는 세 자리 자연수의 개수는

$504-168=336$

다른 풀이

조건을 만족시키는 세 자리 자연수에 대하여

(i) 9가 포함된 경우

백의 자리의 숫자가 9이면 십의 자리에 올 수 있는 숫자는 1부터 8까지의 8가지

이때 일의 자리에 올 수 있는 숫자는 백의 자리의 숫자인 9, 십의 자리의 숫자, 9-(십의 자리의 숫자)를 제외한 6가지이다.

십의 자리의 숫자 또는 일의 자리의 숫자가 9인 경우의 수도 같으므로 구하는 세 자리 자연수의 개수는

$8\times6\times3=144$

(ii) 9가 포함되지 않는 경우

백의 자리에 올 수 있는 숫자는 1부터 8까지의 8가지

이때 십의 자리에 올 수 있는 숫자는 9, 백의 자리의 숫자, 9-(백의 자리의 숫자)를 제외한 6가지이다.

또 일의 자리에 올 수 있는 숫자는 9, 백의 자리의 숫자, 9-(백의 자리의 숫자), 십의 자리의 숫자, 9-(십의 자리의 숫자)를 제외한 4가지이다.

따라서 구하는 세 자리 자연수의 개수는

$8\times6\times4=192$

(i), (ii)에서 구하는 세 자리 자연수의 개수는

$144+192=336$

14 답 200

12개의 점 중에서 서로 다른 3개의 점을 택하는 경우의 수는

$$_{12}C_3=\frac{12\times11\times10}{3\times2\times1}=220$$

이때 3개의 점이 한 직선 위에 있으면 삼각형이 될 수 없으므로 모든 경우에서 다음의 경우는 제외한다.

(i) 가로로 놓인 4개의 점 중에서 서로 다른 3개의 점을 택하는 경우

$$_4C_3\times3=_4C_1\times3=4\times3=12$$

(ii) 세로로 놓인 3개의 점 중에서 서로 다른 3개의 점을 택하는 경우

$$_3C_3\times4=1\times4=4$$

(iii) 대각선 방향으로 놓인 3개의 점 중에서 서로 다른 3개의 점을 택하는 경우

$$_3C_3\times4=1\times4=4$$

따라서 구하는 삼각형의 개수는

$$220-(12+4+4)=200$$

비법 NOTE

직선 또는 삼각형의 개수

(1) 어느 세 점도 일직선 위에 있지 않은 서로 다른 n개의 점 중에서 두 점을 택하여 만들 수 있는 직선의 개수는

$$_nC_2$$

(2) 어느 세 점도 일직선 위에 있지 않은 서로 다른 n개의 점 중에서 세 점을 택하여 만들 수 있는 삼각형의 개수는

$$_nC_3$$

---

15 답 450

(i) 빨간색 공을 바구니에 넣는 경우의 수

㈏에서 빨간색 공을 한 바구니에 2개 이상 넣을 수 없으므로 서로 다른 3개의 바구니에 빨간색 공이 하나씩 들어가야 한다.

따라서 빨간색 공을 바구니에 넣는 경우의 수는

$$_5C_3=_5C_2=10$$

(ii) 파란색 공을 바구니에 넣는 경우의 수

㈎에서 모든 바구니에 공이 1개 이상 들어가야 하므로 빨간색 공을 넣지 않은 2개의 빈 바구니에 파란색 공을 각각 1개씩 넣고, 남은 4개의 파란색 공을 전체 5개의 바구니에 각각 2개 이하로 넣으면 된다.

ⓘ 2개의 바구니에 파란색 공을 2개씩 넣는 경우

5개의 바구니에서 파란색 공을 넣을 2개의 바구니를 택하는 경우와 같으므로 그 경우의 수는

$$_5C_2=10$$

ⓘ 3개의 바구니에 파란색 공을 2개, 1개, 1개 넣는 경우

5개의 바구니에서 파란색 공 2개를 넣을 바구니 1개를 택하고, 남은 4개의 바구니에서 파란색 공 1개씩을 넣을 바구니 2개를 택하는 경우와 같으므로 그 경우의 수는

$$_5C_1\times_4C_2=5\times6=30$$

ⓘ 4개의 바구니에 파란색 공을 1개씩 넣는 경우의 수는

$$_5C_4=_5C_1=5$$ → 5개의 바구니에서 파란색 공을 넣을 4개의 바구니를 택하는 경우의 수와 같다.

ⓘ, ⓘ, ⓘ에서 파란색 공을 바구니에 넣는 경우의 수는

$$10+30+5=45$$

(i), (ii)에서 구하는 경우의 수는

$$10\times45=450$$

16 답 ④

3개의 가로줄 중에서 2개의 가로줄을 택하는 경우의 수는

$$_3C_2=_3C_1=3$$

택한 2개의 가로줄 중 한 가로줄에서 1개의 숫자를 택하는 경우의 수는

$$_3C_1=3$$

나머지 한 가로줄에서 이미 택한 숫자와 다른 세로줄에 있는 1개의 숫자를 택하는 경우의 수는

$$_2C_1=2$$

따라서 구하는 경우의 수는

$$3\times3\times2=18$$

---

17 답 15

주머니에서 꺼낸 5개의 공의 색이 3종류인 경우는 색깔별 공의 개수가 3, 1, 1 또는 2, 2, 1인 경우이다.

(i) 색깔별 공의 개수가 3, 1, 1인 경우

3개를 꺼낼 수 있는 공은 흰 공뿐이므로 흰 공을 3개 꺼내고, 남은 검은 공, 파란 공, 빨간 공, 노란 공 중에서 1개의 공을 꺼낼 2종류를 택하는 경우의 수는

$$_4C_2=\frac{4\times3}{2\times1}=6$$

(ii) 색깔별 공의 개수가 2, 2, 1인 경우

2개를 꺼낼 수 있는 공은 흰 공, 검은 공, 파란 공이므로 이 중에서 2종류를 택하고, 이 각각에 대하여 남은 3종류의 공 중에서 1개의 공을 꺼낼 1종류를 택하는 경우의 수는

$$_3C_2\times_3C_1=_3C_1\times_3C_1=3\times3=9$$

(i), (ii)에서 구하는 경우의 수는

$$6+9=15$$

---

18 답 246

(i) $a<b<c=d$를 만족시키는 경우

$a\neq0$이므로 네 자리의 자연수는 9 이하의 자연수에서 서로 다른 3개를 택하여 작은 수부터 차례대로 a, b, $c=d$의 값에 대응시키면 된다.

따라서 그 경우의 수는

$$m=_9C_3=\frac{9\times8\times7}{3\times2\times1}=84$$ ·········· 배점 **40%**

(ii) $a\geq b>c>d$를 만족시키는 경우

ⓘ $a>b>c>d$일 때,

네 자리의 자연수는 9 이하의 음이 아닌 정수에서 서로 다른 4개를 택하여 작은 수부터 차례대로 d, c, b, a의 값에 대응시키면 되므로 그 경우의 수는

$$_{10}C_4=\frac{10\times9\times8\times7}{4\times3\times2\times1}=210$$

ⓘ $a=b>c>d$일 때

네 자리의 자연수는 9 이하의 음이 아닌 정수에서 서로 다른 3개를 택하여 작은 수부터 차례대로 d, c, $b=a$의 값에 대응시키면 되므로 그 경우의 수는

$$_{10}C_3=\frac{10\times9\times8}{3\times2\times1}=120$$

∴ $n=210+120=330$ ·········· 배점 **50%**

(i), (ii)에서

$$n-m=330-84=246$$ ·········· 배점 **10%**

78

19 답 210

(i) 인원이 2명인 조에 A가 속하고, 인원이 3명인 조에 B가 속하는 경우
A와 같은 조가 될 한 명을 정하는 경우의 수는 6
나머지 5명을 B와 같은 조가 될 2명과 나머지 3명으로 나누는 경우의 수는

$$_5C_2 \times _3C_3 = \frac{5 \times 4}{2 \times 1} \times 1 = 10$$

따라서 구하는 경우의 수는 $6 \times 10 = 60$

(ii) 인원이 3명인 조에 A가 속하고, 인원이 2명인 조에 B가 속하는 경우
(i)의 경우의 수와 같으므로 구하는 경우의 수는 60이다.

(iii) A와 B가 각각 인원이 3명인 서로 다른 조에 속하는 경우
A, B를 제외한 나머지 6명을 A와 같은 조가 될 2명, B와 같은 조가 될 2명, 나머지 2명으로 나누는 경우의 수는

$$_6C_2 \times _4C_2 \times _2C_2 = \frac{6 \times 5}{2 \times 1} \times \frac{4 \times 3}{2 \times 1} \times 1 = 15 \times 6 \times 1 = 90$$

(i), (ii), (iii)에서 구하는 경우의 수는
$60 + 60 + 90 = 210$

다른 풀이

8명의 학생을 2명, 3명, 3명의 3개 조로 나누는 경우의 수는

$$_8C_2 \times _6C_3 \times _3C_3 \times \frac{1}{2!} = \frac{8 \times 7}{2 \times 1} \times \frac{6 \times 5 \times 4}{3 \times 2 \times 1} \times 1 \times \frac{1}{2} = 280$$

A와 B가 같은 조에 속하는 경우는 A와 B가 인원이 2명인 조 또는 3명인 조에 속하는 경우이다.

(i) A와 B가 인원이 2명인 조에 속하는 경우
A, B를 제외한 6명을 3명, 3명의 2개 조로 나누는 경우의 수는

$$_6C_3 \times _3C_3 \times \frac{1}{2!} = \frac{6 \times 5 \times 4}{3 \times 2 \times 1} \times 1 \times \frac{1}{2} = 10$$

(ii) A와 B가 인원이 3명인 조에 속하는 경우
A, B에 속한 조의 나머지 한 명을 정하고, 나머지 5명을 2명, 3명의 2개 조로 나누는 경우의 수는

$$6 \times _5C_2 \times _3C_3 = 6 \times \frac{5 \times 4}{2 \times 1} \times 1 = 60$$

(i), (ii)에서 A와 B가 같은 조에 속하는 경우의 수는
$10 + 60 = 70$
따라서 구하는 경우의 수는
$280 - 70 = 210$

20 답 ④

구하는 방법의 수는 6개의 팀을 3개, 3개의 두 조로 나눈 후 각각을 2개, 1개의 두 조로 다시 나누는 방법의 수와 같다.

(i) 6개의 팀을 3개, 3개의 두 조로 나누는 방법의 수는

$$_6C_3 \times _3C_3 \times \frac{1}{2!} = \frac{6 \times 5 \times 4}{3 \times 2 \times 1} \times 1 \times \frac{1}{2} = 10$$

(ii) 3개의 팀을 2개, 1개의 두 조로 나누는 방법의 수는

$$_3C_2 \times _1C_1 = _3C_1 \times 1 = 3$$

(i), (ii)에서 구하는 방법의 수는

$10 \times 3 \times 3 = 90$

다른 풀이

그림과 같이 주어진 대진표에서 배정 받을 수 있는 6개의 자리를 왼쪽에서부터 각각 A, B, C, D, E, F라 하자.
6개의 팀을 대진표의 6개의 자리에 배정하는 방법의 수는 6!

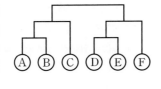

이때 두 순서쌍 (A, B), (D, E)에서 순서쌍 내에 속한 두 팀의 자리를 바꾸거나 두 순서쌍 (A, B, C), (D, E, F)에서 순서쌍 전체를 서로 바꾸어도 대진표는 같다. └→ 중복되는 경우의 수는 $2 \times 2 \times 2 = 8$
따라서 각 경우에 대하여 중복되는 경우가 8가지 있으므로 구하는 경우의 수는

$$\frac{6!}{8} = \frac{6 \times 5 \times 4 \times 3 \times 2 \times 1}{8} = 90$$

21 답 64

(i) $|f(1) - f(2)| = 1$을 만족시키는 경우
가능한 순서쌍 $(f(1), f(2))$는 $(1, 2)$, $(2, 3)$, $(3, 4)$, $(4, 5)$, $(2, 1)$, $(3, 2)$, $(4, 3)$, $(5, 4)$의 8가지
이 각각에 대하여 $f(3)$, $f(4)$, $f(5)$의 값을 정하는 경우의 수는
$3! = 6$
따라서 일대일대응인 함수 f의 개수는
$8 \times 6 = 48$

(ii) $|f(2) - f(3)| = 2$를 만족시키는 경우
가능한 순서쌍 $(f(2), f(3))$은 $(1, 3)$, $(2, 4)$, $(3, 5)$, $(3, 1)$, $(4, 2)$, $(5, 3)$의 6가지
이 각각에 대하여 $f(1)$, $f(4)$, $f(5)$의 값을 정하는 경우의 수는
$3! = 6$
따라서 일대일대응인 함수 f의 개수는
$6 \times 6 = 36$

(iii) $|f(1) - f(2)| = 1$과 $|f(2) - f(3)| = 2$를 모두 만족시키는 경우
가능한 순서쌍 $(f(1), f(2), f(3))$은 $(1, 2, 4)$, $(2, 3, 1)$, $(2, 3, 5)$, $(3, 4, 2)$, $(4, 5, 3)$, $(2, 1, 3)$, $(3, 2, 4)$, $(4, 3, 1)$, $(4, 3, 5)$, $(5, 4, 2)$의 10가지
이 각각에 대하여 $f(4)$, $f(5)$의 값을 정하는 경우의 수는
$2! = 2$
따라서 일대일대응인 함수 f의 개수는
$10 \times 2 = 20$

(i), (ii), (iii)에서 구하는 함수 f의 개수는
$48 + 36 - 20 = 64$

22 답 720

함수 f가 일대일함수이므로 $n(A) \leq n(B)$이어야 하고, $n(A \cap B) = 2$이므로 $n(A) \geq 2$이다.
$\therefore n(A) = 2$, $n(B) = 5$ 또는 $n(A) = 3$, $n(B) = 4$
그런데 $B \neq U$이므로
$n(A) = 3$, $n(B) = 4$
1, 2, 3, 4, 5 중에서 집합 $A \cap B$의 원소 2개를 택하는 경우의 수는

$$_5C_2 = \frac{5 \times 4}{2 \times 1} = 10$$

집합 $A \cap B$의 원소 2개를 제외한 남은 원소 3개 중에서 집합 A의 원소 1개를 택하는 경우의 수는

$$_3C_1 = 3$$

이 각각에 대하여 일대일함수 f의 개수는

$$_4P_3 = 4 \times 3 \times 2 = 24$$

따라서 구하는 함수 f의 개수는
$10 \times 3 \times 24 = 720$

idea
★23 **답** ④

함수 f의 치역의 원소의 개수가 4이므로 정의역의 원소 5개 중 2개의
원소는 함숫값이 서로 같다.
서로 같은 함숫값을 갖는 정의역의 두 원소는 $(1, 2)$, $(1, 3)$, $(1, 4)$,
$(1, 5)$, $(2, 3)$, $(2, 4)$, $(2, 5)$, $(4, 5)$의 8가지이다.
└→ $f(3) \neq f(4)$, $f(3) \neq f(5)$이므로 $(3, 4)$, $(3, 5)$는 제외한다.
이 각각에 대하여 함숫값을 정하는 경우의 수는 집합 X의 5개의 원소
중 4개를 택하여 일렬로 나열하는 경우의 수와 같다.
따라서 구하는 함수 f의 개수는
$8 \times {}_5P_4 = 8 \times 5 \times 4 \times 3 \times 2 = 960$

다른 풀이

㈏에서 $f(3) \neq f(4)$이고 $f(3) \neq f(5)$이므로 다음 두 가지로 나눌 수 있다.
(i) $f(4) \neq f(5)$인 경우
  $f(3)$, $f(4)$, $f(5)$의 값이 서로 다르므로 $f(3)$, $f(4)$, $f(5)$의 값을
  정하는 경우의 수는
  ${}_5P_3 = 5 \times 4 \times 3 = 60$
  이 각각에 대하여 ㈎에서 치역의 원소의 개수가 4이므로 $f(3)$, $f(4)$,
  $f(5)$가 아닌 나머지 치역의 원소를 a라 하면 a의 값을 정하는 경우
  의 수는 2이다.
  이때 $f(1)$, $f(2)$의 값을 정하는 경우의 수는 $f(3)$, $f(4)$, $f(5)$, a
  중에서 하나를 택하는 경우의 수에서 a를 택하지 않는 경우의 수를
  뺀 것과 같다.
  따라서 함수 f의 개수는
  $60 \times 2 \times (4^2 - 3^2) = 840$
(ii) $f(4) = f(5)$인 경우
  $f(3)$, $f(4)$, $f(5)$의 값을 정하는 경우의 수는
  ${}_5P_2 = 5 \times 4 = 20$
  이 각각에 대하여 ㈎에서 치역의 원소의 개수가 4이므로 $f(3)$,
  $f(4) = f(5)$가 아닌 나머지 치역의 원소를 a, b라 하면 a, b의 값을
  정하는 경우의 수는 ${}_3C_2 = {}_3C_1 = 3$
  이때 $f(1) = a$, $f(2) = b$ 또는 $f(1) = b$, $f(2) = a$이어야 한다.
  따라서 함수 f의 개수는
  $20 \times 3 \times 2 = 120$
(i), (ii)에서 구하는 함수 f의 개수는
$840 + 120 = 960$

24 **답** ②

합성함수 $g \circ f : A \longrightarrow A$가 일대일대응이므로 $f(1)$, $f(2)$, $f(3)$의 값
은 서로 달라야 한다.
따라서 $f(1)$, $f(2)$, $f(3)$의 값을 정하는 경우의 수는 공역인 집합 B의
5개의 원소 중에서 3개를 택하여 일렬로 나열하는 경우의 수와 같으므로
${}_5P_3 = 5 \times 4 \times 3 = 60$
$(g \circ f)(1) = g(f(1)) = a$, $(g \circ f)(2) = g(f(2)) = b$,
$(g \circ f)(3) = g(f(3)) = c$일 때 a, b, c의 값을 정하는 경우의 수는
1, 2, 3을 일렬로 나열하는 경우의 수와 같으므로
$3! = 6$
이때 함수 g의 정의역인 집합 B에서 $f(1)$, $f(2)$, $f(3)$의 값을 제외한
나머지 2개의 원소가 공역인 집합 A의 원소에 대응하는 경우의 수는
$3 \times 3 = 9$
따라서 구하는 순서쌍 (f, g)의 개수는
$60 \times 6 \times 9 = 3240$

25 **답** ②

㈎에서 $f(3)$의 값은 1, 2, 3, 4, 5, 6 중 하나이다.
이때 ㈏에서 $a < b$이면 $f(a) + 1 \leq f(b)$, 즉 $f(a) < f(b)$이므로 $f(3)$의
값은 3, 4, 5 중 하나이어야 한다.
└→ $f(1) < f(3)$, $f(2) < f(3)$이므로 $f(3) \neq 1$, $f(3) \neq 2$
└→ $f(4) > f(3)$, $f(5) > f(3)$이므로 $f(3) \neq 6$, $f(3) \neq 7$
(i) $f(3) = 3$일 때,
  ㈏에서 $f(1) = 1$, $f(2) = 2$이고, $f(4)$, $f(5)$의 값은 집합 Y의 원소
  4, 5, 6, 7 중에서 서로 다른 2개를 택하여 작은 수부터 차례대로 대
  응시키면 되므로 그 경우의 수는 ${}_4C_2 = \dfrac{4 \times 3}{2 \times 1} = 6$
  따라서 함수 f의 개수는 $1 \times 6 = 6$
(ii) $f(3) = 4$일 때,
  ㈏에서 $f(1)$, $f(2)$의 값은 집합 Y의 원소 1, 2, 3 중에서 서로 다
  른 2개를 택하여 작은 수부터 차례대로 대응시키면 되므로 그 경우
  의 수는 ${}_3C_2 = {}_3C_1 = 3$
  $f(4)$, $f(5)$의 값은 집합 Y의 원소 5, 6, 7 중에서 서로 다른 2개를
  택하여 작은 수부터 차례대로 대응시키면 되므로 그 경우의 수는
  ${}_3C_2 = {}_3C_1 = 3$
  따라서 함수 f의 개수는 $3 \times 3 = 9$
(iii) $f(3) = 5$일 때,
  ㈏에서 $f(4) = 6$, $f(5) = 7$이고, $f(1)$, $f(2)$의 값은 집합 Y의 원소
  1, 2, 3, 4 중에서 서로 다른 2개를 택하여 작은 수부터 차례대로 대
  응시키면 되므로 그 경우의 수는 ${}_4C_2 = \dfrac{4 \times 3}{2 \times 1} = 6$
  따라서 함수 f의 개수는 $1 \times 6 = 6$
(i), (ii), (iii)에서 구하는 함수 f의 개수는 $6 + 9 + 6 = 21$

step 3 **최고난도 문제** | 83~85쪽

| 01 285 | 02 960 | 03 2016 | 04 729 | 05 ② | 06 45 |
| 07 64 | 08 ① | 09 504 | 10 396 |

01 **답** 285

1단계 **2가 포함되지 않는 다섯 자리의 자연수의 개수 구하기**
(i) 5장의 카드 중 2가 적혀 있는 카드가 없는 경우
  0, 1, 3, 4, 5를 나열하여 5의 배수인 다섯 자리의 자연수를 만들 때
  └→ 5의 배수이려면 일의 자리의 숫자가 0 또는 5이어야 한다.
  ① □□□□0인 경우의 수는
    $4! = 24$
  ② □□□□5인 경우의 수는
    $3 \times 3! = 18$
  ①, ②에서 5의 배수인 자연수의 개수는 $24 + 18 = 42$
2단계 **포함된 2의 개수에 따라 다섯 자리의 자연수의 개수 구하기**
(ii) 5장의 카드 중 2가 적혀 있는 카드가 1장인 경우
  0, 1, 2, 3, 4, 5 중에서 2를 포함한 5장의 카드를 택하여 5의 배수
  인 다섯 자리의 자연수를 만들 때
  ① 2를 포함하고, □□□□0인 경우의 수는
    ${}_4C_3 \times 4! = {}_4C_1 \times 24 = 96$
  ② 0, 2를 포함하고, □□□□5인 경우의 수는
    ${}_3C_2 \times 3 \times 3! = {}_3C_1 \times 18 = 54$
  ③ 0은 포함하지 않고 2를 포함하면서 □□□□5인 경우의 수는
    $4! = 24$
  ①, ②, ③에서 5의 배수인 자연수의 개수는 $96 + 54 + 24 = 174$

80

(iii) 5장의 카드 중 2가 적혀 있는 카드가 2장인 경우

0, 1, 2, 2, 3, 4, 5 중에서 2를 2개 포함한 5장의 카드를 택하여 5의 배수인 다섯 자리의 자연수를 만들 때

ⓘ 2□2□0, 2□□20, □2□20인 경우의 수는

$$3 \times {}_4P_2 = 36$$

ⓙ 2□2□5, 2□□25, □2□25인 경우의 수는

$$2 \times {}_4P_2 + 3 \times 3 = 24 + 9 = 33$$

ⓘ, ⓙ에서 5의 배수인 자연수의 개수는 $36 + 33 = 69$

(iv) 5장의 카드 중 2가 적혀 있는 카드가 3장인 경우

5의 배수는 일의 자리의 숫자가 0 또는 5이므로 다섯 자리의 자연수 중에서 2가 3개 있으면 2끼리 서로 이웃하게 되어 조건을 만족시키지 않는다.

3단계 조건을 만족시키는 다섯 자리의 자연수의 개수 구하기

(i)~(iv)에서 구하는 자연수의 개수는

$$42 + 174 + 69 = 285$$

02 답 960

1단계 5명에게 꽃 4송이와 초콜릿 2개를 나누어 주는 경우 파악하기

꽃 4송이와 초콜릿 2개를 5명의 학생에게 남김없이 나누어 주면 5명의 학생 중 1명은 초콜릿과 꽃을 합쳐서 2개를 받고, 나머지 4명은 초콜릿과 꽃 중 1개만 받는다.

2단계 초콜릿과 꽃을 합쳐서 2개를 받는 각각에 대하여 경우의 수 구하기

(i) 1명의 학생이 초콜릿 2개를 받는 경우

초콜릿 2개를 받는 학생을 정하는 경우의 수는 5

나머지 4명의 학생에게 꽃을 각각 한 송이씩 나누어 주는 경우의 수는 $4! = 24$

따라서 구하는 경우의 수는 $5 \times 24 = 120$

(ii) 1명의 학생이 꽃 2송이를 받는 경우

4송이의 꽃 중에서 2송이를 택하는 경우의 수는 ${}_4C_2 = 6$

고른 2송이의 꽃을 받는 학생을 정하는 경우의 수는 5

남은 두 송이의 꽃을 줄 학생을 정하는 경우의 수는 ${}_4P_2 = 12$

꽃을 받지 못한 2명의 학생에게 초콜릿을 각각 1개씩 주는 경우의 수는 1

따라서 구하는 경우의 수는 $6 \times 5 \times 12 \times 1 = 360$

(iii) 1명의 학생이 꽃 1송이와 초콜릿 1개를 받는 경우

4송이의 꽃을 4명의 학생에게 각각 1송이씩 나누어 주는 경우의 수는 ${}_5P_4 = 120$

꽃을 받지 못한 학생에게 초콜릿 1개를 주고 꽃을 받은 학생 중 1명을 택하여 남은 초콜릿 1개를 주는 경우의 수는 ${}_4C_1 = 4$

따라서 구하는 경우의 수는 $120 \times 4 = 480$

3단계 조건을 만족시키는 경우의 수 구하기

(i), (ii), (iii)에서 구하는 경우의 수는

$$120 + 360 + 480 = 960$$

03 답 2016

1단계 두 쌍의 부부가 좌석에 앉는 방법의 수 구하기

(i) 두 쌍의 부부가 좌석에 앉는 방법의 수

두 쌍의 부부가 앉는 열을 택하는 방법의 수는 2

택한 열에 대하여 두 쌍의 부부가 앉을 수 있는 두 쌍의 좌석을 순서 쌍으로 나타내면 (1, 2), (3, 4) 또는 (1, 2), (4, 5) 또는 (2, 3), (4, 5)의 3가지

부부끼리 서로 자리를 바꾸는 방법의 수는

$$2 \times 2 = 4$$

두 부부가 서로 자리를 바꾸는 방법의 수는 2

따라서 두 쌍의 부부가 좌석에 앉는 방법의 수는

$$2 \times 3 \times 4 \times 2 = 48$$

2단계 두 쌍의 부부를 제외한 여자 3명이 좌석에 앉는 방법의 수 구하기

(ii) 부부를 제외한 여자 3명이 좌석에 앉는 방법의 수

ⓘ 부부가 앉은 열의 남은 한 좌석과 다른 열의 2개의 좌석에 이웃하지 않도록 앉는 경우

부부가 앉지 않은 열에 여자 2명이 이웃하지 않게 앉을 수 있는 좌석을 순서쌍으로 나타내면 (1, 3), (1, 4), (1, 5), (2, 4), (2, 5), (3, 5)의 6가지

부부가 앉은 열의 한 좌석과 다른 열의 택한 2개의 좌석에 3명이 앉는 방법의 수는 $3! = 6$

따라서 구하는 방법의 수는

$$6 \times 6 = 36$$

ⓙ 3명 모두 부부가 앉지 않은 열에 서로 이웃하지 않도록 앉는 경우

이웃하지 않도록 3명이 앉으려면 1, 3, 5 좌석에 각각 1명씩 앉아야 하므로 구하는 방법의 수는

$$3! = 6$$

ⓘ, ⓙ에서 부부를 제외한 여자 3명이 좌석에 앉는 방법의 수는

$$36 + 6 = 42$$

3단계 조건을 만족시키는 방법의 수 구하기

(i), (ii)에서 구하는 방법의 수는

$$48 \times 42 = 2016$$

04 답 729

1단계 조건을 만족시키는 경우 파악하기

직사각형에서 윗줄에 흰색 정사각형이 있으면 그 아래는 흰색 또는 검은색 정사각형이 올 수 있지만 윗줄에 검은색 정사각형이 있으면 그 아래는 반드시 흰색 정사각형이 와야 한다.

2단계 윗줄의 흰색 정사각형의 개수에 따라 아랫줄에 올 수 있는 정사각형의 경우의 수 구하기

(i) 윗줄에 흰색 정사각형이 0개 있는 경우

아랫 줄은 모두 흰색 정사각형이 와야 하므로 1가지

(ii) 윗줄에 흰색 정사각형이 1개 있는 경우

흰색 정사각형이 올 자리를 택하는 경우의 수는 ${}_6C_1 = 6$

윗줄의 1개의 흰색 정사각형 아래에 오는 정사각형의 경우의 수는 2

따라서 구하는 경우의 수는 $6 \times 2 = 12$

(iii) 윗줄에 흰색 정사각형이 2개 있는 경우

흰색 정사각형이 올 자리를 택하는 경우의 수는 ${}_6C_2 = 15$

윗줄의 2개의 흰색 정사각형 아래에 오는 정사각형의 경우의 수는

$$2 \times 2 = 4$$

따라서 구하는 경우의 수는 $15 \times 4 = 60$

(iv) 윗줄에 흰색 정사각형이 $k \, (k=3, 4, 5, 6)$개 있는 경우

위와 같은 방법으로 경우의 수를 구하면

$$({}_6C_3 \times 2^3) + ({}_6C_4 \times 2^4) + ({}_6C_5 \times 2^5) + ({}_6C_6 \times 2^6)$$
$$= (20 \times 8) + (15 \times 16) + (6 \times 32) + (1 \times 64)$$
$$= 160 + 240 + 192 + 64 = 656$$

3단계 조건을 만족시키는 직사각형의 개수 구하기

(i)~(iv)에서 구하는 직사각형의 개수는

$$1 + 12 + 60 + 656 = 729$$

05 답 ②

1단계 조건을 만족시키는 경우 파악하기

㈎에서 A는 24번 또는 25번 의자에 앉을 수 있고, B는 11번 또는 12번 또는 13번 또는 14번 의자에 앉을 수 있으며 ㈏, ㈐에서 어느 두 학생도 양 옆 또는 앞뒤로 이웃하여 앉을 수 없다.

2단계 A가 24번 의자에 앉는 경우의 수 구하기

(i) A가 24번 의자에 앉는 경우

11	12	13	14	15	16	17
		23	A	25		

A를 제외한 4명의 학생은 11번, 13번, 15번, 17번 의자에 각각 한 명씩 앉아야 한다.

이때 B는 11번 또는 13번 의자 중 1개의 의자에 앉아야 하므로 B가 의자를 택하여 앉는 경우의 수는 $_2C_1=2$

이 각각에 대하여 A, B를 제외한 3명의 학생이 나머지 3개의 의자에 앉는 경우의 수는 $3!=6$

따라서 구하는 경우의 수는

$2 \times 6 = 12$

3단계 A가 25번 의자에 앉는 경우의 수 구하기

(ii) A가 25번 의자에 앉는 경우

11	12	13	14	15	16	17
		23	24	A		

A를 제외한 4명의 학생은 11번 또는 12번 의자 중 1개, 14번 의자, 16번 또는 17번 의자 중 1개, 23번 의자에 각각 한 명씩 앉아야 한다.

11번 또는 12번 의자 중 1개를 택하고, 16번 또는 17번 의자 중 1개를 택하는 경우의 수는 $_2C_1 \times _2C_1 = 2 \times 2 = 4$

이때 B는 11번 또는 12번 의자 중 택한 의자 또는 14번 중 1개의 의자에 앉아야 하므로 B가 의자를 택하여 앉는 경우의 수는 $_2C_1 = 2$

이 각각에 대하여 A, B를 제외한 3명의 학생이 나머지 3개의 의자에 앉는 경우의 수는 $3!=6$

따라서 구하는 경우의 수는 $4 \times 2 \times 6 = 48$

4단계 조건을 만족시키는 경우의 수 구하기

(i), (ii)에서 구하는 경우의 수는

$12+48=60$

★idea
06 답 45

1단계 6개의 숫자를 세 조로 나누는 경우의 수 구하기

1, 2, 3, 4, 5, 6의 6개의 숫자를 2개, 2개, 2개의 세 조로 나누는 경우의 수는

$_6C_2 \times _4C_2 \times _2C_2 \times \dfrac{1}{3!} = 15 \times 6 \times 1 \times \dfrac{1}{6} = 15$

2단계 조건 ㈎를 만족시키는 경우의 수 구하기

이때 나눈 세 조를 각각

$(c_1, d_1), (c_2, d_2), (c_3, d_3)$ (단, $c_1<c_2<c_3, c_i<d_i, i=1, 2, 3$)

이라 하면 ㈎를 만족시키는 경우는 (a_1, a_3)이 (c_1, c_2) 또는 (c_1, c_3) 또는 (c_2, c_3)일 때이므로 3가지이다.

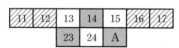

$c_1=a_1, c_2=a_3$이면 $d_1=a_2, d_2=a_4, c_3=a_5, d_3=a_6$
$c_1=a_1, c_3=a_3$이면 $d_1=a_2, c_2=a_4, d_2=a_5, d_3=a_6$
$c_2=a_1, c_3=a_3$이면 $d_2=a_2, d_3=a_4, c_1=a_5, d_1=a_6$

3단계 조건을 만족시키는 자연수 N의 개수 구하기

따라서 구하는 자연수 N의 개수는 $15 \times 3 = 45$

07 답 64

1단계 조건 ㈎의 의미와 $f(1)$의 값 파악하기

㈎에서 $f(x)+f(-x)=-1$ 또는 $f(x)+f(-x)=1$이므로 $f(1)$과 $f(-1)$, $f(2)$와 $f(-2)$, $f(3)$과 $f(-3)$의 값은 각각 짝을 지어 그 값이 정해진다.

㈏에서 $f(1)>0$이므로 $f(1)=1$ 또는 $f(1)=2$ 또는 $f(1)=3$

2단계 $f(1)$과 $f(-1)$의 값을 정하는 경우의 수 구하기

(i) $f(1)=1$일 때,

$f(1)+f(-1)=-1$에서 $f(-1)=-2$

$f(1)+f(-1)=1$에서 $f(-1)=0 \notin X$이므로 조건을 만족시키지 않는다.

(ii) $f(1)=2$일 때,

$f(1)+f(-1)=-1$에서 $f(-1)=-3$

$f(1)+f(-1)=1$에서 $f(-1)=-1$

(iii) $f(1)=3$일 때,

$f(1)+f(-1)=-1$에서 $f(-1)=-4 \notin X$이므로 조건을 만족시키지 않는다.

$f(1)+f(-1)=1$에서 $f(-1)=-2$

(i), (ii), (iii)에서 $f(1)$과 $f(-1)$의 값을 정하는 경우의 수는

$1+2+1=4$

3단계 $f(2)$와 $f(-2)$, $f(3)$과 $f(-3)$의 값을 정하는 경우의 수 구하기

같은 방법으로 $f(2)$와 $f(-2)$, $f(3)$과 $f(-3)$의 값을 정하는 경우의 수도 각각 4이다.

4단계 조건을 만족시키는 함수 $f(x)$의 개수 구하기

따라서 구하는 함수 $f(x)$의 개수는

$4 \times 4 \times 4 = 64$

08 답 ①

1단계 함수 $f \circ f$가 항등함수임을 알기

함수 f의 역함수가 존재해야 하므로 함수 f는 일대일대응이다.

또 집합 A의 모든 원소 x에 대하여 $f(x)=f^{-1}(x)$, 즉 $(f \circ f)(x)=x$이므로 함수 $f \circ f$는 항등함수이다.

2단계 함수 $f \circ f$가 항등함수가 되는 각 경우의 수 구하기

(i) 집합 A의 모든 원소 x에 대하여 $f(x)=x$인 경우

$f(f(x))=f(x)=x$이므로 조건을 만족시킨다.

따라서 함수 f의 개수는 1이다.

(ii) 집합 A의 서로 다른 두 원소 a, b에 대하여 $f(a)=b, f(b)=a$이고, 나머지 3개의 원소는 모두 $f(x)=x$인 경우

$f(f(a))=f(b)=a, f(f(b))=f(a)=b$이므로 조건을 만족시킨다.

이때 집합 A의 5개의 원소 중 서로 다른 두 원소 a, b를 택하는 경우의 수는 $_5C_2=10$

따라서 함수 f의 개수는 10이다.

(iii) 집합 A의 서로 다른 네 원소 a, b, c, d에 대하여 $f(a)=b, f(b)=a$, $f(c)=d, f(d)=c$이고, 나머지 1개의 원소는 $f(x)=x$인 경우

(ii)와 마찬가지로 조건을 만족시킨다.

이때 집합 A의 5개의 원소를 2개, 2개, 1개의 세 조로 나누는 경우의 수는

$_5C_2 \times _3C_2 \times _1C_1 \times \dfrac{1}{2!} = 10 \times 3 \times 1 \times \dfrac{1}{2} = 15$

따라서 함수 f의 개수는 15이다.

3단계 조건을 만족시키는 함수 f의 개수 구하기

(i), (ii), (iii)에서 구하는 함수 f의 개수는 $1+10+15=26$

09 답 504

1단계 함수 h가 상수함수일 때, 순서쌍 $(f,\ g,\ h)$의 개수 구하기

조건을 만족시키려면 $h \circ g \circ f$가 상수함수이어야 한다.

(i) 함수 h가 상수함수인 경우 ┌─ 두 함수 f, g는 각각 상수함수 또는 상수함수가 아닌 함수이다.

모든 함수 f, g에 대하여 $h \circ g \circ f$는 상수함수이다.

함수 h가 상수함수인 경우는 $h(x)=1$, $h(x)=2$, $h(x)=3$의 3가지

함수 f의 개수는 $3 \times 3 = 9$

함수 g의 개수는 $2 \times 2 \times 2 = 8$

따라서 순서쌍 $(f,\ g,\ h)$의 개수는 $3 \times 9 \times 8 = 216$

2단계 함수 h가 상수함수가 아닐 때, 순서쌍 $(f,\ g,\ h)$의 개수 구하기

(ii) 함수 h가 상수함수가 아닌 경우

함수 h의 개수는 $3 \times 3 - 3 = 6$

└─함수 h의 개수   └─함수 h가 상수함수인 경우

① 함수 g가 상수함수인 경우

모든 함수 f에 대하여 $g \circ f$가 상수함수이므로 $h \circ g \circ f$도 상수함수이다.

함수 g가 상수함수인 경우는 $g(x)=1$, $g(x)=2$의 2가지

함수 f의 개수는 $3 \times 3 = 9$

따라서 순서쌍 $(f,\ g,\ h)$의 개수는 $6 \times 2 \times 9 = 108$

② 함수 g가 상수함수가 아닌 경우

함수 g의 개수는 $2 \times 2 \times 2 - 2 = 6$

└─함수 g의 개수   └─함수 g가 상수함수인 경우

① 함수 f가 상수함수인 경우

함수 f가 상수함수이면 $g \circ f$가 상수함수이므로 $h \circ g \circ f$도 상수함수이다.

함수 f가 상수함수인 경우는 $f(x)=1$, $f(x)=2$, $f(x)=3$의 3가지

따라서 순서쌍 $(f,\ g,\ h)$의 개수는 $6 \times 6 \times 3 = 108$

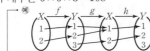

② 함수 f가 상수함수가 아닌 경우

집합 Y의 원소 x_1, $x_2 (x_1 \neq x_2)$에 대하여 $g(x_1) = g(x_2)$일 때, 집합 $\{x_1,\ x_2\}$가 함수 f의 치역이 되면 $h \circ g \circ f$는 상수함수이다.

함수 f가 상수함수가 아닌 경우는 $f(1)=x_1$, $f(2)=x_2$ 또는 $f(1)=x_2$, $f(2)=x_1$의 2가지

따라서 순서쌍 $(f,\ g,\ h)$의 개수는 $6 \times 6 \times 2 = 72$

①, ②에서 순서쌍 $(f,\ g,\ h)$의 개수는

$108 + 108 + 72 = 288$

3단계 조건을 만족시키는 순서쌍 $(f,\ g,\ h)$의 개수 구하기

(i), (ii)에서 구하는 순서쌍 $(f,\ g,\ h)$의 개수는

$216 + 288 = 504$

10 답 396

1단계 조건 ㈏를 이용하여 A 학급 학생을 1분단에 배정하는 경우 생각하기

㈏에서 각 분단에는 같은 학급 학생이 3명 올 수 없으므로 1분단에는 A 학급 학생 2명 또는 1명을 배정한다.

2단계 1분단에 A 학급 학생 2명을 배정하는 방법의 수 구하기

1분단에 A 학급 학생 2명을 배정하는 경우는 (첫째 줄, 셋째 줄), (첫째 줄, 넷째 줄), (둘째 줄, 넷째 줄)의 3가지이고, 이때 C 학급의 학생은 각 분단에 1명씩 배정하거나 2분단에 2명을 모두 배정할 수 있다.

└─ C 학급의 학생을 1분단에 모두 배정하면 B 학급 학생 3명은 2분단에 모두 앉게 된다.

(i) C 학급 학생이 1분단과 2분단에 각각 1명씩 앉는 경우

① 1분단의 첫째 줄과 셋째 줄에 A 학급 학생이 앉는 방법의 수는 3

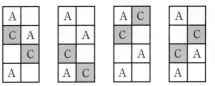

→ B 학급의 학생은 남은 자리에 배정하면 된다.

A 학급 학생을 배정하는 방법의 수는 1분단에 앉을 학생 2명을 택하는 방법의 수와 같으므로

$_3C_2 = {}_3C_1 = 3$ → 분단이 결정되면 자리는 학급 번호에 따라 결정된다.

B 학급 학생을 배정하는 방법의 수는 1분단에 앉을 학생 1명을 택하는 방법의 수와 같으므로 $_3C_1 = 3$

C 학급 학생을 배정하는 방법의 수는 학생 2명이 각각 다른 분단에 앉으므로 2가지

따라서 각각의 경우에 대하여 학생을 배정하는 방법의 수는

$3 \times 3 \times 2 = 18$

따라서 구하는 방법의 수는

$3 \times 18 = 54$

② 1분단의 첫째 줄과 넷째 줄에 A 학급 학생이 앉는 방법의 수는 4

①과 같은 방법으로 각각의 경우에 대하여 학생을 배정하는 방법의 수를 구하면 $3 \times 3 \times 2 = 18$

따라서 구하는 방법의 수는

$4 \times 18 = 72$

③ 1분단의 둘째 줄과 넷째 줄에 A 학급 학생이 앉는 방법의 수는 3

①과 같은 방법으로 각각의 경우에 대하여 학생을 배정하는 방법의 수를 구하면 $3 \times 3 \times 2 = 18$

따라서 구하는 방법의 수는

$3 \times 18 = 54$

①, ②, ③에서 구하는 방법의 수는 $54 + 72 + 54 = 180$

(ii) C 학급 학생이 모두 2분단에 앉는 경우

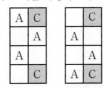

각각의 경우에 대하여 학생을 배정하는 방법의 수는

$3 \times 3 \times 1 = 9$

따라서 구하는 방법의 수는

$2 \times 9 = 18$

(i), (ii)에서 1분단에 A학급 학생 2명을 배정하는 방법의 수는

$180 + 18 = 198$

3단계 조건을 만족시키는 방법의 수 구하기

이때 각각의 경우에 대하여 1분단과 2분단이 바뀌는 경우가 2가지이므로 구하는 방법의 수는 $198 \times 2 = 396$

01 768 **02** 1080 **03** 30 **04** ③ **05** ① **06** 36

07 ④ **08** 96

01 답 768

㈎에서 A와 B가 같이 앉을 수 있는 2인용 의자는 4개이고, 두 사람은 서로 자리를 바꿀 수 있으므로 A와 B가 앉는 방법의 수는

$4 \times 2! = 8$

㈏에서 C와 D가 앉을 2인용 의자 2개를 택하는 방법의 수는

$_3P_2 = 3 \times 2 = 6$

C와 D가 택한 2인용 의자의 2개의 자리 중 한 자리를 택하는 방법의 수는 $2 \times 2 = 4$

따라서 C와 D가 서로 다른 2인용 의자에 앉는 방법의 수는

$6 \times 4 = 24$

㈐에서 아무도 앉지 않은 2인용 의자에 G가 혼자 앉는 방법의 수는 2

C, D가 앉은 2인용 의자의 남은 2개의 자리에 E와 F가 앉는 방법의 수는 2

따라서 구하는 방법의 수는

$8 \times 24 \times 2 \times 2 = 768$

02 답 1080

1부터 9까지의 자연수 중 합이 12의 약수가 되는 서로 다른 세 수는
└─ 12의 약수는 1, 2, 3, 4, 6, 12

$(1, 2, 3), (1, 2, 9), (1, 3, 8), (1, 4, 7), (1, 5, 6), (2, 3, 7),$
$(2, 4, 6), (3, 4, 5)$의 8가지이다.

이 각각에 대하여 나머지 6개의 숫자 중 하나를 택하는 경우의 수는 6

이때 $(1, 2, 3)$과 7 또는 8 또는 9를 택한 경우는 중복되므로 4개의 숫자를 택하는 경우의 수는

$8 \times 6 - 3 = 45$

이 각각에 대하여 4개의 숫자를 일렬로 나열하는 경우의 수는

$4! = 24$

따라서 구하는 네 자리의 자연수의 개수는

$45 \times 24 = 1080$

03 답 30

그림과 같이 두 수 a, b가 같은 가로줄에 있으면 $n(X) = 8$이고, 같은 세로줄에 있으면 $n(X) = 9$이다.

(i) 두 수 a, b가 같은 가로줄에 있는 경우

3개의 가로줄 중 하나를 택하는 경우의 수는 $_3C_1 = 3$

이 각각에 대하여 가로줄에 있는 4개의 숫자 중에서 2개를 택하는 경우의 수는 $_4C_2 = \dfrac{4 \times 3}{2 \times 1} = 6$

따라서 구하는 경우의 수는

$3 \times 6 = 18$

(ii) 두 수 a, b가 같은 세로줄에 있는 경우

4개의 세로줄 중 하나를 택하는 경우의 수는

$_4C_1 = 4$

이 각각에 대하여 세로줄에 있는 3개의 숫자 중에서 2개를 택하는 경우의 수는

$_3C_2 = {}_3C_1 = 3$

따라서 구하는 경우의 수는

$4 \times 3 = 12$

(i), (ii)에서 구하는 순서쌍 (a, b)의 개수는

$18 + 12 = 30$

04 답 ③

주머니에서 꺼낸 6개의 공의 색이 3종류인 경우는 색깔별 공의 개수가 3, 2, 1 또는 2, 2, 2인 경우이다.

(i) 색깔별 공의 개수가 3, 2, 1인 경우

3개를 꺼낼 수 있는 공은 검은 공, 파란 공, 빨간 공이므로 이 중에서 1종류를 택하는 경우의 수는 $_3C_1 = 3$

2개를 꺼낼 수 있는 공은 노란 공과 3개의 공을 꺼내고 남은 2종류의 공이므로 이 중에서 1종류를 택하는 경우의 수는 $_3C_1 = 3$

공을 꺼내지 않은 3종류의 공 중에서 1개의 공을 꺼낼 1종류를 택하는 경우의 수는 $_3C_1 = 3$

따라서 구하는 경우의 수는

$3 \times 3 \times 3 = 27$

(ii) 색깔별 공의 개수가 2, 2, 2인 경우

노란 공을 제외한 4종류의 공 중에서 각각 2개씩 공을 꺼낼 3종류를 택하는 경우의 수는 ──→ 노란 공은 1개뿐이므로 2개를 꺼낼 수 없다.

$_4C_3 = {}_4C_1 = 4$

(i), (ii)에서 구하는 경우의 수는

$27 + 4 = 31$

05 답 ①

서로 다른 종류의 블루투스 스피커 4개와 같은 종류의 이어폰 3개를 6명의 학생에게 남김없이 나누어 주면 6명의 학생 중 1명은 블루투스 스피커와 이어폰을 합쳐서 2개를 받고, 나머지 5명의 학생은 블루투스 스피커와 이어폰 중 1개만 받는다.

(i) 1명의 학생이 블루투스 스피커 2개를 받는 경우

4개의 블루투스 스피커 중에서 2개를 택하는 방법의 수는

$_4C_2 = \dfrac{4 \times 3}{2 \times 1} = 6$

택한 2개의 블루투스 스피커를 받을 학생을 정하는 방법의 수는 6

남은 2개의 블루투스 스피커를 나머지 5명의 학생 중 2명의 학생에게 각각 1개씩 나누어 주는 방법의 수는

$_5P_2 = 5 \times 4 = 20$

블루투스 스피커를 받지 못한 3명의 학생에게 이어폰을 각각 1개씩 나누어 주는 방법의 수는 1

따라서 구하는 방법의 수는

$6 \times 6 \times 20 \times 1 = 720$

(ii) 1명의 학생이 이어폰 2개를 받는 경우

이어폰 2개를 받을 학생을 정하는 방법의 수는 6

나머지 5명의 학생 중 4명의 학생에게 블루투스 스피커를 1개씩 나누어 주는 방법의 수는

$_5P_4=5\times4\times3\times2=120$

아무것도 받지 못한 1명의 학생에게 이어폰 1개를 나누어 주는 방법의 수는 1

따라서 구하는 방법의 수는

$6\times120\times1=720$

(iii) 1명의 학생이 블루투스 스피커 1개와 이어폰 1개를 받는 경우

4개의 블루투스 스피커를 6명의 학생 중 4명의 학생에게 각각 1개씩 나누어 주는 방법의 수는

$_6P_4=6\times5\times4\times3=360$

블루투스 스피커를 받은 4명의 학생 중 1명에게 이어폰 1개를 나누어 주는 방법의 수는 $_4C_1=4$

아무것도 받지 못한 2명의 학생에게 이어폰을 각각 1개씩 나누어 주는 방법의 수는 1

따라서 구하는 방법의 수는

$360\times4\times1=1440$

(i), (ii), (iii)에서 구하는 방법의 수는

$720+720+1440=2880$

06 답 36

㉮에서 A는 13번 또는 14번 사물함을 택할 수 있고, B는 1번 또는 2번 또는 3번 또는 4번 사물함을 택할 수 있으며 ㉯, ㉰에서 어느 두 학생도 양 옆 또는 위 아래로 이웃한 사물함을 택할 수 없다.

(i) A가 13번 사물함을 택한 경우

11	12	A	14		
1	2	3	4	5	6

A를 제외한 4명의 학생은 2번, 4번, 6번, 11번 사물함을 각각 한 명씩 택해야 한다.

이때 B는 2번 또는 4번 사물함 중 1개를 택할 수 있으므로 B가 사물함을 택하는 방법의 수는 $_2C_1=2$

이 각각에 대하여 A, B를 제외한 3명의 학생이 나머지 3개의 사물함을 택하는 방법의 수는 $3!=6$

따라서 구하는 방법의 수는 $2\times6=12$

(ii) A가 14번 사물함을 택한 경우

11	12	13	A		
1	2	3	4	5	6

A를 제외한 4명의 학생은 5번 또는 6번 사물함 중 1개와 1번, 3번, 12번 사물함을 택해야 한다.

5번 또는 6번 사물함 중 1개를 택하는 방법의 수는 $_2C_1=2$

이때 B는 1번 또는 3번 사물함 중 1개를 택해야 하므로 B가 사물함을 택하는 방법의 수는 $_2C_1=2$

이 각각에 대하여 A, B를 제외한 3명의 학생이 나머지 3개의 사물함을 택하는 방법의 수는 $3!=6$

따라서 구하는 방법의 수는 $2\times2\times6=24$

(i), (ii)에서 구하는 방법의 수는

$12+24=36$

07 답 ④

집합 $X=\{-2, -1, 1, 2, 3, 4\}$에 대하여 함수 $f:X\longrightarrow X$이므로 ㉮에서 $\{f(x)\}^2-\{f(2-x)\}^2=3$을 만족시키는 순서쌍 $(f(x), f(2-x))$는 $(-2, -1), (-2, 1), (2, -1), (2, 1)$

(i) $f(x)=-2, f(2-x)=-1$인 경우

$x\leq0$이면 $2-x\geq2$

그런데 $f(2-x)=-1$이므로 ㉯를 만족시키지 않는다.

$x>0$일 때 $f(x)=-2$이므로 ㉯를 만족시키지 않는다.

따라서 가능한 순서쌍 $(f(x), f(2-x))$는 존재하지 않는다.

(ii) $f(x)=-2, f(2-x)=1$인 경우

$x=-2$이면 $f(-2)=-2, f(4)=1$

$x=-1$이면 $f(-1)=-2, f(3)=1$

$x\geq1$일 때 $f(x)=-2$가 되어 ㉯를 만족시키지 않는다.

따라서 가능한 순서쌍 $(f(x), f(2-x))$의 개수는 2이다.

(iii) $f(x)=2, f(2-x)=-1$인 경우

$x<2$이면 $2-x>0$

그런데 $f(2-x)=-1$이므로 ㉯를 만족시키지 않는다.

$x=2$이면 $f(2)=2, f(0)=-1$이지만 $f(0)$의 값은 정의되지 않는다.

$x=3$이면 $f(3)=2, f(-1)=-1$

$x=4$이면 $f(4)=2, f(-2)=-1$

따라서 가능한 순서쌍 $(f(x), f(2-x))$의 개수는 2이다.

(iv) $f(x)=2, f(2-x)=1$인 경우

$x=-2$이면 $f(-2)=2, f(4)=1$

$x=-1$이면 $f(-1)=2, f(3)=1$

$x=1$이면 $f(1)=2, f(1)=1$이 되어 함숫값이 정의되지 않는다.

$x=2$이면 $f(2)=2, f(0)=1$이지만 $f(0)$의 값은 정의되지 않는다.

$x=3$이면 $f(3)=2, f(-1)=1$

$x=4$이면 $f(4)=2, f(-2)=1$

따라서 가능한 순서쌍 $(f(x), f(2-x))$의 개수는 4이다.

(i)~(iv)에서 가능한 순서쌍 $(f(x), f(2-x))$의 개수는 8이다.

이 각각에 대하여 $x<0$이면 가능한 $f(x)$의 값은 6가지이고, $x>0$이면 가능한 $f(x)$의 값은 4가지이다.
→ $f(-2)=-2, f(4)=1$인 경우, 가능한 $f(-1)$의 값은 6가지이고 가능한 $f(1)$, $f(2)$, $f(3)$의 값은 각각 4가지 이다.

따라서 조건을 만족시키는 함수 f의 개수는

$8\times6\times4^3=24\times2^7$ ∴ $a=24$

08 답 96

(i) 흰 공을 1이 적혀 있는 칸에 넣는 경우

8이 적혀 있는 칸에 흰 공을 넣으면 ㉰를 만족시키지 않으므로 흰 공 3개는 다음과 같이 (1, 3, 6) 또는 (1, 4, 6) 또는 (1, 4, 7)이 적혀 있는 칸에 넣어야 한다.

1	2	3	4
5	6	7	8

1	2	3	4
5	6	7	8

1	2	3	4
5	6	7	8

① 흰 공을 (1, 3, 6)이 적혀 있는 칸에 넣는 경우

흰 공을 넣는 방법의 수는 $3!=6$

이 각각에 대하여 검은 공은 (2, 4, 7), (2, 5, 7), (2, 5, 8), (4, 5, 7)이 적혀 있는 칸에 넣을 수 있다.

이때 검은 공을 넣는 방법은 (4, 5, 7)이 적혀 있는 칸에 넣는 방법이 2가지이고 나머지는 각각 1가지이다.
→ 4와 5에 넣은 검은 공을 서로 바꾸어도 흰 공이 들어 있는 1, 3보다 크므로 2가지이다.

따라서 구하는 방법의 수는

$6\times(1\times2+3\times1)=30$

ⅱ) 흰 공을 (1, 4, 6)이 적혀 있는 칸에 넣는 경우

흰 공을 넣는 방법의 수는 3!=6

이 각각에 대하여 검은 공은 (2, 5, 7), (2, 5, 8), (3, 5, 8)이 적혀 있는 칸에 넣을 수 있다.

이때 검은 공을 넣는 방법의 수는 1

따라서 구하는 방법의 수는

6×3×1=18

ⅲ) 흰 공을 (1, 4, 7)이 적혀 있는 칸에 넣는 경우

흰 공을 넣는 방법의 수는 3!=6

이 각각에 대하여 검은 공은 (2, 5, 8), (3, 5, 8), (3, 6, 8)이 적혀 있는 칸에 넣을 수 있다.

이때 검은 공을 넣는 방법의 수는 1

따라서 구하는 방법의 수는

6×3×1=18

ⅰ), ⅱ), ⅲ에서 구하는 방법의 수는

30+18+18=66

(ⅱ) 흰 공을 2가 적혀 있는 칸에 넣는 경우

1이 적혀 있는 칸에는 흰 공을 넣을 수 없고 1이 적혀 있는 칸에 검은 공을 넣거나 8이 적혀 있는 칸에 흰 공을 넣으면 (다)를 만족시키지 않으므로 흰 공 3개는 다음과 같이 (2, 4, 5) 또는 (2, 4, 7) 또는 (2, 5, 7)이 적혀 있는 칸에 넣어야 한다.

ⅰ) 흰 공을 (2, 4, 5)가 적혀 있는 칸에 넣는 경우

흰 공을 넣는 방법의 수는 3!=6

이 각각에 대하여 검은 공은 (3, 6, 8)이 적혀 있는 칸에 넣을 수 있다.

이때 검은 공을 넣는 방법의 수는 2

따라서 구하는 방법의 수는

6×1×2=12

ⅱ) 흰 공을 (2, 4, 7)이 적혀 있는 칸에 넣는 경우

흰 공을 넣는 방법의 수는 3!=6

이 각각에 대하여 검은 공은 (3, 5, 8) 또는 (3, 6, 8)이 적혀 있는 칸에 넣을 수 있다.

이때 검은 공을 넣는 방법의 수는 1

따라서 구하는 방법의 수는

6×2×1=12

ⅲ) 흰 공을 (2, 5, 7)이 적혀 있는 칸에 넣는 경우

흰 공을 넣는 방법의 수는 3!=6

이 각각에 대하여 검은 공은 (3, 6, 8)이 적혀 있는 칸에 넣을 수 있다.

이때 검은 공을 넣는 방법의 수는 1

따라서 구하는 방법의 수는

6×1×1=6

ⅰ), ⅱ), ⅲ에서 구하는 방법의 수는

12+12+6=30

(ⅲ) 흰 공을 1, 2가 적혀 있는 칸에 넣지 않는 경우

1, 2가 적혀 있는 칸에 검은 공을 넣거나 8이 적혀 있는 칸에 흰 공을 넣으면 (다)를 만족시키지 않으므로 흰 공 3개는 다음과 같이 (4, 5, 7)이 적혀 있는 칸에 넣어야 한다.

이때 1, 2, 3이 적혀 있는 칸에는 검은 공을 넣을 수 없으므로 검은 공 3개를 넣는 경우는 존재하지 않는다.

(ⅰ), (ⅱ), (ⅲ)에서 구하는 방법의 수는

66+30=96

수학의 신 보다 더 강력해진, 1등급을 위한 필수 코스 〈수학의 신〉

대표전화 1544-0554

주소 서울특별시 구로구 디지털로33길 48 대륭포스트타워 7차 20층

협의 없는 무단 복제는 법으로 금지되어 있습니다.